D1266501

TEMPEST
LES ENNEMIS DU TEMPS

Julie Cross

TEMPEST
LES ENNEMIS DU TEMPS

Traduit de l'anglais (États-Unis) par Isabelle Perrin

À mon éditeur, Brendan Deneen.
Ce livre est né de la rencontre de mon rêve et du sien.

Édition originale : *Tempest*
© Julie Cross, 2011
Tous droits réservés.
Publiée par *St Martin's Press LLC, 175 Fifth Avenue*
New York, NY 10010 USA

Pour la traduction française : © 2011, Éditions du Seuil
ISBN : 978-2-02-104800-1

D'accord, j'avoue : j'ai le pouvoir de voyager dans le temps. Mais ce n'est pas aussi sympa que ça en a l'air. Je ne peux pas revenir en arrière pour tuer Hitler. Ni aller dans le futur et savoir qui va remporter le championnat de base-ball en 2038. Pour l'instant, j'ai juste réussi à remonter de six heures dans le passé. Vous parlez d'un superhéros...

Ce soir, j'ai enfin révélé mon secret à quelqu'un. Quelqu'un dont le QI est un million de fois plus élevé que le mien, ce qui veut dire qu'il devrait être capable de m'expliquer qui je suis. Adam n'a qu'une seule exigence : il veut que je note tout, absolument tout ce qui va se passer à partir de maintenant. En fait, il voulait connaître aussi en détail les dix-huit années précédentes, mais j'ai réussi à l'en dissuader, du moins pour l'instant. J'accepte de jouer le jeu en tenant ce journal, ce qui ne veut pas dire que je crois à son utilité. Ce n'est pas parce que je me balade dans le temps que le monde va s'arrêter de tourner ou que je vais accomplir un grand dessein, comme sauver la race humaine de l'extinction. Mais, comme dit Adam, si je suis ce que je suis, c'est qu'il y a une raison. Il ne nous reste plus qu'à trouver laquelle.

Jackson Meyer

CHAPITRE UN

– Je remonte jusqu'où ? demandai-je à Adam.

Nous nous tenions à une distance raisonnable de la ribambelle d'enfants qui se pressaient autour de l'enclos des ours polaires.

– Une demi-heure ? proposa Adam.

– Donne-moi ça, toi ! ordonna Holly à un gamin en lui arrachant un paquet de bonbons qu'il venait de subtiliser dans une poussette. Ça te dérangerait vraiment beaucoup de surveiller ton groupe ? me lança-t-elle avec un regard exaspéré.

– Désolé, Hol, m'excusai-je en prenant Hunter dans les bras avant que sa kleptomanie pathologique n'empire. Fais-moi voir tes mains, bonhomme.

Hunter me gratifia d'un sourire édenté et brandit ses mains potelées grandes ouvertes devant mes yeux.

– Tu vois, il n'y a rien, dit-il.

– Eh bien, c'est parfait ! Tu n'as pas à prendre les affaires des autres.

Je le reposai au sol et le poussai légèrement en direction de ses camarades, qui se dirigeaient vers la grande pelouse réservée au pique-nique des jeunes visiteurs du zoo.

– Viens par là, toi, dis-je à Holly, en entrelaçant mes doigts avec les siens.

– Tu as un faible pour ce petit chapardeur, pas vrai ?

– Va savoir… éludai-je avec un sourire.

Son visage se détendit. Elle m'attira vers elle en tirant sur mon T-shirt et m'embrassa sur la joue.

– Alors, tu fais quoi, ce soir ?

– Euh… J'ai des projets avec une blonde supermignonne, bredouillai-je, ayant complètement oublié ce que nous avions prévu de faire. C'est… une surprise.

– T'es vraiment trop nul ! s'esclaffa-t-elle en secouant la tête. Je le crois pas ! Tu ne te souviens pas que tu m'avais promis de passer la soirée à réciter du Shakespeare, en français et à l'envers ? Et de regarder après *Titanic* et *Coup de foudre à Notting Hill* ?

– Je devais être bourré quand je t'ai dit ça !

Je jetai un regard furtif par-dessus son épaule avant de lui faire un rapide baiser sur la bouche.

– Mais bon, OK pour *Notting Hill*.

– On était censés aller à un concert avec des copains à toi ! me rappela-t-elle en levant les yeux au ciel. Tu as oublié ?

Une petite fille de son groupe vint alors la tirer par la manche en lui montrant les toilettes. J'en profitai pour m'esquiver et échapper ainsi à une discussion sur mon incapacité à prévoir les choses deux semaines à l'avance et à m'en souvenir deux semaines plus tard.

– Eh, Jackson, amène-toi !

Adam m'indiquait un arbre d'un signe de tête. Le moment était venu de planifier avec exactitude mon voyage dans le temps.

– Tu viens avec nous au concert, ce soir ? lui demandai-je.

– Voyons voir... Tu me proposes de passer une soirée avec tes potes friqués du lycée, très *Gossip Girl*, à ce qu'on m'a dit ? Et de claquer l'équivalent d'un mois de salaire pour trois cacahuètes et deux bières ? D'après toi ? fit-il avec un sourire navré.

– Vu comme ça, évidemment... Et demain, si on allait traîner dans votre quartier, à Holly et toi ?

– OK.

– Allez, on s'y met. De toute façon, je ne pourrai rien avaler avec ces odeurs de pet de chameau.

Adam me jeta sur les genoux mon cahier et un stylo.

– Commence par écrire ton objectif, parce qu'un voyage dans le temps qui n'a pas d'objectif, c'est vraiment...

– N'importe quoi, complétai-je en ravalant un grognement.

– La boutique de souvenirs est juste derrière. Ça fait une heure que je l'observe, et c'est toujours la même fille à la caisse.

– Tu la mates, avoue !

Adam roula des yeux et écarta la mèche de cheveux bruns qui lui barrait le front.

– Bon, alors, tu déclenches ton chrono et tu reviens trente minutes en arrière. Tu entres dans la boutique et tu fais ce qu'il faut pour qu'une fille se rappelle ton prénom.

– Je la drague, quoi, dis-je à mi-voix afin que personne d'autre ne m'entende.

Et je me mis à rédiger mes notes avant que Holly ne revienne des toilettes.

Objectif : Tester la théorie sur une personne qui n'a pas connaissance de l'expérience.

Hypothèse : Les faits et les événements, rapports humains compris, qui se produisent pendant le voyage temporel n'affectent EN RIEN le présent.

Traduction pour les nuls en sciences : je repars une demi-heure en arrière, je drague la caissière, je reviens dans le présent et je retourne dans la boutique pour voir si la fille me reconnaît.

Et elle ne me reconnaîtra pas.

Mais Adam Silverman, lauréat 2009 de la National Science Fair et futur étudiant du MIT, ne se résoudra pas à cette conclusion tant que nous n'aurons pas testé l'hypothèse en long, en large et en travers. Ça ne me dérange pas plus que ça, d'ailleurs. C'est même assez fun, sans compter que, il y a encore quelques mois, personne à part moi ne savait ce dont j'étais capable. Maintenant que nous sommes deux fois plus nombreux à le savoir, j'ai un peu moins l'impression d'être un monstre.

Et je me sens moins seul.

Je n'avais jamais eu de copain geek, avant. Quoique, dans la galaxie des geeks, Adam viendrait plutôt de la planète des vilains hackers de sites gouvernementaux. Ce qui, selon moi, est supercool.

– Tu es sûr de pouvoir revenir en arrière de trente minutes pile ?

– Je crois, oui.

– Pense juste à bien noter l'heure. Moi, je calculerai le nombre de secondes que tu vas passer assis là comme un légume, dit Adam en me fourrant un chronomètre dans la main.

– J'ai vraiment l'air d'un légume quand je fais un saut ? Je vais rester combien de temps comme ça, d'après toi ?

– Je dirais qu'en remontant de trente minutes dans le passé pour y faire un séjour de vingt minutes, tu devrais être en état de catatonie dans le présent pendant environ deux secondes.

– J'étais où il y a une demi-heure ? Histoire que je ne me rentre pas dedans.

Adam appuya une dizaine de fois sur le bouton du chronomètre avant de me répondre. Qu'est-ce qu'il a comme TOC, c'est monstrueux.

– Tu étais là-bas, tu regardais les pingouins.

– D'accord, je vais essayer de ne pas me retrouver dans ce secteur.

– Tu peux parfaitement choisir ton point d'arrivée si tu te concentres, tu le sais aussi bien que moi, alors arrête ton numéro.

Il avait peut-être raison, mais c'est difficile de ne penser absolument à rien d'autre qu'à un lieu. Si jamais je pensais, ne serait-ce qu'une minuscule demi-seconde, à un autre endroit que celui où je voulais aller, c'est là que je me retrouverais.

– Vas-y, fiche-toi de moi. T'as qu'à le faire, si tu trouves ça si facile.

– Ah, si seulement...

Je peux comprendre qu'un mec comme Adam soit fasciné par ce dont je suis capable, mais pour moi, ça n'a rien d'un superpouvoir. C'est juste une aberration de la nature. Et qui fout la trouille, en plus.

Ma montre indiquait 12 h 25. Je fermai les yeux et me concentrai sur ce lieu précis, trente minutes auparavant. Je le jure, je ne sais toujours pas comment je fais.

La première fois que ça m'est arrivé, c'était il y a environ huit mois, pendant mon premier semestre de fac, en plein cours de poésie française. Je me suis endormi quelques minutes et je me suis réveillé dans le froid, face à une porte qui claquait : j'étais devant ma résidence universitaire. Je n'ai même pas eu le temps de paniquer que j'étais déjà de retour en classe.

Et là, j'ai paniqué.

Maintenant je trouve ça plutôt sympa. Pourtant, je ne sais toujours pas jusqu'où je suis remonté dans le passé, cette toute première fois. Depuis que je prends tout en note, j'ai fait progresser mon record de six heures à quarante-huit heures. Je n'ai pas encore réussi à sauter dans le futur, mais je persévère.

La sensation familière d'être coupé en deux m'envahit alors. Je retins ma respiration en attendant qu'elle prenne fin. C'est toujours aussi désagréable, mais on s'habitue.

CHAPITRE DEUX

Quand je rouvris les yeux, Adam avait disparu, tout comme les enfants et les autres moniteurs. L'affreuse sensation de déchirement céda la place à cette impression de légèreté qui s'empare toujours de moi lors de mes sauts temporels. Je pourrais courir pendant des heures sans ressentir la moindre douleur dans les jambes.

Je regardai autour de moi : par chance, tous les visiteurs étaient trop occupés à contempler les animaux pour me voir me matérialiser. Jusqu'à présent, heureusement, jamais je n'avais eu à fournir d'explication là-dessus. J'enclenchai le chronomètre et jetai un œil à la gigantesque horloge qui surplombait l'entrée du zoo. 11 h 57. *Pas mal.*

Je me dirigeai vers la boutique de souvenirs et y entrai. La caissière devait avoir mon âge, ou un peu plus. Elle s'accouda sur le comptoir, posa son menton sur ses mains et se mit à contempler le mur.

Chaque fois que j'accomplis une petite expérience de ce genre, je dois m'obliger à me rappeler un fait essentiel : question voyages dans le temps, Hollywood a tout faux.

Je vous jure.

Le truc le plus bizarre de tout ça ? Eh bien, la fille de la boutique pourrait me donner un coup de poing dans le nez, le casser même, et pourtant, à mon retour dans le présent, mon nez serait juste endolori, contusionné, mais pas cassé. Reste à comprendre pourquoi, certes. Toujours est-il que je me rappellerais le coup de poing.

Et si c'était moi qui lui cassais le nez avant de revenir dans le présent, elle n'en garderait aucune séquelle et ne se souviendrait de rien. C'est justement cette théorie que j'étais censé tester (une fois de plus) à ce moment-là. Sauf que je n'allais pas la frapper. À quoi bon ? Le résultat serait le même.

– Bonjour. Vous vendez... de la crème solaire ?

Sans même me regarder, elle se contenta d'indiquer un rayonnage à sa gauche. J'y allai, attrapai quatre flacons et les déposai sur le comptoir.

– Heu, vous êtes à NYU ou... ?

– Vous savez que vous pourriez payer ça genre deux fois moins cher, ailleurs ? lâcha-t-elle.

– Merci du tuyau, mais j'en ai besoin tout de suite, dis-je en m'appuyant sur le comptoir, juste devant elle, alors qu'elle se redressait pour encaisser mes achats.

– Il vous en faut quatre ? Vraiment ?

Bon, c'était mal parti pour la drague.

– Ça va, je n'en prends qu'un. Vous n'êtes pas payée à la commission, j'imagine...

– Vous êtes moniteur de colo ? demanda-t-elle avec dédain à la vue de mon T-shirt vert siglé.

– Exactement.

Elle se retint de rire et s'empara de la carte de crédit que j'avais dans la main.

– Tu ne te souviens vraiment pas de moi, alors ?

– Euh… bredouillai-je, le temps que l'information atteigne mon cerveau.

– Karen… J'étais assise derrière toi en cours d'éco, pendant tout le semestre. Le professeur Larson t'a traité de déséquilibré et a dit que tu avais besoin d'en savoir un peu plus sur la réalité financière des étudiants. C'est pour ça que tu es obligé de bosser ?

– Non, non, répondis-je, ce qui était la stricte vérité.

Je ne suis même pas payé, je suis bénévole, mais je n'allais certainement pas lui raconter tout ça. À l'évidence elle s'était déjà fait son opinion sur moi.

– Bon, ben, c'était sympa de te revoir, Karen.

– Ouais, c'est ça, grommela-t-elle.

Je sortis en vitesse de la boutique. Le retour vers le présent n'exige pas le même degré de concentration que le saut vers le passé, essentiellement parce que je ne peux pas faire autrement que de revenir avant de repartir dans le temps. Adam appelle le présent ma *home base*. Il est passé maître dans l'art de vulgariser les choses pour moi et il sait que j'adore les analogies empruntées au base-ball. Avec un peu de chance, je n'atterrirais pas au milieu d'un groupe d'inconnus médusés par mon état de catatonie.

CHAPITRE TROIS

Quand je rouvris les yeux, Adam était penché au-dessus de moi.

– Jackson ?

– Beurk ! Tu devrais prendre une pastille à la menthe, mon vieux, marmonnai-je en le repoussant.

– Tu as été zombie pendant une seconde et huit dixièmes. J'avais presque bon. D'ici peu, j'aurai assez de données pour réaliser des calculs exacts. Tu ne t'es pas fait mal, cette fois-ci ?

– Non.

Je savais très bien pourquoi il posait cette question. La semaine précédente, j'avais fait un saut de plusieurs heures dans le passé, mais, faute de concentration, je m'étais retrouvé sur la chaussée en plein milieu de la circulation, au lieu d'arriver dans mon appartement. Un énorme semi-remorque m'avait roulé sur la jambe. En rentrant à ma *home base*, j'avais ressenti une douleur très vive, puis plus rien. Le camion aurait dû m'écrabouiller la cuisse, mais, en dehors d'un hématome légèrement violet, je n'avais rien.

Je me levai et époussetai mon pantalon.

19

– Apparemment, on avait un cours en commun, avec la caissière, sauf que là, je viens de lui prendre la tête. Enfin, dans le passé. Bref, tu vois ce que je veux dire. Donc, si l'hypothèse est fausse et que j'ai effectivement changé le déroulement des choses, elle ne va pas être ravie de me revoir.

– On va vérifier. Eh, Hol, on revient tout de suite, dit Adam à Holly en lui faisant un signe de la main.

Au passage, j'attrapai Hunter, qui se dirigeait, l'air de rien, vers l'amas de sacs à dos abandonnés, dans le but évident de se remplir les poches.

– Viens avec nous, mon bonhomme, on va faire les courses.

J'entrai dans la boutique, flanqué de Hunter et d'Adam. La caissière était occupée à transvaser le contenu d'un carton de porte-clés dans un bac en plastique. Je m'arrêtai, la dévisageai et jouai les andouilles.

– Euh, tu ne serais pas en cours d'éco avec moi ?

Elle leva les yeux et esquissa même un sourire.

– Si, avec le professeur Larson.

Et toc ! Deux points de plus pour Jackson Meyer. Comme je l'avais prédit, elle ne se rappelait pas que je l'avais gonflée. Mon saut d'une demi-heure dans le temps n'avait eu aucun effet.

– C'est bien Karen, ton nom ?

– Et toi, Jackson, tu es en poésie française, non ?

– Je trouve pas ce que je veux, on s'en va, grommela Adam en passant près de moi.

– Et je suis aussi en littérature anglaise, précisai-je, ignorant Adam et asseyant Hunter sur le comptoir. Je fais un double cursus.

Si mes petites escapades dans le passé n'affectent en rien ma *home base*, elles présentent malgré tout quelques avantages, comme l'obtention d'informations. Donc, en théorie, elles produisent bien un effet.

Sur moi, en tout cas.

Je sortis avec mes deux acolytes et me retrouvai nez à nez avec Holly, qui jetait des déchets dans une poubelle. Je l'entraînai derrière un arbre, à l'abri des regards.

– Adam craque pour la meuf de la boutique, j'essayais de lui faciliter le contact...

Holly éclata de rire. Je la poussai doucement contre l'arbre.

– Hunter n'a rien volé ? tenta-t-elle d'articuler car mes lèvres se pressaient déjà contre les siennes.

– Pas que je sache.

Alors que je l'embrassais de nouveau, je sentis une goutte d'eau sur ma joue. Je levai les yeux vers le ciel, à présent couvert, et la pluie se mit à tomber dru.

– Bon sang ! Il devait faire beau toute la journée, se lamenta Holly.

Je courus avec elle vers la pelouse, où Adam et les autres moniteurs étaient déjà en train de rassembler les enfants. Certains des plus jeunes poussèrent un hurlement quand un gros coup de tonnerre retentit dans tout le zoo.

– On retourne au car ? demandai-je à Adam.

– Oui ! cria-t-il pour couvrir le bruit de l'orage.

Se protégeant la tête avec leur sac à dos, les enfants se mirent à courir en désordre. Holly et Adam filèrent à l'avant du groupe, tandis que je restais en arrière pour faire accélérer les retardataires.

Par chance, le car nous attendait juste devant l'entrée du zoo. Mais mes vêtements comme mes baskets n'en étaient pas moins trempés. Alors que je hissais le dernier môme à l'intérieur du car, j'aperçus une petite fille rousse de dix ou onze ans qui se tenait toute seule dehors. Comme elle me tournait le dos, je ne voyais que ses cheveux, son jean et son T-shirt à manches longues. L'eau dégouttait de sa longue natte.

Je sentis mon cœur battre jusque dans mes oreilles tandis que les hypothèses valsaient dans ma tête.

Ça ne pouvait pas être elle.

Mais si c'était le cas ?

Je m'avançai vers la fillette.

– Jackson, où tu vas ? entendis-je Holly crier malgré le vacarme de la pluie.

– Elle n'est pas avec nous, dit Adam. Allez, en route !

J'allongeai le pas et tapai sur l'épaule de la fillette. Elle se retourna aussitôt. Ses yeux s'écarquillèrent un instant, puis son expression s'adoucit en un sourire. Si c'était bien elle, allait-elle me reconnaître ?

La pluie martelait le trottoir. Un éclair illumina le ciel noir.

– Jackson ! cria Holly une deuxième fois.

Mon cœur se calma. Les yeux de la petite n'étaient pas verts, mais bleus. J'éprouvai à la fois du soulagement et une profonde déception.

– Désolé, je t'ai prise pour quelqu'un d'autre.

Je fis demi-tour et repartis en courant vers le car. Des dizaines de petites têtes m'observaient à travers les vitres. Je grimpai à l'intérieur et m'ébrouai pour chasser l'eau de mes cheveux. Les regards s'étaient détournés pour se poser sur moi. Celui d'Holly aussi, mais je la dépassai pour me couler sur le siège inoccupé à côté d'Adam.

Un sentiment de culpabilité m'étreignit quand je la vis s'asseoir toute seule sans me poser la moindre question. Et pourtant, elle en avait envie, je le savais. Vu la manière dont tout le monde me dévisageait, j'avais vraiment dû me donner en spectacle.

– C'était quoi, cette histoire avec la gamine dehors ? demanda Adam.

– Rien, rien, répondis-je, le regard fuyant. Elle ressemblait à quelqu'un, c'est tout. Fausse alerte, RAS.

– Elle ressemblait à Courtney, c'est ça ? devina-t-il après un instant de silence.

– C'est bête, je sais, soupirai-je.

– Non, c'est pas bête. Ça arrive à plein de gens tous les jours. Attends un peu... murmura-t-il. Tu ne crois tout de même pas que... humm... Hypothèse intéressante, mais qui entraîne beaucoup trop de problèmes logistiques.

– Laisse tomber, dis-je avant qu'il ne se mette à me harceler de questions. Sois sympa.

Aucun moyen d'y échapper. Ma sœur jumelle était morte. Cela faisait quatre ans et ce deuil me hantait toujours. Elle me hantait toujours. Surtout parce qu'elle me manquait atrocement.

Toute notre petite troupe sortit du car en file indienne. Holly, qui m'attendait à l'avant, m'emboîta le pas.

– Ça va ? s'enquit-elle, les yeux pleins d'inquiétude.

– Oui, pourquoi ça n'irait pas ? rétorquai-je en haussant les épaules.

– Bon, bon, d'accord, dit-elle, l'air peiné, avant de me tourner le dos.

OK, c'est vrai, je suis complètement nul, côté confidences. C'est ce que devait penser Holly même si elle ne me l'avait jamais dit ouvertement.

J'attrapai le sac à dos détrempé qu'elle portait sur l'épaule et le jetai sur la mienne.

– Tu… tu veux passer un peu plus tard ? Histoire qu'on ait le temps de se sécher avant de sortir tous les deux ?

Elle se retourna en souriant.

– D'accord.

– Un bon coup de séchoir, ce ne sera pas du luxe, dis-je en essorant d'une main sa queue-de-cheval blonde.

Elle posa les mains sur mon visage. Ses yeux bleus étaient pleins de gravité, comme ceux d'Adam un peu plus tôt.

– Tu es sûr que ça va ? Qu'est-ce que tu…

– Je suis juste un peu bizarre des fois, c'est tout, l'interrompis-je avec un sourire forcé.

Et je l'entraînai à l'intérieur, à l'abri de la pluie.

CHAPITRE QUATRE

Ce soir, avec mon complice, on va exécuter un plan prévu depuis un moment : le vol de mon dossier médical dans le bureau du docteur Melvin. Adam est convaincu qu'on peut y trouver quelque chose qui expliquerait pourquoi je suis une erreur de la nature. Entre nous, franchement, il croit vraiment qu'il y aura un « Taré qui voyage dans le temps » tamponné sur la couverture du dossier ?

Depuis une semaine, je prends note de l'emploi du temps délirant du docteur Melvin. Pour faire simple, il travaille en permanence. Sauf avant-hier soir. L'expérience va impliquer un saut de deux jours dans le passé (mon record actuel) ainsi que des manœuvres très scientifiques et très tordues.

Adam est en chemin, de retour du MIT, sans doute en train de s'escrimer à mettre au point toutes les formules nécessaires. Moi, j'ai fait ma part du boulot : j'ai écrit mon objectif noir sur blanc, et je n'ai donc plus qu'à réorganiser ma soirée avec Holly. Depuis le début de l'année universitaire, Adam décide toujours de ses visites à la dernière minute, ce qui m'oblige constamment à annuler mes rendez-vous avec ma copine. Mais comme elle est très occupée, entre la fac et une espèce de club de danse, elle sera sans doute soulagée. Et puis, je peux encore arriver à temps pour le dîner, même si, pour le ciné, c'est cuit... Au fait, le dîner ! Merde, j'ai déjà un quart d'heure de retard !

À suivre.

***

VENDREDI 29 OCTOBRE 2009, 21 H 30

Bon, avouons-le, Holly n'a pas pris le changement de programme aussi bien que je l'avais imaginé.

– Allez, Holly, ouvre !

Deux filles drapées dans des peignoirs de bain passèrent à côté de moi en gloussant.

– Elle ne veut pas te voir, jubila Lydia. C'est exactement pour ça que j'ai tiré un trait sur les mecs. Ça fait un mois que je lui conseille de suivre mon exemple.

Je me retins de hurler sur la roommate de Holly. Cette mégère se tenait les bras écartés devant la porte de la chambre pour m'empêcher de passer. Comme si j'avais l'intention de tout défoncer.

– Lydia, tu ne devrais pas être à une réunion du fan-club de Sylvia Plath ? lançai-je, alors que de la musique s'élevait de l'autre côté de la porte.

– Très drôle, Jackson. En tout cas, il est hors de question que je te donne ma clé.

– Laisse-moi entrer, s'il te plaît, suppliai-je en me frappant doucement la tête contre le mur.

– Ne lui pardonne pas ! Il n'arrêtera jamais de te mener en bateau. Jamais, jamais ! cria Lydia.

Bien, c'est décidé, je vais l'étrangler, cette nana.

Une porte s'ouvrit à la volée derrière nous sur une étudiante serrant un énorme livre contre sa poitrine.

– Jackson, excuse-moi, mais j'ai du boulot. Et toi, Lydia, tu la mets en veilleuse, s'il te plaît. Tes délires antimecs, tout le monde s'en fout.

La musique monta d'un cran dans la chambre de Holly. Je me retournai vers Lydia et lui criai par-dessus le vacarme :

– Je te file cent dollars si tu me donnes ta clé et que tu ne reviens pas de la soirée.

Je m'attendais à un sermon sur le respect du règlement des dortoirs ou à une métaphore à la con sur les femmes que l'on contraint à abandonner les « clés » de la vie, mais, à ma grande surprise, elle répondit :

– D'accord pour deux cents.

J'ouvris mon portefeuille et en sortis une carte de crédit.

– Tiens, prends plutôt ça.

Elle laissa tomber sa clé à mes pieds et déguerpit dans le couloir. Je poussai un soupir de soulagement.

– Ouf, merci ! fit l'étudiante derrière moi.

Je ramassai vivement la clé et l'approchai de la serrure.

– Hol, dis-moi quelque chose !

Pour toute réponse, j'entendis le refrain d'une chanson de Pink. Alors j'ouvris lentement la porte, pensant trouver Holly sur le qui-vive, prête à s'emparer de la clé et à me repousser dehors.

Une chaussure rouge vola à travers la pièce et alla s'écraser sur le mur du fond, au-dessus de la fenêtre. J'entrai et fermai la porte avant de regarder autour de moi. Du placard émergeaient les pieds de Holly et les pans de son peignoir bleu.

Même si je n'étais pas certain qu'elle m'ait entendu entrer, la chaussure m'était peut-être bien destinée. Cela n'aurait pas été la première fois qu'une fille m'en jetait une à la figure, mais ce n'était pas le genre de Holly.

Je dus encore esquiver une sandale marron tandis que je traversais la pièce pour aller éteindre la musique. Dès que le silence se fit, Holly arrêta de fouiller dans ses affaires et sortit à quatre pattes de la penderie. Elle se remit debout devant moi.

– J'ai une bonne nouvelle, annonçai-je en tentant de sourire malgré l'ambiance. Lydia est prête à fermer sa grande gueule de râleuse, si on y met le prix. Elle ne reviendra que demain.

– T'es sérieux ? Tu as payé ma roommate pour qu'elle dégage ?

Il n'y avait pas la moindre trace d'amusement sur son visage. Un nœud se forma au creux de mon ventre.

– Dis-moi ce qui ne va pas. Qu'est-ce que j'ai fait ?

Par ces simples mots, je reconnaissais qu'il y avait bien plus qu'une séance de cinéma annulée. Pas très malin de ma part. Je lui tendis la main, mais elle garda les bras croisés sur la poitrine.

– Tu me caches des choses sans arrêt. Avec Adam, tu vas, tu viens, on dirait deux mômes.

– Tu es jalouse ? Je sais que vous étiez copains avant que je débarque, mais si tu veux, on peut mettre au point un planning.

Pas bon, pas bon du tout, ça. C'était vraiment le truc à ne pas dire. Je me fis tout petit, imaginant qu'elle allait se mettre à hurler ou attraper une autre chaussure pour me la jeter à la figure. Au lieu de cela, elle me tourna le dos, se dirigea vers son bureau et commença à fourrager dans une pile de papiers.

– Très bien, tu as raison, ça n'a aucune importance, dit-elle d'un ton on ne peut plus sarcastique.

Cela me fit l'effet d'une douche froide. Je me passai la main dans les cheveux en cherchant quelque chose d'approprié à dire. J'aurais peut-être dû filer, mais je choisis de changer de sujet.

– Tu as perdu quelque chose ? Tu cherches quoi, là-dedans ?

– Une de mes cartes mémoire, répondit-elle sans se retourner, en posant violemment un livre sur le bureau. Écoute, j'ai vraiment beaucoup de boulot, là, d'accord ?

Je ramassai une ou deux chaussures qui traînaient par terre et les lançai dans le placard.

– Euh… Tu veux un coup de main ?

– Non, rétorqua-t-elle avant d'allumer l'écran de son ordinateur. Je suis sérieuse, Jackson. Va-t'en, il faut que j'avance. Je t'en prie.

Son ton n'était plus sarcastique, mais empreint de lassitude et d'une légère exaspération. Holly m'offrait une issue pour sortir en douceur de cette dispute. Mais la curiosité l'emporta et je relançai la conversation.

– Hol, pourquoi t'es énervée à ce point ?

Elle secoua la tête.

– Ce n'est pas ça, je ne suis pas en colère contre toi.

– Alors, qu'est-ce que... ? insistai-je avec un soupir agacé.

Qu'est-ce que tu attends de moi ? m'apprêtais-je à dire, parce que, sincèrement, je n'en avais aucune idée. Mais les mots restèrent coincés dans ma gorge à l'instant où je vis une goutte tomber sur la pile de papiers devant Holly. J'avançai de deux pas. Quand elle se retourna, j'entrevis ses larmes juste avant qu'elle pose la tête contre ma poitrine.

– Tu ne me racontes jamais rien. C'est... c'est comme si tu avais une vie parallèle dont je serais exclue.

Le tremblement des larmes dans sa voix m'ébranla plus que je ne l'aurais cru. J'aurais dû m'enfuir tant qu'il en était encore temps. Je la serrai dans mes bras.

– Je ne souhaite pas te tenir à l'écart. Pardonne-moi.

Holly se dégagea de mon étreinte et se jeta sur son lit.

– Ça m'énerve, je suis incapable de rester en colère contre toi, rugit-elle.

Je ne m'étais pas rendu compte que j'avais retenu mon souffle pendant tout ce temps. Je me remis à respirer et m'allongeai près d'elle, le visage enfoui dans son cou.

– Je croyais que tu n'étais pas en colère, lui rappelai-je.

– Si, je l'étais, précisa-t-elle en essuyant ses larmes. C'est de l'imparfait.

– Alors ça veut dire qu'on peut faire l'amour pour se réconcilier ?

Elle esquissa un sourire qui s'effaça aussitôt.

– À une condition : promets-moi qu'il n'y aura plus de secrets, plus jamais.

Impossible. Rigoureusement impossible.

Je glissai les doigts sous son peignoir et me mis à lui caresser le dos.

– Tu vas finir par craquer, de toute façon.

– Moi ? Sûrement pas.

– Bon, d'accord, je te le promets.

– Menteur ! dit-elle en éclatant de rire, avant de m'arracher mon T-shirt et de le balancer sur la lampe. Lydia va être furax demain.

– Elle s'est fait au moins deux cents dollars, pas de quoi être furax. Ça lui arrive quelquefois de ne pas être énervée ?

Je défis la ceinture de son peignoir.

– Jamais. Mais merci de m'avoir épargné une soirée de sermons féministes.

– C'est mon cadeau de réconciliation, murmurai-je en me penchant vers elle.

Elle se débarrassa de son peignoir.

– J'ai droit à autre chose ?

– Une voiture neuve, par exemple ?

– Non.

– Une grosse tablette de ce chocolat hypercher sans produits laitiers ?

– Tu sais très bien ce dont j'ai envie, dit-elle en m'embrassant partout dans le cou.

– Jamais ! grognai-je.

– Allez, s'il te plaît !

– J'ai l'impression de me transformer en dégénéré, avec tes histoires. Pire que ça, en nana.

Je commis l'erreur de la regarder. À la vue des quelques larmes qui s'accrochaient à sa joue, je cédai.

– Si tu en parles à qui que ce soit, tu vas comprendre ta douleur, vu ?

Elle fit mine de se fermer la bouche avec une fermeture Éclair et vint se lover contre moi.

– Tu crois pouvoir prendre un accent anglais cette fois-ci ?

– Je vais essayer, dis-je en riant, avant de lui déposer un baiser sur le front.

– Allez, je t'écoute.

Adam et mon dossier médical pouvaient bien attendre un peu. Je levai les yeux au ciel et pris une profonde inspiration.

– *C'était la meilleure des époques, c'était la pire des époques, c'était l'âge de la sagesse, c'était l'âge de la déraison...*

Mon prof d'anglais de troisième nous faisait réciter du Dickens debout devant toute la classe. L'horreur. Devant Holly, cela ne me dérangeait pas trop, mais je ne le lui aurais jamais avoué.

– Il a eu raison de faire ça, d'après toi ? me demanda-t-elle, une fois que j'eus récité quelques pages.

– Qui ça, Sydney ? De se laisser guillotiner pour que la femme qu'il aime puisse en épouser un autre ?

Holly se mit à rire et je sentis ses lèvres frémir contre ma poitrine.

– C'est ça, Sydney, répondit-elle.

– Non, je trouve que c'est un crétin fini, déclarai-je avant de l'embrasser au coin des lèvres.

– Tu mens, sourit-elle.

Je l'attirai vers moi et l'embrassai encore, mettant ainsi fin à une conversation qui m'aurait inévitablement amené à lui avouer bien plus de secrets que je n'en avais l'intention.

– Tu ne visais personne en particulier avec ces chaussures tout à l'heure ? dis-je entre deux baisers.

Elle se pencha au-dessus de moi, ses cheveux formant comme un rideau autour de nous.

– Je ne savais même pas que tu étais là.

– Tant mieux, parce que la rouge avait un talon super-pointu. Tu pourrais arracher un œil à quelqu'un avec un truc pareil !

Elle éclata de rire et me couvrit de baisers.

– Je la garde en réserve pour mes autres mecs, me glissa-t-elle à l'oreille.

***

Tôt le lendemain matin, la sonnerie assourdissante du réveil de Holly me tira du sommeil. Quelques cheveux blonds me chatouillèrent le nez, puis une mèche entière me tomba dans la bouche. Holly assena un grand coup sur le bouton stop.

– Je l'avais mis pour que tu ne rates pas ton TP de 8 heures.

– Je peux sécher, aujourd'hui, dis-je en écartant ses cheveux de mon visage pour lui embrasser la nuque. Rendors-toi.

Elle se pelotonna au creux de mon bras et murmura quelque chose de confus qui ressemblait à : « Dis-moi un secret. »

C'était le jeu favori de Holly. Ma réponse classique était une boutade du style : « J'étais amoureux de Hilary Duff, dans le temps. » Mais après la dispute de la veille au soir, je lui devais mieux que ça.

– Je suis fou de toi, chuchotai-je au creux de son oreille.

Je devinai son sourire, puis le sommeil s'empara de nouveau de nous.

***

Je rouvris les yeux deux heures plus tard. On frappait à la porte. J'attrapai mon jean, enfilai mon T-shirt à la va-vite, puis secouai Holly.

– Je crois que Lydia est de retour.

Holly grogna, ramassa son peignoir par terre et alla ouvrir la porte. Deux hommes pénétrèrent dans la chambre en la bousculant.

– Mais… dit Holly en nouant la ceinture de son peignoir.

Le plus petit des deux, un rouquin, claqua la porte.

– C'est lui, dit-il à l'autre.

– C'est à quel sujet ? demandai-je.

– Tu es le fils de Kevin Meyer ? lança le rouquin en me regardant droit dans les yeux.

Mon cœur s'emballa. Il s'était passé quelque chose… Quand avais-je vu mon père pour la dernière fois ? *Il y a deux jours*, me rappelai-je. Il avait quitté le pays depuis.

– Il… il va bien ? bredouillai-je.

Holly se rapprocha de moi et me serra fort la main. J'imaginai les pensées qui se bousculaient dans sa tête : *l'avion privé s'écrase dans la montagne, laissant le fils du P-DG seul au monde.* La sueur dégoulinait le long de ma nuque.

Le plus grand des deux hommes plongea la main dans la poche de sa veste et brandit un insigne, trop vite pour que j'aie le temps de le déchiffrer.

– Vous allez devoir nous suivre, dit-il.

Des flics. Le FBI, peut-être. Ou des journalistes d'investigation ? Peut-être que le laboratoire pharmaceutique de mon père était soupçonné de blanchiment d'argent ou d'autres malversations ? Mon père et son armada de conseillers financiers m'avaient rebattu les oreilles de ce que les médias étaient prêts à faire pour glaner des informations en vue d'un article. Cette carte montrée si rapidement, je ne l'avais qu'entraperçue…

– Je ne bouge pas d'ici, dis-je en secouant la tête.

– Jackson, tu devrais peut-être… commença Holly, que je fis taire d'un geste de la main.

– Vous travaillez pour quel journal ? lançai-je.

Les deux hommes échangèrent un regard.

– Pour quel journal ? répéta le grand, l'air interdit.

– Dehors, tous les deux ! ordonnai-je en indiquant la porte du doigt.

Holly, marchant en crabe afin de ne pas tourner le dos aux intrus, vint se placer lentement derrière moi. Du coin de l'œil, je la vis reculer en direction de sa commode, toujours au ralenti, pour y attraper quelque chose. Un portable ? Une bombe lacrymogène ?

– Avez-vous actuellement des contacts avec des services secrets ? demanda le petit. Vous ont-ils fourni des informations ?

Ces deux gugusses commencent sérieusement à me gaver.

Après un bref examen des lieux à la recherche d'une arme improvisée, je tendis doucement le bras vers un lampadaire. Mais avant que j'aie eu le temps de prononcer un mot, une chaussure de femme vola à travers la pièce et atteignit l'homme au visage. Comme il tournait vivement la tête vers Holly, j'aperçus l'empreinte écarlate d'un talon au-dessus de son œil. Le sang me monta à la tête et mon cœur se mit à battre au point d'exploser. Tel le champion de base-ball, Carlos Beltrán, je frappai de bon cœur et l'abat-jour se fracassa au même endroit que la chaussure. L'homme partit à la renverse et s'effondra contre la porte. Un éclat de verre lui avait fait une belle entaille au-dessus de l'œil gauche.

Allongé par terre, il me saisit les jambes et me fit un plaquage. Aussitôt je perdis l'équilibre et m'écrasai tête la première contre le sol carrelé. Son comparse enjamba nos corps emmêlés et se dirigea vers Holly, qui reculait pas à pas, la main droite derrière le dos.

– Si vous coopérez, on ne vous fera aucun mal.

Il n'eut pas le temps de finir sa phrase : Holly brandit une bombe lacrymogène, d'où fusa un jet de gaz bien ajusté.

– Sortez de ma chambre ! cria-t-elle.

– Saloperie ! hurla l'homme, qui se plia en deux en se frottant les yeux.

Holly le contourna et fonça vers la porte. Je me relevai en même temps que mon adversaire et, profitant de ce qu'il était distrait par les cris de son partenaire, je suivis Holly.

– Stop ! On ne bouge plus ! entendis-je alors derrière moi.

Le rouquin sortit de la poche de son blouson un pistolet semi-automatique qu'il pointa droit sur ma tête. Le sang qui s'écoulait de sa blessure à l'œil limitait son champ de vision.

Je retins mon souffle, me sachant impuissant. Vaincu. Dos à la porte, Holly avait les mains crispées sur la poignée.

– Non… Attends… ordonna le grand. Seulement s'il saute.

S'il saute où ? Mon cœur battait la chamade. Ils ne pouvaient pas savoir… n'est-ce pas ?

Je fis un grand pas en arrière, mais me pris les pieds dans le lampadaire et sentis quelque chose s'enrouler autour de ma cheville. Pour la seconde fois, je perdis l'équilibre.

Une détonation me transperça les tympans, puis Holly hurla. Tout sembla alors s'arrêter : mon cœur, ma respiration… le temps.

Holly s'écroula. Je voulus crier, me jeter à côté d'elle. Mais, à la seconde même où je remarquai la tache de sang qui s'élargissait sur son peignoir, je sautai. Cette fois-ci, je ne pouvais rien contrôler, apparemment.

Cependant, juste avant que tout ne vire au noir, je vis la poitrine de Holly se soulever et retomber. Elle était en vie et moi, je l'abandonnais à son sort.

CHAPITRE CINQ

Je recrachai quelque chose semblable à de la paille et me rendis compte que j'étais allongé le nez dans l'herbe. Où ? Quand ? Mystère. Mon cœur battait à tout rompre. Ça n'avait ressemblé en rien aux sauts habituels.

Le soleil me chauffait la nuque. Je n'aurais pas dû le sentir à ce point. Quelque chose était différent.

J'avais dû rêver... à moins que je ne me sois cogné la tête. Je ne m'étais peut-être même pas disputé avec Holly. Peut-être que rien de tout cela ne s'était produit. Alors la vision écœurante de Holly inanimée par terre me revint et me retourna l'estomac.

Je me mis debout, mais trébuchai sur quelque chose et me retrouvai de nouveau par terre. À en juger par l'intensité de la douleur que je ressentis au contact du sol, j'étais bien sur ma *home base*. Mon sac noir gisait à mes pieds. J'avais dû l'emporter avec moi.

Me forçant à accommoder mon regard, je constatai que je me trouvais dans Central Park, non loin de chez moi. Je me relevai, me dirigeai vers la sortie, mais j'avais les jambes en plomb. Je pris mon portable dans ma poche et l'inclinai pour voir l'heure. L'écran était complètement noir. Je le frappai plusieurs fois sur ma cuisse, en vain, et demandai l'heure à une joggeuse qui passait.

– Il est un peu plus de 6 heures, répondit-elle sans s'arrêter.

La douleur qui irradiait dans tout mon corps était si forte que je dus m'asseoir sur un banc.

– Ça va ? s'enquit un vieil homme à côté de moi.

– Oui, ça va, merci.

J'inclinai la tête en arrière, j'avais simplement besoin de récupérer une minute. J'allais fermer les yeux, quand le journal du vieil homme apparut dans mon champ de vision et me fit me redresser d'un coup. 9 septembre 2007, venais-je de lire.

Mais qu'est-ce que c'est que ce bordel ?

– C'est… euh… c'est le journal d'aujourd'hui ?

– Oui, jeune homme, répondit-il et il se remit à siffloter.

Non. Impossible. C'est juste un fêlé qui lit un journal vieux de deux ans.

Je contemplai la date encore quelques secondes. Une grosse goutte de pluie s'écrasa pile dessus. Je levai la tête : des nuages noirs s'amassaient dans le ciel. L'homme replia son journal.

– La météo n'annonçait pas de pluie, pourtant, remarqua-t-il avant de s'éloigner.

Bien. Pour l'instant, tout ce que j'avais, c'était un journal indiquant que la date du jour se situait deux ans auparavant, enfin, auparavant pour moi.

Je me mis à courir tandis que la pluie redoublait. J'avisai un policier sous un arbre, vers qui je me dirigeai.

– Pardon, monsieur l'agent, quel jour sommes-nous ?

– On est le 9, marmonna-t-il sans même me regarder.

– Le 9 septembre ?

– Ben ouais, ricana-t-il.

– Le 9 septembre 2009, c'est ça ?

– 2009 ? répéta-t-il en secouant la tête. Ah ces jeunes...

Sa réponse instilla une telle panique en moi qu'elle me fit l'effet d'un shoot de caféine direct dans les veines. Je m'essuyai les yeux avec le bas de ma chemise et me mis en quête d'une troisième source d'information.

Henry, l'un des portiers de mon immeuble, ferait parfaitement l'affaire, mais s'il y avait un autre moi qui traînait dans les parages ? C'était trop risqué. Je partis sous la pluie glacée vers le Starbucks qui se trouvait à l'opposé de chez moi.

En y entrant, je claquais des dents. La fille au comptoir se redressa et me sourit.

– Ça faisait un bail... dit-elle.

Je balayai la salle du regard à la recherche d'un exemplaire du *New York Times* qui traînerait sur une table.

– Ouais, c'est vrai. J'avais plein de trucs à faire. Les études, tout ça...

Elle éclata de rire. Son visage me disait quelque chose, mais c'était peut-être juste à cause de sa tenue.

– Mais enfin... tu as passé l'été à visiter l'Europe.

Ah bon ?

– Euh, je suis resté seulement une semaine en Allemagne.

Elle commença à préparer une commande, je ne savais pas pour qui. Personne n'attendait d'être servi.

– Et après ? demanda-t-elle.

– J'ai beaucoup bossé, répondis-je, tandis que la machine chuintait en chauffant le lait.

– Bossé ? Attends, tu ne devais pas rester en Espagne jusqu'en décembre ?

– Mon programme a changé et…

– Alors pourquoi je ne t'ai pas vu au lycée de toute la semaine ? Ils ont même donné ton casier à un môme de troisième.

Elle fit glisser un gobelet vers moi. J'étais paralysé, les yeux fixés sur le café posé sur le marbre noir, tandis que les pièces du puzzle se mettaient en place. Les casiers, c'était… le lycée. L'Europe, c'était… la terminale. Le premier semestre en Espagne, pendant l'année de terminale.

La terminale, c'était… 2007.

– Putain de merde ! murmurai-je.

J'étais incapable de revenir plus de deux jours en arrière et là j'avais fait un saut de deux ans dans le passé ? Mon front se couvrit de sueur. Maintenant, je me souvenais de cette fille : une boursière de la Loyola Academy.

C'est-à-dire… de mon lycée. Là où j'avais passé mon bac. En 2008. Enfin, visiblement, je ne l'avais pas encore passé.

– Jackson, tu te sens bien ?

Elle connaissait mon prénom, mon visage. Je venais ici tous les jours quand j'étais au lycée, et je payais par carte. Une carte à mon nom. Eh bien, voilà. Tout ceci était parfaitement logique. Le reste, pas du tout. Ou plutôt si, mais cela n'aurait pas dû l'être : mon moi de dix-neuf ans n'aurait pas dû se trouver à l'époque de mon moi de dix-sept ans. Je me penchai en avant pour éviter de m'évanouir. Comment avais-je atterri ici, bon sang ?

– Désolé, il faut que j'y aille… Je voulais juste te faire un petit coucou… prétextai-je.

Je sortis d'un pas chancelant et m'appuyai contre la porte pour reprendre mon souffle. L'année 2009 avait-elle seulement eu lieu ? Je ne m'étais jamais senti aussi désorienté lors de mes voyages temporels. En fait, le moment que j'étais en train de vivre me semblait aussi réel que celui que je venais de quitter. À commencer par les douleurs, les gouttes de pluie froides, mes jambes lourdes, mon cœur.

Si j'essaie de repartir, je peux peut-être tout remettre en ordre.

Des images se bousculaient dans ma tête. Holly, l'air paniqué... Holly en sang gisant par terre... Holly qui respirait toujours...

Mais pour combien de temps encore ? Et c'était ma faute. Entièrement ma faute.

Je fermai les yeux pour retenir mes larmes. Tout ce que je pouvais faire pour éviter de paniquer, c'était repartir.

Repartir vers le 30 octobre 2009. Qui était officiellement devenu le pire jour de ma vie. Adossé à la porte, le visage battu par la pluie, je fermai les yeux et m'obligeai à penser à 2009.

Aussitôt, la sensation de déchirement m'envahit et je perdis ma concentration. Trop tard : j'étais déjà parti pour l'inconnu.

CHAPITRE SIX

J'avais toujours les yeux clos, lorsque je sentis une odeur de bois de cerisier et de cire parfumée au citron. Pas de pluie. Pas de bruits de conversation. Pas de camion sur le point de m'écraser les jambes. Je regardai alors autour de moi et reconnus aussitôt les lieux.

Le bureau de mon père.

Par les baies vitrées de cette gigantesque pièce d'angle, j'aperçus la circulation sur la Cinquième Avenue. On était le matin, ou le soir. Très certainement un jour de semaine. Je ne contrôle pas ma destination pendant mes sauts temporels, Adam m'avait toujours mis en garde contre ça.

– Va savoir où tu te retrouveras un de ces quatre, m'avait-il dit.

Je chassai cette pensée de mon esprit et repensai à ma tâche la plus importante : m'assurer du jour et de l'heure. J'allai jusqu'à l'ordinateur et l'allumai. Verrouillé. Il fallait scanner une empreinte digitale pour y accéder.

Le minuscule écran du téléphone posé à côté du clavier indiquait des chiffres. Je m'apprêtais à les regarder de plus près quand des bips résonnèrent derrière la porte. Comme lorsqu'on tape un code pour entrer dans un garage, par exemple. Dans mon souvenir, le bureau de mon père n'avait pas de code d'accès. L'immeuble était parfaitement sécurisé.

Et si j'avais atterri dans le futur ? Et si j'avais dépassé la date du 30 octobre 2009 ?

Pas le temps de creuser la question, car il m'apparut soudain que si jamais mon père, ou qui que ce soit d'autre, pénétrait ici, il y avait toutes les chances pour qu'il panique en voyant un avatar de votre serviteur. Qui n'aurait pas dû se trouver là. Ce jour-là. Cette année-là. Quelle que soit l'année en question.

Je me glissai dans l'armoire située à gauche du bureau à l'instant même où la porte s'ouvrait. Des pas résonnèrent et un bras m'effleura le visage. Je me renfonçai dans ma cachette en retenant ma respiration, tandis que Papa accrochait son long manteau d'hiver.

Indice n° 1 : *Il fait froid dehors.*

Cela éliminait quelques mois de la liste. La porte se rabattit mais resta entrouverte, laissant passer un mince filet de lumière qui me permit de voir mon père fourrager sur son bureau.

Une puissante sonnerie retentit. Je frôlai la crise cardiaque à l'idée que quelqu'un puisse savoir que j'étais là.

– Oui ? fit Papa en décrochant le combiné.

C'est juste le téléphone, patate !

– Tout s'est déroulé comme prévu, énonça la voix d'homme légèrement étouffée qui émanait du haut-parleur.

– Votre rapport complet, agent Freeman.

Agent ?

L'inconnu au bout du fil donna l'impression de renâcler.

– J'attends ! insista mon père.

– Oui, oui, pardon. Les deux sujets, le garçon et la fille, sont arrivés à l'endroit prévu sans dommage.

– Dois-je vous rappeler la définition d'un rapport complet, agent Freeman ? Dois-je baisser la note de votre évaluation ? menaça mon père.

– D'accord, d'accord… Tonnerre a fait le chemin avec sa bande habituelle, il est arrivé à l'heure pour la répétition du groupe de jazz à 7 h 02. Éclair est arrivée à l'endroit prévu à 7 h 58 exactement. Deux minutes avant le début de l'étude. Elle aurait pu arriver plus tôt, mais elle a voulu s'arrêter pour boire un chocolat.

Il parle forcément de Courtney et de moi.

Courtney était morte le 15 avril 2005.

Tonnerre, Éclair, c'étaient des noms de code ?

Je ne pouvais pas prendre de notes, pas ici. Je fermai les yeux, me calai contre la paroi et m'obligeai à ressasser les faits. *On est avant 2005. Apparemment, une sorte d'agent nous suit jusqu'à l'école et fait des rapports à Papa.*

En tant que P-DG d'un grand laboratoire pharmaceutique, mon père est quelqu'un de très en vue, d'accord. Mais nous faire suivre par un détective privé ou je ne sais qui, voilà qui semblait un peu exagéré.

La voix de mon père me tira de mes pensées.

– Elle y est allée toute seule ?

– Oui, monsieur.

J'entendais mon père arpenter son bureau.

– Et la fille qui habite deux étages au-dessus ? Peyton ? dit-il.

– D'après mes informations, elle aurait la grippe.

– Et il ne vous est pas venu à l'esprit qu'il fallait me donner cette information ? Si j'avais su, j'aurais accompagné…

– J'ai travaillé pour la CIA sur des missions ultradange-reuses en plein désert pendant six mois. Je crois pouvoir gérer deux mômes de douze ans qui vont à l'école, rétorqua Freeman, un brin irrité.

La CIA nous filait quand on allait à l'école ? Ou alors c'était un ancien de la CIA que mon père avait engagé pour nous surveiller ?

– Je vous présente mes excuses, soupira mon père. Et merci pour votre rapport. C'est la première fois que je ne les suis pas moi-même. Je ne pensais pas que ce serait aussi dur pour moi de confier cette tâche à quelqu'un d'autre.

Quoi ?

– Ne vous inquiétez pas. La moitié de la CIA est sur le coup non-stop. Vos enfants ne seraient pas plus en sécurité s'ils se déplaçaient dans une bulle blindée.

– Agent Freeman, il ne faut jamais rien traiter à la légère. Même le trajet de deux gamins jusqu'à l'école. Et vous avez bien saisi quelle est la règle qui prime pour moi ?

– Ne jamais intervenir sauf nécessité absolue, récita l'agent Freeman. L'autre jour, j'ai vu Tonnerre et des copains à lui balan-cer des œufs, depuis la fenêtre de sa chambre, sur la voiture du Russe. Eh bien, je suis resté muet comme une carpe.

Mon père gloussa.

– C'était il y a deux jours, c'est ça ?

– Oui, monsieur, le 11 janvier.

Le 11 janvier. Et j'ai douze ans. Enfin pas moi, l'autre moi. L'autre moi a douze ans.

Après un rapide calcul mental, j'en conclus que nous étions... le 13 janvier 2003.

2003 ? Ah ben merde !

– Je réglerai ça. Entre nous, ce Russkoff est un connard, mais je ne cautionne pas le jet d'objets depuis le vingtième étage. D'autant moins que c'est illégal à New York. Bien, ce sera tout. J'attends un rapport toutes les heures.

Je n'entendis aucun pas ni aucun son indiquant que mon père approchait. Et pourtant, d'un seul coup, la porte s'ouvrit à la volée, une main se plaqua sur ma bouche et il me sortit du placard en me tirant par mon T-shirt.

L'instant d'après, il me plaquait au mur, son avant-bras posé sur ma gorge. Il appuyait de tout son poids, ne me laissant aucune échappatoire. En fait, j'en avais une idéale : le saut dans le temps. Mais face au visage de mon père, calme et confiant, de presque sept ans plus jeune, j'eus un peu de mal à me concentrer pour fuir cette année 2003.

– Tu es plus jeune que les autres, remarqua-t-il froidement. Comment as-tu fait pour entrer ici ?

Les autres ? Quels autres ?

Il exerçait une pression si forte sur mon larynx que je pouvais à peine respirer, et encore moins parler. J'avais presque sept ans de plus que l'enfant avec lequel il avait sans doute pris son petit déjeuner ce matin-là. Il était logique qu'il ne me reconnaisse pas.

Malgré son air tranquille, la colère brillait dans ses yeux. Peut-être même la haine. Cette façon qu'avait mon père de me regarder me fit frissonner de la tête aux pieds.

– Alors, comment on s'y prend ? demanda-t-il. Pistolet ? Poison ? Seringue ?

J'étais littéralement paralysé par la peur. Il relâcha son avant-bras pour m'enserrer la gorge.

– Je pourrais aussi t'étrangler.

Mes globes oculaires étaient sur le point d'éclater. Au bord de l'évanouissement, j'avais un champ de vision si rétréci que je ne voyais plus que le visage de mon père. Je ne savais pas s'il pouvait me tuer pendant un saut temporel, mais cette simple menace constituait une raison suffisante pour quitter 2003. Alors je partis sans avoir rien dit à mon père. Un homme qui possédait apparemment la capacité de tuer à mains nues.

Mais bon Dieu ! Qui c'était, ce type ?

CHAPITRE SEPT

La pluie me fouettait de nouveau le visage, entrant dans ma bouche ouverte. J'avais la tête qui tournait, j'avais mal au cœur et… j'avais la trouille. Mon propre père venait d'essayer de me tuer.

De m'assassiner. De ses propres mains.

À l'évidence, il ne m'avait pas reconnu. Et il faisait suivre mon moi de douze ans par la CIA pour lui éviter la mort. La situation était trop délirante pour que j'en prenne la mesure tout de suite. J'entendis un petit bruit sec derrière moi et je sursautai, complètement abasourdi.

Je compris que j'étais de nouveau adossé à la porte du Starbucks.

En 2007. Exactement là d'où j'étais parti.

La serveuse que je connaissais du lycée passa la tête par l'embrasure et me mit quelque chose sous le nez.

– Tu as oublié ton portable sur le comptoir, me dit-elle.

Je le pris et la dévisageai longuement.

– On est bien en 2007 ? En terminale ?

La panique que je percevais dans ma voix était en décalage complet avec ce que je voyais autour de moi : des gens déambulant dans les rues de Manhattan, un dimanche matin. Ne savaient-ils donc pas que le monde venait d'être mis sens dessus dessous ? Ni que tout ceci risquait de se terminer par une catastrophe qui m'empêcherait à jamais de retourner dans le futur ?

Non, bien sûr. Ce qui se retrouvait sens dessus dessous, c'était mon monde à moi, à moi seul.

– Oui, on est en 2007, répondit la fille avec un sourire ahuri.

Elle croit que je suis dingue, c'est clair.

– Il est génial, ton téléphone. Tu l'as eu où ? Je n'ai jamais vu ce modèle, et pourtant, ma sœur bosse chez...

– C'est un prototype. Je connais des gens qui... D'ailleurs je n'aurais même pas dû le sortir comme ça, dis-je en l'enfonçant dans la poche de mon jean. Bon, ben, à bientôt !

La pluie avait fait place à un léger crachin. Je traversai la rue au pas de course en direction du parc. Rien ne pouvait redonner un semblant de normalité aux événements de ces dernières heures. La seule chose qui pourrait m'éviter de paniquer, c'était mon journal de bord. Tout consigner, comme je l'avais promis à Adam.

Adam. Si seulement je pouvais le voir. Lui ou Holly...

Je marchai un peu dans le parc et trouvai un arbre sous lequel m'asseoir. J'ouvris mon cahier dans l'espoir de me calmer, mais l'évocation de ces deux noms m'avait donné des palpitations. Le deuxième, surtout. Je m'efforçai de ne pas penser à elle... de me concentrer sur les détails de mon compte rendu, sur les faits scientifiques. Mais, à la vérité, depuis le jour où j'avais rencontré Holly, depuis cet instant où elle m'avait bousculé, renversant son smoothie sur mes pieds, je n'avais jamais cessé de penser à elle. Et je ne l'avais jamais reconnu ouvertement.

Au début, Holly avait tout de la fille inaccessible pour moi. Non seulement elle avait un copain très fidèle, mais en plus elle balançait des tonnes de commentaires méprisants sur les gosses de riches dont on s'occupait. Jusqu'à ce qu'elle découvre que j'en faisais partie. Ça lui avait rabattu le caquet un moment.

Les gens veulent toujours ce qu'ils ne peuvent ou ne devraient pas avoir. Cette simple loi semblait nous avoir attirés l'un vers l'autre, comme deux aimants. Mais ce n'était pas simplement moi qui gravitais autour d'elle. La réciproque valait aussi.

Il fallait absolument que je retourne en 2009. Je fermai les yeux et me forçai à diriger la moindre parcelle de mon énergie sur le lieu et la date où je devais me rendre.

CHAPITRE HUIT

Quelques heures plus tard, j'étais de retour sous mon arbre à noter tout ce dont je me souvenais, dans un tentative désespérée de garder un contact aussi étroit que possible avec la réalité. Et puis, de cette façon, Adam disposerait du récit complet de mes aventures. Adam ou plutôt le futur Adam, si jamais on devait me retrouver mort quelque part.

DIMANCHE 9 SEPTEMBRE 2007, 18 H 30

Au cours des deux derniers jours, j'ai tenté à dix-sept reprises d'opérer un retour au 30 octobre 2009 (enfin, un retour vers le futur, en l'occurrence), en vain. Lors de mon deuxième essai, je me suis retrouvé dehors, en pleine tempête de neige, en février 2006. J'ai failli crever de froid. Tout s'emmêle dans ma tête. À certains moments, je me sens en vie, mais, à d'autres, j'ai l'impression d'être dans une espèce de purgatoire dément. Trop de dates à mémoriser, trop de temporalités. Est-ce que j'existe même seulement quelque part ? Suis-je une personne réelle si je n'ai pas de *home base* ?

Toutes ces tentatives m'ont envoyé à divers moments du passé, et chaque fois je suis revenu ici. Comme s'il n'y avait rien dans le futur. Comme si le 9 septembre 2007 ÉTAIT LA FIN DU MONDE. Pour le moment, je suis tellement épuisé que je n'ai même pas la force de penser aux voyages temporels. Si je fermais les yeux pendant quelques instants, peut-être…

***

– Hé toi, debout !

Quelqu'un me secoua par l'épaule, puis me tapota la poitrine du doigt.

J'étais allongé sur l'herbe. Je bondis sur mes pieds, manquant de percuter les deux agents de police qui se tenaient devant moi. Le soleil s'était couché pendant mon sommeil. Je jetai un coup d'œil à ma montre.

20 h 15.

– C'est interdit de dormir ici, dit l'un des agents.

– Désolé.

J'attrapai mon sac et me dirigeai vers la rue. Je l'aurais volontiers jeté dans l'Hudson, ce sac à la noix, tant il m'apparaissait comme le symbole de mon égoïsme. Mon estomac se retourna une fois de plus. Tel était le châtiment pour me punir de ma lâcheté. De l'avoir laissée mourir. Je pressai mes mains sur mes yeux et m'obligeai à me ressaisir, à ne pas céder à la folie. Me recroqueviller sur mon chagrin, deux ans dans le passé, n'allait pas m'aider à sauver Holly en 2009. Ni à comprendre l'attitude de mon père et ce saut bizarre en 2003.

Je traversai la rue et entrai dans un petit restaurant. Chaque pas était un supplice. Quelque chose avait dû se produire pour que j'en arrive à un tel état d'épuisement. Et de souffrance. Comme si des couteaux me transperçaient le corps.

Manger. Même si c'était la dernière chose dont j'avais envie, il fallait que je m'alimente, sinon j'allais m'écrouler. Je me sentais comme atteint d'une vilaine grippe, victime d'une forte fièvre, à la limite du délire. C'était une sensation à la fois physique et émotionnelle, sans que je sache laquelle des dimensions dominait.

– Vous êtes seul ? me demanda la serveuse.

J'opinai du chef et la suivis jusqu'à une table proche de la porte. Je repassai le cauchemar dans ma tête, encore et encore. Pas cette folie qui avait suivi mon départ de 2009, mais ce qui s'était produit juste avant. C'était ça, mon cauchemar, et il restait d'une netteté saisissante.

Qui étaient ces hommes dans la chambre de Holly ? Pourquoi ces questions sur mon père ? Et sur des services secrets qui m'auraient contacté ? L'un d'entre eux avait dit : « C'est lui. » Pouvaient-ils savoir ce dont j'étais capable ?

– Vous voulez boire quelque chose ? reprit la serveuse.

– Un café, s'il vous plaît. Où sont les toilettes ?

Elle pointa le doigt vers la gauche. J'y allai en titubant, m'adossai au mur et fermai les yeux.

Pourvu que ça marche cette fois-ci.

CHAPITRE NEUF

Des gaz d'échappement m'agressèrent les narines, des klaxons les oreilles. J'ouvris les yeux et découvris le pare-chocs avant d'un taxi jaune vif.

– Non mais, ça va pas ? s'écria quelqu'un.

– Désolé, j'ai trébuché, m'excusai-je en me relevant d'un bond.

– Abruti ! Tu veux te faire tuer ?

Il n'y a qu'à New York qu'on peut se matérialiser comme ça, sans s'attirer autre chose que l'habituel courroux des automobilistes.

Je courus me mettre en sécurité sur le trottoir qui grouillait de piétons, et levai la main pour me protéger du soleil aveuglant de l'été. Il n'est pas facile de reprendre ses esprits quand on est épuisé et qu'on arrive d'une soirée fraîche et sombre.

Je m'appuyai contre un réverbère pour reprendre mon souffle. Je voyais toujours le visage de Holly à l'instant où la balle la traversait. C'était l'image sur laquelle je venais de me concentrer si fort. À l'évidence, ça n'avait pas marché. Une fois de plus.

Encaisse et recommence, Jackson.

Quand je finis par regarder autour de moi, je reconnus les rues de Manhattan. Je savais où je me trouvais, mais pas quand. Comme il n'y avait aucun client devant le kiosque à journaux situé au pied de mon immeuble, je m'y rendis pour acheter quelque chose, tout en gardant l'œil sur les portes à tambour que mon père utilisait presque systématiquement.

Henry, le portier, se tourna dans ma direction en plissant les yeux à cause du soleil. J'attrapai une casquette des Mets et m'en coiffai en rabattant la visière au maximum afin de cacher mon visage.

– Je vais vous prendre la casquette et le *New York Times*, dis-je en prélevant un billet de cinquante dollars détrempé dans mon portefeuille.

– Vous êtes supporter des Mets ? Bon allez, je vous pardonne, plaisanta le kiosquier en éclatant d'un rire sonore qui couvrit le bruit des pas d'un autre client.

– Le *Wall Street Journal*, s'il vous plaît, demanda une voix que je connaissais bien.

Je tournai le dos à mon père aussi vite que possible, puis regardai la date du journal que je tenais entre les mains.

1er juillet 2004.

Là, c'était sûr, il allait me reconnaître. « Ça alors, Jackson ! On s'est croisés il y a quelques minutes, et te voilà avec de la barbe et dix centimètres de plus ! » Ça passerait comme une lettre à la poste. Mais comment avais-je fait pour remonter encore aussi loin dans le temps, bon sang ?

Je n'avais d'autre solution que de rester de dos et m'éloigner dans la direction opposée.

– Hé, votre monnaie ! me cria le kiosquier, sans pour autant chercher à me rattraper, heureusement.

Mieux valait que je contourne tout Central Park pour rejoindre mon endroit habituel. Ces voyages temporels me mettaient sur les genoux et j'avais besoin de repos. À cet instant, je me sentais bien, mais dès que je remettrais les pieds en 2007, je serais de nouveau K.O., comme si j'avais attrapé la peste ou la grippe porcine.

Un éclair de cheveux roux apparut derrière un arbre. Puis des jambes longues et fines, à l'horizontale. J'accélérai le pas, comme si je courais après un point d'eau dans le désert : si je ne m'en approchais pas assez vite, elle allait se volatiliser.

– Courtney ? appelai-je d'une voix étranglée.

Elle envoya promener ses tennis vert et rose et s'adossa contre l'arbre, un livre sur les genoux.

– Courtney ! répétai-je plus fort.

Elle pencha la tête vers moi, plissant les yeux pour distinguer mon visage. Puis elle jeta son livre dans l'herbe et se leva lentement.

– Oui ? dit-elle.

Je me figeai et la contemplai bouche bée. Elle était vraiment là. En vie. La situation semblait d'une ironie insoutenable. Ma copine, qui aurait dû être en vie, était morte (ou mourante) en 2009, et ma sœur, que la mort m'avait arrachée, était bien vivante, assise dans l'herbe, ici, en 2004, à prendre le soleil en lisant le dernier *Harry Potter*. La maladie ne l'avait même pas encore frappée.

Tandis qu'elle s'avançait, une petite voix enfouie au fond de ma tête se mit à parler. C'était Adam, qui passait en revue les avantages et les inconvénients qu'il y avait à entrer en contact avec cet avatar plus jeune de ma sœur. Cela ne risquerait-il pas de détruire la planète ?

Au stade où j'en étais, j'avais perdu toute capacité de penser rationnellement. Je n'avais plus qu'un seul désir : me raccrocher à quelque chose de réel et familier. C'est pourquoi je fis la chose sans doute la plus débile qui soit.

Je franchis à longues enjambées la distance qui nous séparait et la serrai fort dans mes bras pour m'assurer qu'elle était bien faite de chair et d'os. Je me laissai emporter par la magie du moment, lorsque j'entendis un long cri perçant. Puis Courtney leva la jambe et me donna un coup de genou dans le bas-ventre, avant de se dégager de mon étreinte et de reculer lentement.

– Calme-toi, Courtney ! haletai-je, les mains en l'air.

À en juger par les regards qu'elle lançait à droite et à gauche, elle était sur le point de s'enfuir.

– S'il te plaît, reste là. Accorde-moi un instant.

– Laissez-moi tranquille, exigea-t-elle, ses yeux verts écarquillés. Mon… mon père va arriver… d'une seconde à l'autre. Regardez, il est là ! s'exclama-t-elle en pointant du doigt derrière moi.

Je tombai dans le panneau comme un imbécile et regardai par-dessus mon épaule. Elle partit en courant, mais je l'attrapai par la taille. Il fallait que j'en parle à quelqu'un. Pour qu'on me croie.

– Je ne te veux aucun mal, c'est promis, lui dis-je à l'oreille avant de lui mettre mon portefeuille sous le nez. Tiens, fouille dedans, tu verras qui je suis. Je te libère et je vais m'asseoir près de l'arbre, OK ?

Elle se raidit de la tête aux pieds, mais ne se débattit pas. Je me souvins alors de cet agent Freeman qui nous suivait jusqu'à l'école en 2003. Était-il en train de la surveiller ? Peut-être se relâchait-il un peu.

– Je sais que tu as caché tout ton argent de poche des trois dernières années sous ton matelas. Et pourtant je t'ai avertie qu'il risquait de partir en fumée en cas d'incendie et que Papa ne te laisserait jamais acheter une moto quand tu auras seize ans, même si tu la paies avec ton argent.

Elle retint son souffle, mais ne dit rien. J'essayai autre chose.

– Tu étais là quand je me suis cassé le bras en tombant de cet arbre il y a huit ans.

Je relâchai mon étreinte et fis quelques pas en arrière avant de m'asseoir dans l'herbe.

– Jackson ? C'est toi ? demanda-t-elle en se tournant pour me faire face.

– Oui, c'est moi.

Je lui lançai mon portefeuille et la regardai passer en revue pièces d'identité, cartes de crédit et photos. Ses yeux plongèrent alors dans les miens.

– Ça alors… qu'est-ce que tu es… grand et…

– Je peux voyager dans le temps, balbutiai-je, sachant très bien la réaction que ma phrase allait entraîner.

À mon agréable surprise, elle ne bougea pas d'un pouce lorsque je me relevai. Pendant la demi-heure qui suivit, je lui expliquai exactement comment j'avais atterri là, mais sans lui donner tous les détails. Par exemple, ce qui était arrivé à Holly et l'épisode avec Papa et le mystérieux agent de la CIA. Courtney était tout ouïe.

– Je suis en train de dormir, c'est ça ? dit-elle, ce qui me fit sourire pour la première fois depuis une éternité.

– Non, je t'assure, c'est la réalité.

– Tu... tu ressembles à mon frère, déclara-t-elle en s'approchant pour me dévisager, le nez froncé. En plus âgé.

J'éclatai de rire.

– Je pensais que tu aurais déjà détalé.

– Je n'ai pas encore exclu cette possibilité, murmura-t-elle. Elle me tâta la joue doucement.

– Merde alors, c'est bien toi. Ça ne peut être que toi.

– Quand m'as-tu vu pour la dernière fois ? Le plus jeune moi ?

– Il y a quatre jours. Tu es censé faire un stage de base-ball dans le Colorado.

Elle tendit le bras pour atteindre le haut de ma casquette et en retira l'étiquette.

– Comme Papa était juste à côté de moi au kiosque, j'ai dû me cacher le visage, expliquai-je.

– Alors comme ça, tu peux vraiment voyager dans le temps ?

J'acquiesçai. Long échange de regards, puis Courtney reprit la parole.

– Tu ne peux pas m'expliquer ça un peu mieux ? Surtout le côté scientifique. C'est vraiment trop bizarre, tu sais.

– OK. Je vais essayer.

Je m'assis face à elle, dans l'herbe. Elle m'imita, repliant ses jambes sous elle, l'air beaucoup plus calme que je n'aurais pu le craindre.

– Bon, alors, mon présent à moi, c'est 2009, d'accord ?

– D'accord.

– Mais impossible pour moi d'y retourner. Pourquoi ? Mystère. C'est comme si l'univers s'était décalé de deux ans. Ça fait deux jours que je reviens à chaque fois en 2007.

– Incroyable, dit-elle, les yeux ronds comme des soucoupes. Comment ça marchait avant que l'univers se décale, comme tu dis ?

– Je l'ignore, avouai-je en tirant sur des brins d'herbe, les yeux rivés au sol. Mais avant, je ne pouvais sauter que quelques heures en arrière, un ou deux jours au maximum, et je revenais toujours au même endroit, comme si je n'étais jamais parti.

– Comment tu sais où est ton présent ?

– Pour faire simple, c'est ma *home base*. Les sauts ont un effet boomerang : je suis propulsé quelque part et je reviens à mon point de départ. Quand je suis dans une autre année, comme en ce moment, j'ai l'impression de n'être que l'ombre de moi-même. Et rien de ce que je fais pendant mes sauts temporels ne change quoi que ce soit dans ma *home base*.

– Rien ?

– Jusqu'ici, rien.

Elle avisa un homme qui passait à côté de nous à vélo.

– Donc si tu assassinais ce type d'un coup de pistolet, il serait toujours vivant dans trois ans ?

– C'est ce que je crois, mais je ne vais pas tenter le coup.

– C'est comme dans *Un jour sans fin*, remarqua Courtney, les yeux dans le vague.

– Hein ?

– Tu sais, ce film où le héros revit éternellement la même journée. Il essaie de se tuer en jetant le grille-pain dans la baignoire et puis il se réveille de nouveau le même jour.

– Je n'y avais pas pensé, mais c'est une bonne comparaison.

– Tu peux partir d'ici pour aller dans une autre année ? 1991, par exemple ?

– Non, il faut que je retourne à la base.

– Que tu retournes à la base ?

– Comme au base-ball. Quand l'équipe qui défend rattrape une balle haute, l'attaquant doit d'abord reposer le pied sur la base précédente avant de partir vers la suivante. Si j'essayais de remonter encore de cinq ans à partir de maintenant, je me retrouverais dans les mêmes toilettes de restaurant en 2007.

– C'est trop bizarre, soupira-t-elle en hochant la tête.

– Ça, tu l'as dit.

Mon esprit s'engagea plus avant dans le mode analytique. L'influence d'Adam, sans doute.

– Tu sais ce qui est encore plus bizarre ?

– Non, quoi ?

– Quand j'ai quitté 2009, cette fois, le saut était différent de tous les autres : je me suis senti léger comme l'air, alors que d'habitude j'ai l'impression de me déchirer en deux. Et depuis que je suis coincé en 2007, je me sens écartelé chaque fois que j'essaie de repartir dans le futur.

– Donc le saut de 2009 est le seul où tout t'a paru différent, et maintenant ton univers s'est décalé.

Son front se plissa et je devinai qu'elle jonglait avec différentes théories. Elle finit par secouer la tête et sourit.

– C'est complètement dingue. Tu as des preuves du futur ?

– Genre les numéros du loto ? ironisai-je. Tu crois qu'on a besoin d'encore plus d'argent ? Tu as vu mon portefeuille : tout ce qu'il contient provient du futur.

– Exact, j'avais oublié ce détail.

Elle ramassa mon portefeuille dans l'herbe et se remit à l'explorer. Je guettais chacun de ses gestes, les épiais, les mémorisais. Au cas où elle disparaîtrait d'un coup.

– Tu prends ça plutôt bien, remarquai-je.

– Je suis peut-être en état de choc, si ça se trouve, répondit-elle en examinant mon permis de conduire. Eh ben ! Ça nous fait quoi... dix-neuf ans ? De quoi j'ai l'air ? Dis-moi que j'ai un peu de poitrine, par pitié.

J'eus du mal à avaler la boule qui s'était formée dans ma gorge. *Ne lui dis rien. Non, mieux encore, n'y pense pas. Pour l'instant, elle est là. Concentre-toi là-dessus.* Mes mains tremblaient, mais je conservai une voix et un visage aussi calmes que possible.

Après un long silence, elle leva les yeux vers moi.

– Quoi, qu'est-ce qu'il y a ? Je suis grosse, c'est ça ?

Je me forçai à sourire et détournai le regard.

– Tu es splendide et pas du tout grosse.

– Tu es mon frère, tu n'es pas objectif.

– Peut-être, mais c'est la stricte vérité.

– Dis-moi quelque chose sur le futur. Un truc génial.

Son expression goulue m'évoqua une journaliste à scandale en quête de ragots. Je savais parfaitement ce qu'elle voulait entendre.

– J'ai une copine, annonçai-je, ce qui ne manqua pas d'attiser sa curiosité.

– Comment elle s'appelle ?

– Holly.

Prononcer son nom pour la première fois depuis que je l'avais abandonnée me mit à l'agonie, mais je savais que cela détournerait l'attention de Courtney de son propre avenir. Si douloureux que ce soit, il fallait que je joue le rôle.

– Décris-la-moi.

– Elle est blonde et très belle, avec les yeux bleus.

– C'est tout à fait comme ça que je te voyais, avec une blonde, genre mannequin, faisant carrière à Paris !

J'éclatai de rire.

– Elle vient du New Jersey, elle est un peu trop petite pour être mannequin et elle ne se maquille presque jamais.

– Je l'aime déjà, sourit Courtney.

– Moi aussi.

Je passai le bras autour des épaules de ma sœur et la serrai doucement. Cette fois-ci, elle se laissa faire.

– Jackson ?

– Oui ?

– Il faut que je te dise un secret, commença-t-elle, détournant le visage pour le coller contre mon T-shirt. J'ai embrassé Stewart Collins à l'anniversaire de Peyton la semaine dernière.

– J'en étais sûr ! exultai-je. Vous êtes restés beaucoup trop longtemps dans la cuisine et en revenant, il avait un sourire béat ! Je lui aurais bien collé mon poing sur la figure.

– C'est justement pour ça que je ne t'ai rien dit, gloussa-t-elle.

– Tu me manques énormément, déclarai-je en la serrant plus fort dans mes bras.

C'était une chose que je n'aurais jamais dite en 2004, mais, en réalité, je n'avais pas parlé à ma sœur depuis quatre ans. Le chagrin me submergea. Il fallait que je m'en aille. C'était trop dur. Trop lourd. Rien n'allait changer.

Je l'étreignis une dernière fois et murmurai :

– Au revoir, Courtney.

Puis je quittai 2004 pour réintégrer mon purgatoire personnel. Le 9 septembre 2007. Pour la énième fois.

CHAPITRE DIX

Mes yeux s'ouvrirent et je vis trois gouttes de sang tomber au fond du lavabo émaillé. Une main se tendit et me mit une serviette en papier sous le nez. Ce saignement m'apportait une nouvelle preuve que ce moment était mon nouveau présent. Ma nouvelle *home base*.

Mais quelque chose avait changé. À mon départ, j'étais seul dans les toilettes. Si j'avais connu la formule d'Adam, j'aurais pu calculer combien de temps j'étais resté là, adossé au mur, façon légume.

– Tiens, fiston. Tu devrais te pincer les narines, me glissa à l'oreille une voix grave.

Un grand chauve à la peau mate se tenait à côté de moi.

– Merci.

L'espace d'un instant, j'eus l'impression qu'il me connaissait, mais tout se mélangeait dans ma tête et il avait disparu avant que j'aie eu le temps de creuser la question.

Le saignement ne dura qu'une minute. Après m'être lavé les mains, je retournai dans la salle. La serveuse déposa mon café sur la table. La même qui m'avait accueilli avant que je m'éclipse. Merde. Même endroit. Même heure.

– Vous avez fait votre choix ? demanda-t-elle avec un sourire.

– Je vais prendre ça, répondis-je en désignant la première ligne du menu sans même y prêter attention.

– Un saumon grillé accompagné de légumes de saison ?

Je haussai les épaules puis acquiesçai. Alors qu'elle s'éloignait, quelque chose me revint en tête.

– Attendez, j'allais oublier... Vous auriez un exemplaire du journal d'aujourd'hui ?

C'était inutile, mais il fallait que je vérifie.

– Oui, bien sûr. Je vous apporte ça tout de suite.

Je tapotai des doigts sur la table, attendant une réponse que je connaissais déjà. La serveuse déposa le journal devant moi et je gémis en lisant la date. Septembre 2007.

Rebelote. Ça faisait dix-huit fois désormais. Il était 20 h 30. Quelques minutes à peine s'étaient écoulées. Jamais je n'étais resté aussi longtemps dans le passé.

– Tout va bien ? s'enquit la serveuse.

– Oui, oui, pardon. Je suis juste déçu qu'ils aient... annulé la dernière représentation d'*Annie*, improvisai-je en jetant un coup d'œil à la une. J'adore *It's the Hard Knock Life*, super-chanson.

La serveuse enroula une mèche de cheveux autour d'un de ses doigts et fit basculer son poids sur l'autre jambe.

– Ouais, euh... votre commande arrive tout de suite.

Je sortis mon journal de bord de mon sac, car la voix d'Adam résonnait dans ma tête. Jusque-là, nos expériences avaient été sympas. Une espèce d'aventure. Mais avec toutes les tentatives avortées de retourner sauver Holly, les mots d'Adam prenaient une résonance bien plus grave.

– *Tu devras tout noter, minute par minute.*

– Pourquoi ?

– D'abord pour te souvenir de ton âge exact. Ensuite pour savoir si tu as modifié quelque chose. Et puis aussi, au cas où tu perdrais la mémoire.

Je n'avais rien modifié. Jamais. Mais je continuais à tout noter en utilisant la grille géniale d'Adam Silverman. J'avais piqué un fou rire lorsqu'il me l'avait présentée, l'air de rien, comme si c'était une liste d'objets à emporter en colo. Évidemment, la plupart des points ne s'appliquaient pas à mes sauts précédents dans le passé, puisque je n'étais pas remonté plus loin que deux jours en arrière. Raison pour laquelle je ne l'avais pas prise au sérieux. Mais les choses avaient changé depuis.

VOYAGE TEMPOREL — CHECK-LIST DES PRIORITÉS

ÉTAPE 1 : DÉTERMINER JOUR ET HEURE ACTUELS
9 septembre 2007, 20 h 30

ÉTAPE 2 : TEMPS PASSÉ DANS LA PÉRIODE PRÉCÉDENTE (1er juillet 2004)
165 minutes

ÉTAPE 3 : IDENTIFIER ÂGE DES SAF (sujet, amis, famille) DANS LA PÉRIODE ACTUELLE
Jackson Meyer (le moi plus jeune) : 17 ans
Kevin Meyer : 42 ans

Adam Silverman : 16 ans
Holly Flynn : 17 ans
Courtney Meyer : décédée

ÉTAPE 4 : INVENTER COUVERTURE OU IDENTITÉ ACTUELLE (à changer au besoin)

Mon moi plus jeune est censé être en Espagne jusqu'en décembre. Pour le moment, je vais prendre l'identité de mon moi de 17 ans, puisqu'on ne risque pas de se croiser. À utiliser seulement en cas de rencontre avec une personne connue.

ÉTAPE 5 : RÉAFFIRMER LES FONDAMENTAUX (actualité, avancées techniques…)

Risque de panique généralisée si j'annonce que John et Kate vont se séparer et mettre fin à l'émission *John and Kate, Plus Eight*. Ne jamais montrer mon téléphone portable.

Je passai une nouvelle fois en revue tous les événements pour que les choses soient bien claires. J'avais quitté 2009 et atterri le 9 septembre 2007, vers 6 heures du matin. Il était à présent presque 21 heures. Mises bout à bout, mes différentes tentatives de retour vers le futur avaient pourtant duré près de trois jours. Mais peu de temps s'écoule dans ma *home base* pendant que je fais un saut. En revanche, cette sensation d'être en train de mourir de la grippe était totalement inédite. Et cette année était la seule où je me sentais si mal. Sans doute parce que je ne supportais pas d'être coincé ici. Mauvais karma. Ou alors, c'était à cause de tous ces sauts qui me détraquaient le cerveau ou une connerie comme ça.

– Jackson Meyer ! C'est vous ? dit une voix qui me sortit de ma déprime cotonneuse.

Je levai les yeux et découvris ma prof d'espagnol préférée.

– Bonsoir, madame Ramsey, comment allez-vous ?

– Très bien. Mais je vous croyais en Espagne pour le semestre ?

C'était le moment de me rappeler qui j'étais.

IDENTITÉ ACTUELLE : lycéen de dix-sept ans qui devrait être en train de passer un semestre d'études en Espagne, mais se retrouve attablé tout seul dans un resto de Manhattan, un soir de semaine.

– Je suis rentré plus tôt que prévu, répondis-je, tandis qu'elle s'asseyait sur la banquette en face de moi.

– Vous avez drôlement mûri en un seul été, c'est incroyable !

– C'est à cause de toute cette San Miguel ! dis-je avec un ricanement nerveux. C'est une boisson d'homme.

Elle éclata de rire et ses épaisses lunettes glissèrent le long de son nez.

– J'espère que vous avez goûté aux grands vins espagnols.

– Bien sûr. À raison d'une bouteille par jour.

– Vous me faites marcher ! Alors, on va bientôt vous revoir traîner dans les couloirs ?

Je me retins de laisser transparaître l'expression de dégoût que je sentais poindre. *Pas question de retourner au lycée.*

– Sans doute pas. Je me demande si je ne vais pas juste passer le certificat d'études secondaires au lieu du bac, j'en ai un peu assez du lycée.

La serveuse apporta mon plat et je piquai une pointe d'asperge avec ma fourchette.

– En fait, j'ai mis mon père au pied du mur : ce sera un lycée public ou le certificat. Il penche plutôt pour le certif.

– Le public, ce n'est pas si mal que ça. J'y suis passée et cela ne m'a pas trop mal réussi.

– C'est exactement ce que je lui ai dit, acquiesçai-je en plongeant le nez dans mon assiette.

– Vous avez l'air un peu abattu. Est-ce que ça va ?

– Oui, oui. C'est juste le décalage horaire. Je suis rentré il y a quelques heures seulement et il est déjà 2 heures du matin pour moi.

Ce n'était pas totalement faux. En temps réel, je n'avais pas beaucoup dormi au cours des deux derniers jours, même si quelques heures seulement s'étaient écoulées au cours de cette année 2007.

Cette saleté d'année 2007.

– Ce n'est pas évident, en effet... Bon, eh bien, il faut que j'aille retrouver mon cavalier, dit-elle en désignant d'un signe de tête un homme seul à une table qui vérifiait l'état de ses dents dans une cuillère. C'est la dernière fois que je passe par un site de rencontres sur Internet... murmura-t-elle en confidence.

– Vous pouvez toujours feindre des maux d'estomac. Ou une intoxication alimentaire.

Elle se leva en souriant.

– À bientôt, Jackson ! lança-t-elle.

Je souris moi aussi, jusqu'à ce qu'elle m'ait tourné le dos, puis revins à mon journal de bord. J'étais tellement absorbé par la rédaction du récit détaillé de mon dernier saut que je ne remarquai pas tout de suite la serveuse qui, debout près de ma table, tapait du bout du pied par terre.

– Pardon, vous disiez ?

– Est-ce que le plat vous convient ?

Je contemplai le saumon qui avait refroidi. Cette odeur de poisson était ignoble.

– Oui, c'était très bon. Je peux avoir l'addition ?

Elle la posa devant moi.

– Je vous fais un doggie bag ?

– Euh, non merci.

L'assiette disparut avec la serveuse. L'idée d'emporter des restes avec moi avait pris un nouveau sens avec toutes ces hypothèses sur les voyages temporels qui virevoltaient dans mon esprit. C'était le genre de délire qu'on se faisait avec Adam quand on jouait à *Guitar Hero* en s'envoyant des verres de Crown Royal. Je lançais un sujet et Adam le développait à fond, bien au-delà de ce que mon cerveau pouvait comprendre.

Des questions du genre : si je revenais en 2009 avec mon doggie bag, est-ce que le saumon aurait deux ans ? Et si je repartais en arrière, le poisson serait-il toujours dans le sac ? Parce que, techniquement, il ne serait même pas né. Est-ce qu'une créature vivante peut remonter dans le temps avant sa naissance ?

Ensuite, si c'était possible, on tentait l'expérience.

Il était très compliqué de faire des projets sans attirer les soupçons de Holly ou de mon père. Holly savait toujours si je lui dissimulais une partie de la vérité ou si je lui racontais des salades. À cet instant, pourtant, j'aurais donné n'importe quoi pour retourner auprès d'elle. Même si cela impliquait de l'entendre me crier dessus ou de rester bloqué devant la porte de sa chambre pendant des heures.

La serveuse revenait vers moi. Je sortis une carte de crédit de mon portefeuille et la posai sur la table, puis feuilletai mon journal de bord, à la recherche d'un élément qui me permettrait d'élaborer un plan d'action. N'importe lequel. Mes doigts se figèrent en haut d'une page indiquant 13 janvier 2003.

La serveuse prit ma carte de crédit et s'en alla d'un pas lourd, tandis que je continuais à regarder les mots que j'avais inscrits.

JE CROIS QUE MON PÈRE TRAVAILLE POUR LA CIA !

Le simple souvenir de ses mains sur ma gorge et de son regard durci par la colère déclencha en moi une poussée d'adrénaline qui me revigora. Il n'avait jamais dit qu'il appartenait à la CIA, mais son comportement le laissait supposer. Entre nous, je n'en savais pas beaucoup plus sur la CIA que ce que j'en avais vu au cinéma. Mais j'étais certain d'une chose : un agent, ou un ancien agent, de la CIA nous suivait ma sœur et moi, le matin du 13 janvier 2003. Je ne sais pas pourquoi mon esprit se concentrait là-dessus, mais la perspective de mettre un visage sur la voix qui avait parlé à mon père au téléphone me paraissait une raison suffisante. De toute façon, la plupart de mes actes depuis deux jours n'avaient pas vraiment été dictés par la logique. J'avais surtout erré dans le temps, au sens propre, à la recherche d'éléments concrets auxquels me raccrocher. Du réel. Des faits. Des réponses. Je fermai les yeux et me concentrai sur la date du 13 janvier 2003, quatre ans plus tôt.

CHAPITRE ONZE

Un vent glacé vint me pincer le bout des oreilles. Je me trouvais devant un café, à quelques rues de mon immeuble. La porte s'ouvrit et un courant d'air chaud s'en échappa. Je m'engouffrai à l'intérieur et m'emparai du journal du matin qui traînait sur une table. Je m'assurai de la date et ressentis une certaine satisfaction. Ça faisait du bien, pour une fois, de savoir quel jour on était.

Mes jambes me paraissaient étonnamment légères, comme en caoutchouc. Je m'enfonçai dans un fauteuil et posai la tête sur la table. Après quelques profondes inspirations, je la relevai et regardai autour de moi.

Sauf que... je ne savais pas ce que je cherchais. Mon père travaillait pour la CIA ? Et alors ? Cela dit, en y repensant, cela pouvait expliquer les deux fous furieux qui avaient déboulé arme au poing dans la chambre de Holly. Que mon père puisse être impliqué dans son agression me rendait malade. Si j'espérais ne pas en être moi-même le responsable, je détestais tout autant l'idée que mon père puisse l'être. Pourtant, en y réfléchissant rationnellement deux secondes, il était possible d'élaborer certains scénarios permettant de tout expliquer. Je me forçai à rester en place afin de passer ces hypothèses en revue, avant de me laisser aller à quelque impulsion insensée… quoique cela n'aurait pas vraiment d'importance puisque je n'étais pas sur ma *home base*. Je secouai la tête pour chasser de mon esprit, provisoirement, une telle pensée. Je saisis un bout de papier et un stylo, et entrepris de noter les théories en question, même s'il me serait impossible de ramener quoi que ce soit avec moi. Pas dans ce genre de saut. Mais voir ces mots écrits noir sur blanc m'aiderait.

1) Mon père, le P-DG, est secrètement rompu à des techniques d'autodéfense meurtrières. Il est parano dès qu'il s'agit de la sécurité de ses enfants, au point qu'il a engagé un ancien agent de la CIA éclopé pour les suivre dans tous leurs déplacements. Mais cela n'explique pas qu'il ait pu nous filer sans que Courtney ou moi remarquions quoi que ce soit !

2) Mon père bosse pour la CIA et son boulot au labo n'est qu'une couverture. Mais il est du côté des gentils et ce n'est absolument pas de sa faute si deux mecs armés ont décidé de menacer le seul membre de sa famille encore en vie pour lui extorquer un mot de passe secret qui, s'il tombait entre des mains malavisées, pourrait déclencher un conflit nucléaire planétaire. Il a juste oublié de me dire que je devais me méfier de ces deux types. À moins qu'ils ne s'en soient d'abord pris à lui, en 2009. Mais comment pourrais-je le savoir à moins d'y retourner ?

3) Mon père bosse comme espion pour la CIA. Il a découvert mon superpouvoir en 2009 et a décidé que, comme mes camarades et moi représentions un danger pour la sécurité nationale (voire mondiale), nous devions être enfermés (voire tués) pour éviter que la planète ne saute.

4) Mon père est un agent de la CIA qui sait que son propre fils est un monstre, qu'il doit subir des scanners cérébraux plusieurs fois par an et être finalement utilisé comme cobaye par l'État. Ou bien vendu à des espions russes.

D'accord, mes scénarios sentaient un peu trop le block-buster hollywoodien, mais quand même... Un agent de la CIA (peut-être un ancien agent blessé et unijambiste) suivait mon moi de douze ans et sa sœur jumelle. Alors, oui, ça plaçait d'emblée la barre très haut. Et, si improbables que puissent paraître les trois dernières hypothèses, elles m'interdisaient d'aller voir mon père en 2007 pour lui demander tout de go ce qu'il faisait au juste dans la vie. De toute façon, avant même de dresser cette liste, j'avais déjà plus ou moins éliminé l'idée d'une confrontation depuis qu'il avait tenté de m'étrangler.

Je me dirigeai vers le comptoir pour commander un café et élaborer un plan qui me permettrait de filer le type chargé par mon père de filer mon plus jeune moi et Courtney.

– Un grand café noir, demandai-je.

L'homme acquiesça et encaissa mon argent, puis j'allai me poster à l'autre bout du comptoir.

– Un petit chocolat chaud avec lait écrémé et supplément chantilly.

Cette voix ! Je pris mon gobelet des mains du serveur et me retournai vivement. À la seconde où j'avais entendu Courtney, mon projet de filer cet insaisissable agent Freeman était passé à la trappe, tant je tenais désespérément à parler à ma sœur, une fois encore.

Comment faire pour l'attirer quelque part à l'insu de l'agent Freeman ? Ceci étant, même si j'y parvenais, il risquait de la suivre. Eh bien, alors, j'aurais au moins l'occasion de voir son visage. Et comme ce saut temporel n'aurait aucune incidence, quelle importance s'il me repérait ? Du moment que ça me permettait de rester un moment seul avec Courtney.

C'est alors que j'eus une illumination subite : le mot de passe débile que Papa nous imposait. *Interdiction de suivre quiconque ne connaît pas le mot de passe*, nous avait-il répété chaque jour, depuis notre première année de maternelle. On aurait dit un mauvais spot de santé publique diffusé en boucle. Chaque fois qu'il nous le rappelait, Courtney et moi levions les yeux au ciel, et nous avions fini par le convaincre d'abandonner ce système au moment de notre entrée au lycée. Mais ce qui m'avait jusqu'à présent semblé relever de la paranoïa d'un papa poule allait peut-être se révéler utile aujourd'hui.

J'observai ma sœur âgée de douze ans. Elle portait un blouson de ski blanc d'où dépassait la jupe réglementaire de l'école, un bonnet vert à pompon et des gants assortis ; ses joues rosies par le froid respiraient la santé. Alors qu'elle tendait sa carte de crédit au caissier, je passai à côté d'elle et murmurai :

– Bonne pioche !

Elle sursauta, lâcha son portefeuille sur le comptoir, puis me regarda. Selon les instructions précises (et barbantes) que nous avions reçues, nous devions écouter toute personne utilisant le mot de passe. Mais jamais un inconnu ne s'était encore approché de nous en le prononçant. Le plus jeune moi aurait certainement cru à une blague. Courtney prenait cela un peu plus au sérieux. Trop honteuse pour en parler à ses copines, mais plus responsable que moi.

Je me glissai à côté d'elle, les yeux fixés droit devant moi.

– Je ne te rappelle pas vaguement quelqu'un ? demandai-je.

Je sentis ses yeux inspecter mon profil.

– Si, tu ressembles un peu à mon frère, murmura-t-elle.

Je ne pus m'empêcher de sourire.

– Tu veux que je te raconte une histoire délirante ?

– Euh... Pourquoi pas ? articula-t-elle lentement.

**

– Je n'arrive pas à le croire, répéta-t-elle tout bas pour la vingtième fois. Alors comme ça, tu m'as parlé dans le passé ? Combien de fois ?

– Une seule.

Nous nous trouvions dans une petite boutique près de l'école, d'où Courtney avait réussi à s'échapper entre l'étude et le premier cours de la journée. Je lui racontai la même histoire que la première fois. Elle avait raison : on se serait effectivement cru dans *Un jour sans fin*.

Je ne pouvais m'empêcher d'essayer de repérer l'espion furtif, mais il n'y avait aucune trace de l'agent Freeman pour l'instant.

– Si tu savais où tu allais, pourquoi tu n'as pas pensé à mettre un manteau ? demanda-t-elle.

– Très drôle. Je n'ai pas eu le temps de faire mes valises, figure-toi, ironisai-je.

– Ça fait combien de temps que tu as quitté le futur ? Celui de 2009 ?

– Je ne sais pas trop. J'ai l'impression que ça fait une éternité. Dis, si on allait ailleurs ?

À un endroit où l'agent Freeman pourrait nous suivre.

– Si tu veux, mais d'abord il te faut un manteau. Les manches courtes par – 12 °, ce n'est pas idéal pour passer inaperçu.

– Douze ans et armée d'une carte de crédit. Tous aux abris !

Elle ricana, puis quitta la boutique avec moi pour replonger dans l'air froid.

La Courtney de douze ans ne correspondait pas au souvenir que j'en gardais. Je m'étais toujours bien entendu avec ma sœur, mais aujourd'hui elle me semblait incroyablement pétulante et adorable. Malgré sa maturité, elle restait une petite fille pleine d'imagination, qui avait gobé tout cru mon histoire démentielle. Les enfants acceptent beaucoup plus de choses que les adultes, même s'il y a des limites, mais Courtney lisait en moi comme dans un livre ouvert et savait que je ne mentais pas.

Avec sa carte de crédit, elle m'acheta donc un manteau neuf dans un grand magasin, avant que nous nous mettions à planifier notre prochaine aventure.

– Comment tu t'y prends pour sauter dans le temps ? demanda Courtney, alors que nous déambulions dans le Metropolitan Museum of Art au milieu des visiteurs.

– Je ne saurais pas vraiment expliquer le saut en lui-même. Est-ce que tu saurais dire comment tu fais pour respirer ?

– Tu crois que j'en suis capable, moi aussi ?

Je détournai les yeux.

– Bonne question. Vas-y, essaie.

– Pourquoi tu ne veux pas me dire si la plus vieille moi a des superpouvoirs ? insista-t-elle avec un sourire désolé. J'ai besoin de me préparer psychologiquement à un truc pareil.

J'hésitai. Le chagrin s'empara de moi comme la dernière fois, mais je le contins et gardai les yeux braqués droit devant moi pour lui répondre. Nous n'avions plus beaucoup de temps. On allait venir la chercher.

– Désolé, je n'ai pas le droit d'enfreindre le code éthique des voyageurs temporels. Je me ferais virer du club.

À mon grand soulagement, elle ne sembla pas remarquer que j'avais éludé sa question.

– Dommage. Tu tiens ça de Maman, non ? dit-elle comme si cela relevait de l'évidence. Papa ne peut pas voyager dans le temps. Or les superpouvoirs proviennent forcément d'un superparent.

– Ou d'un conteneur de déchets toxiques.

– N'importe quoi ! pouffa Courtney.

Avec Adam, nous avions exploré plusieurs fois la piste génétique, notamment le jour où j'avais cru voir une version plus jeune de ma sœur au zoo. Mais impossible d'élaborer une théorie, encore moins de formuler une conclusion. Nous avions alors mis au point un plan sophistiqué pour voler des dossiers médicaux, plan qui n'avait pas abouti puisque j'avais échoué en 2007. Toutefois, c'était mon dossier que nous envisagions de dérober, pas celui de ma mère. Courtney et moi ne l'avions jamais connue, elle était morte de complications quelques jours après notre naissance. Mon père avait toujours refusé de parler d'elle et j'avais cessé de le questionner à son sujet vers l'âge de sept ou huit ans. Pas évident d'entretenir un désir de mère quand on n'en a jamais eu. Ce qui était mon cas.

Je m'arrêtai de marcher.

– Tu crois que je tiendrais ça de Maman ? dis-je à Courtney.

Et à supposer que je veuille consulter son dossier, où irais-je chercher ? Elle était morte depuis si longtemps. Sans compter que ce ne sont pas les documents les plus faciles à voler.

– C'est peut-être pour ça que le docteur Melvin nous fait tous ces scanners de la tête, suggéra Courtney.

À cause de cette révélation, ou bien du manque de nourriture et de sommeil, je fus pris d'un vertige soudain et me sentis plus léger encore que quelques heures plus tôt.

– J'ai besoin de m'asseoir.

– Tu es tout pâle, remarqua-t-elle en me prenant par la main pour m'amener jusqu'à un banc. Tu es sûr que ça va ?

– Je suis juste… fatigué.

La transpiration qui perlait sur ma nuque dégoulina le long de mon dos. Je m'allongeai sur le banc et fermai les yeux. Courtney passa la main sur mon front pour en ôter la sueur glacée. Il fallait que je retourne en 2007 avant de perdre connaissance dans le passé ou, pire encore, d'avoir besoin de soins médicaux. Là, ce serait le pompon. Et où était ce fichu espion ? Ce voyage n'aurait servi à rien si je ne le voyais pas.

Je rouvris les yeux.

– Je crois qu'il vaut mieux que je ne m'attarde pas ici, annonçai-je en posant la main sur la joue de ma sœur.

– Je ne me souviendrai pas de notre rencontre, n'est-ce pas ? se désola-t-elle, au bord des larmes. Quand tu repartiras là-bas, la moi de 2007 ne se rappellera pas notre rencontre d'aujourd'hui ?

La gorge nouée, je dus me forcer à répondre tout en retenant mes larmes.

– Non, je ne crois pas.

– C'est un genre de rêve éveillé, en quelque sorte ?

– Exactement. Comme quand on veut échapper à la réalité.

Je me remis debout très lentement et elle passa les bras autour de ma taille.

– Je t'aime, Courtney.

– Moi aussi, je t'aime, même si je ne te le dis jamais, murmura-t-elle.

Je me sentais partir, mais pas par choix. Je la tenais dans mes bras, et d'un seul coup le vide remplaça la chaleur de son corps.

Courtney n'aurait jamais abandonné Holly à une mort imminente, elle. C'était elle la plus courageuse de nous deux, elle qui agissait toujours pour le mieux. Et si la noblesse d'âme compte pour quelque chose, c'est moi qui devrais me trouver six pieds sous terre, pas elle. Or, non seulement je suis toujours en vie, mais c'est moi qui ai reçu le don de voyager dans le temps.

À l'instant où l'obscurité m'enveloppa, un homme courtaud, à peu près de mon âge, apparut derrière Courtney. Il était en train de courir, avec mon père dans sa foulée. Je m'efforçai de mémoriser son visage, de me concentrer dessus aussi longtemps que mon corps le permettrait.

– Elle est là ! cria l'homme.

– Ne tirez pas ! hurla Courtney.

Puis ils disparurent. À moins que ce ne fût moi. Retour au purgatoire.

CHAPITRE DOUZE

– Hé, vous allez bien ? beugla une voix d'homme dans mon oreille.

– Il était sur le point de filer sans payer, et c'est là qu'il s'est évanoui, dit la serveuse.

– Il est inconscient depuis combien de temps ? demanda quelqu'un d'autre.

– Environ dix minutes, répondit la serveuse.

Génial. Je ne pourrais plus jamais remettre les pieds ici. Je fixai le plafond et fis un gros effort pour me remettre debout. Ce fut lent, mais je finis par y parvenir avec l'aide du gérant.

– Désolé, j'ai la tête qui tourne un peu. Je fais… euh… de l'hypoglycémie, bredouillai-je.

– On devrait appeler une ambulance plutôt que la police, non ? suggéra le gérant en se plantant devant moi.

La police ! Merde !

– Sa carte de crédit a été rejetée, expliqua la serveuse, qui tapait du pied par terre, mon portefeuille entre les mains. C'est sans doute une fausse ou une copie.

Aïe, aïe, aïe.

– Attendez, j'en ai une autre, et j'ai du liquide aussi.

– Ouais, deux dollars. Et j'ai essayé les autres cartes. Toutes rejetées, dit la serveuse.

Je cherchai du regard Mme Ramsey, ma prof d'espagnol, qui pourrait me sortir de ce pétrin. Mais à sa table, il y avait désormais un couple âgé. Son rendez-vous avait fait long feu.

– Laissez-moi juste téléphoner... à mon père.

Un agent de police pénétrait déjà dans le restaurant, suivi d'un autre. Il prit le portefeuille des mains de la serveuse et en sortit mon permis de conduire.

– Établi en 2008 ? Intéressant. Et les autres cartes font vraiment authentiques. Du boulot de pro.

C'est parce qu'elles le sont, authentiques. Et quand m'étais-je donc retrouvé à court de liquide ?

Le policier qui tenait mon portefeuille me considéra d'un œil peu amène, puis se tourna vers le gérant.

– On s'en occupe. Affaire de drogue, sans doute.

– C'est fréquent, oui, répondit le gérant.

– Et si on en juge par tous les faux documents que contient son portefeuille, il doit être à la fois consommateur et dealer, ajouta le policier.

Son air suffisant m'insupportait et je ne pus m'empêcher de rétorquer :

– C'est sûr, les dealers trouvent très malin de fabriquer des papiers qui ne seront utilisables que d'ici un an.

– Petit con ! marmonna le policier dans sa barbe.

Je voulus m'écarter, mais son collègue me barrait le chemin. Il m'attrapa les bras et me passa les menottes. La colère montait en moi et je me mis à me débattre.

N'aggrave pas ton cas, me raisonnai-je. *Et inutile de tenter un saut temporel.* Pour finir, je me retrouverais ici dans un état de légume si avancé que j'aurais encore plus l'air d'un drogué.

Sous le feu des regards de tous les clients, je fus escorté hors du restaurant et installé à l'arrière d'une voiture de patrouille. *Franchement, je ne vois pas comment ça pourrait être encore pire, là maintenant.*

Et pourtant si ! Il fallait à présent que j'appelle mon père pour qu'il paye ma caution et me sorte de prison. Ce père qui avait tenté de m'étrangler en 2003. *Ça risque d'être assez chaud, ça.*

*****

– Hé Meyer, t'as de la visite ! annonça le policier.

Je me frottai les yeux et m'assis sur la paillasse où je m'étais assoupi. En prison. Parce que je suis un méchant délinquant. Ou plutôt un voyageur temporel complètement irresponsable qui n'est même pas fichu de se munir de papiers authentiques en bonne et due forme.

Le bruit des pas qui résonnait dans le couloir s'intensifia. J'avais l'estomac tout retourné. Quelle réaction allais-je avoir en revoyant mon père ? Même sans toute cette histoire de CIA et sa tentative de meurtre sur ma personne, l'idée que Kevin Meyer, le P-DG, vienne me récupérer en prison aurait suffi à m'angoisser. Surtout quand je n'étais pas le moi qu'il croyait trouver. Allait-il s'en rendre compte ?

– J'aimerais lui dire un mot avant qu'il sorte, si cela ne vous dérange pas, dit une voix féminine.

Ça, ce n'est pas mon père, en tout cas.

– C'est vous qui voyez, répliqua le policier avant de déverrouiller la porte de ma cellule.

Ce furent ses bottes que je repérai en premier. Des bottes qui montaient presque jusqu'au genou. Elle portait une robe courte noire et avait une peau couleur caramel. Une avocate ? Elle n'avait pas l'air bien plus âgée que moi, pourtant. Non, trop jeune.

Elle ne me gratifia d'aucun sourire ni d'aucune forme de salut quand elle entra en faisant claquer ses talons. Elle se contenta d'attendre debout, bras croisés, que le policier s'en aille.

– Écoute-moi bien, junior. Voilà ce qu'on va faire. Je te tire de là, on rentre à ton appartement et tu m'expliques ta conduite récente. J'ai une longue liste de questions à te poser. Mais tant qu'on n'est pas sortis, tu la boucles, compris ?

– Euh, et vous êtes ?

– Mlle Stewart, répondit-elle d'un air suffisant.

– Juste « Mademoiselle », et pas de prénom ? Mais vous avez quel âge ? Vingt ans ?

Et encore, elle ne les faisait même pas. Dix-huit, dix-neuf, peut-être. Quelque chose clochait, et je n'avais aucune raison d'accorder ma confiance à qui que ce soit dans ces circonstances, même si cela signifiait rester en taule sur cette paillasse. Quelle importance, après tout ? 2007 était déjà une prison en soi.

– Je n'aime pas donner mon prénom, déclara-t-elle.

– Où est mon père ? Je lui ai laissé un message.

Elle fouilla dans son sac et en sortit une feuille de papier qu'elle me tendit. C'était un fax, mais il portait bien l'écriture de mon père.

Jackson,

Fais exactement ce que te dira Mlle Stewart, sinon les choses vont empirer. Elle travaille pour moi et a une grande expérience de la gestion des situations sensibles où l'on ne veut pas d'ingérence des médias. Nous parlerons plus tard.

Papa

Je fourrai le papier dans mon sac, mais elle l'en ressortit aussitôt.

– Vous faites quoi exactement pour mon père ? lui demandai-je.

– Secrétaire.

– Sérieux ? m'étonnai-je en me levant. Ben voyons.

Elle quitta la cellule sans même s'assurer que je lui emboîtais le pas, l'air convaincue que n'importe quel type un tant soit peu sensé la suivrait au bout du monde. Hélas pour elle, j'étais tout sauf un tant soit peu sensé. En même temps, je ne pouvais ignorer le message de mon père.

Je poussai un soupir et suivis le bruit métallique des hauts talons le long du couloir, les jambes en plomb et le chagrin au ventre. Tandis que nous passions devant l'accueil, l'un des policiers me fit un signe de tête en touchant sa casquette du bout des doigts.

– Toutes nos excuses pour cette regrettable confusion, monsieur Meyer, me dit-il.

J'avais à peine ouvert la bouche pour lui répondre poliment que Mlle Stewart siffla à mon oreille : « Pas un mot ! », continuant à marcher à grands pas vers la sortie.

– Nous attendons une lettre d'excuses officielle, lança-t-elle par-dessus son épaule. Et n'oubliez pas les autres conditions dont nous avons parlé.

Les autres conditions ?

Je voulus me retourner pour adresser un mot gentil aux policiers, mais la « secrétaire » de mon père m'attrapa le bras et m'entraîna dans la fraîcheur du soir.

– Ce n'est pas très poli. Ils voulaient juste…

– Les instructions que je t'ai données n'étaient pas assez claires, peut-être ? m'interrompit-elle avec un geste impérieux de la main.

Je levai les yeux au ciel et la suivis jusqu'à une voiture garée devant le commissariat. Ma voiture. Enfin, celle que conduisait Cal, notre chauffeur. En approchant, j'hésitai à m'enfuir, puis estimai que ce ne serait pas très malin de faire ça devant le commissariat alors que je venais d'en sortir sous caution. Pas une parole ne fut échangée pendant tout le trajet.

J'étais troublé à l'idée de retourner chez moi. Enfin, le chez-moi version 2007. Je n'y étais d'ailleurs pas ce jour-là, dans le vrai 2007, puisque je me trouvais en Espagne. *Je suis toujours en Espagne.* L'autre moi y était. Sauf que j'étais ici aussi.

Incarner ce moi plus jeune frôlait la démence. Le Jackson espagnol n'était pas encore majeur, il n'avait pas le droit de vote, ne savait pas vraiment où il irait à la fac. C'était une expérience totalement inédite. Et assez déplaisante, pour l'instant.

La chose la plus difficile à admettre, c'était qu'il me faudrait peut-être rester ici un bout de temps.

Une fois devant mon immeuble, Mlle Dure-à-Cuire sortit de la voiture juste après moi et je me tournai pour lui faire face. La situation était déjà assez bizarre comme ça, je n'avais pas besoin que cette nana étrange me suive.

– Inutile de m'accompagner. Je vais attendre que mon père revienne. Merci pour votre aide.

– Il est vraiment trop chou ! ironisa-t-elle en me bousculant pour passer. Désolée, mais j'ai des ordres. De toute façon, ton père a été retenu, il ne sera pas là avant plusieurs heures.

Des ordres ? Des ordres venant d'agents de la CIA ou bien d'un P-DG autoritaire ? Et comment ça « retenu » ? Il était 23 heures. Dans un laboratoire pharmaceutique, quel genre d'urgence pouvait bien empêcher de passer un coup de téléphone de quelques minutes ?

J'aperçus Henry, le portier, qui s'approchait pour ouvrir la porte.

– Bonsoir, monsieur Meyer. Nous ne vous attendions pas aujourd'hui. Tout va bien, j'espère ? s'inquiéta-t-il en m'inspectant de la tête aux pieds, avant de regarder Mlle Stewart.

– Oui, je suis rentré d'Espagne plus tôt que prévu, mentis-je avec un sourire forcé.

– Ravi de vous revoir, dit-il en m'ouvrant la porte.

– Allez junior, on y va !

Mlle Stewart m'attrapa par le bras et m'entraîna à l'intérieur de l'immeuble.

– T'as pas une heure de coucher imposée ? Ou en tout cas une heure limite pour rentrer à la maison ?

Je me dégageai de son emprise et fonçai droit devant. Avec un peu de chance, je pourrais atteindre l'ascenseur avant elle et voir les portes se fermer sous son nez. Mais, bien évidemment, le liftier entendit ses bottes à des kilomètres.

– Faut-il attendre la dame ? me demanda-t-il.

– Oui, soupirai-je, accablé.

Je dois reconnaître que revoir mon intérieur et mes meubles me procura un certain réconfort. Je m'écroulai sur le canapé en regrettant de ne pas être en meilleure forme pour croiser le fer. Mlle Stewart s'assit dans le grand fauteuil et étendit ses longues jambes sur le repose-pieds.

– Alors, comment tu as fait ça ? attaqua-t-elle.

– Ça, quoi ? Me faire arrêter ?

– D'accord, commençons par ça, et on passera aux choses sérieuses après.

Je réfléchis à une excuse. Il me fallait endosser un rôle, et le plus efficace en général était celui du gosse de riche, pourri gâté, sans gêne et insolent. Je posai les pieds sur la table basse et envoyai en l'air une de mes tennis, qui atterrit sur le tapis de l'autre côté de la pièce.

– Ben voilà, j'ai un copain qui fait un peu de bizness en douce et qui m'a fabriqué des fausses pièces d'identité, des cartes de crédit, des trucs comme ça, pour déconner. Les années ont été mélangées exprès et il a dû les inverser dans mon portefeuille.

– Tu te drogues ?

Je ne savais pas trop comment répondre pour éviter à la fois de finir en centre de désintoxication et de gâcher une excuse plausible en niant les faits.

– Pt'êt ben qu'oui, pt'êt ben qu'non…

– Les flics semblent croire que oui. D'après eux, tu as menti en te disant diabétique pour te sortir du pétrin.

– Si vous croyez que je vais vous raconter ce que je ne leur ai pas avoué à eux…

Elle reposa les pieds par terre et se pencha vers moi en me regardant droit dans les yeux.

– Et comment t'as fait pour te barrer d'un pays étranger sans bagages, sans passeport, sans fric et sans pièce d'identité valable ?

Je retins ma respiration pendant plusieurs secondes. *L'autre moi n'est peut-être plus en Espagne. Reste calme*, me rappelai-je. *Il ne faut pas qu'elle te voie transpirer.*

– Je ne sais pas de quoi vous voulez parler.

– Oh que si ! s'exclama-t-elle, le visage dur. Ton logeur en Espagne nous a dit que tu avais disparu tôt hier matin sans rien emporter. Il te croyait mort. Et ton père aussi. Il s'est fait un sang d'encre, jusqu'à ce que tu appelles du commissariat.

Ce n'était pas mon genre de me balader en Europe sans prévenir personne ni demander l'autorisation. En 2009, j'étais devenu le roi de l'enfumage pour couvrir nos expériences de voyages temporels auprès de Holly, mais ce bobard-ci allait devoir être exceptionnel. Le coup du passeport, ça ne serait pas de la tarte.

– Ce pote, en Espagne, celui qui fabrique les faux documents… commençai-je.

– Il est américain ?

– Non, il est… euh… anglais.

– Je n'avais pas connaissance d'un seul étudiant britannique à moins de trente kilomètres de ton lieu de résidence, remarqua-t-elle, l'air buté.

Hum, quelle étrange remarque !

– Il n'est pas étudiant. C'est juste un mec que j'ai rencontré. Je crois qu'il s'est fait expulser de son pays. Son visa n'est sans doute même pas légal.

– Tu as de bonnes fréquentations, à ce que je vois, commenta-t-elle en se carrant dans son fauteuil.

– J'essaie. Bref, je lui ai proposé de tester un de ses produits. Un faux passeport de l'Union européenne, pour pouvoir prendre la file réservée aux citoyens européens, qui avance toujours beaucoup plus vite que l'autre à l'aéroport.

Je fixai son visage marmoréen et hésitai un peu avant de poursuivre.

– Un passeport de l'Union européenne, c'est valable pour les citoyens européens uniquement, précisai-je.

– Je sais ce que c'est, coupa-t-elle brutalement. Et tu étais quoi si tu n'étais pas américain ?

– Français.

– Tu n'aurais pas fait illusion une seule seconde ! railla-t-elle avec un rire dépourvu d'humour.

Arborant un sourire confiant, je fourbis mon plus bel accent pour lui réciter la Déclaration des droits de l'Homme et du citoyen de 1789. Encore un truc que j'avais été obligé d'apprendre au lycée et qui se révélait fort utile.

– Pas mal, concéda-t-elle, les yeux étrécis. Continue ton histoire.

– Donc, moi et mon pote, que j'appellerai Sam, on est allés à Londres avec son faux passeport. On s'est mis minables dans un pub, et c'est là que je lui ai parié que je serais capable de prendre un avion pour rentrer aux States sans passeport américain, sous l'identité d'un étudiant français, Pierre. On a parié dix mille dollars. Je n'étais pas certain de réussir un plan pareil, mais, coup de chance, je venais de faire la connaissance de deux nanas qui bossent chez Delta Airlines et je les ai persuadées de me filer un ticket gratuit pour New York.

– Et ça a marché ? Tu es vraiment rentré sur le territoire américain avec un passeport français ?

– La preuve, dis-je en ouvrant les bras.

– Et il est où, ce passeport français ?

– Je l'ai brûlé après avoir passé la douane.

– Résumons : tu es en train de me dire qu'un lycéen mégabrillant, qui a obtenu 1 970 points à ses SAT, qui est cultivé au point de parler couramment deux langues étrangères, et qui n'a pas de casier judiciaire, pas même une contravention pour excès de vitesse, décide un jour de se soûler et d'enfreindre quelques lois fédérales et internationales ? Il y a des pays où on pend les gens pour moins que ça.

– C'est des conneries, tout ça.

– On parie ? rétorqua-t-elle en se penchant de nouveau vers moi. Je t'enverrai une liste de tous ceux où tu te ferais littéralement décapiter pour ce genre de délit. J'y ajouterai même les articles de lois qui stipulent ta mort très prochaine.

– Plutôt maligne pour une simple secrétaire.

J'attendis une réaction de sa part, mais elle ne cilla même pas.

– Vous pouvez croire ce que vous voulez, j'en ai rien à battre. J'étais là-bas et maintenant je suis ici. Comme par magie.

Elle se leva en maugréant et arpenta la pièce à grands pas.

– Ah, ces petits connards de dix-sept ans, marmonna-t-elle.

– On ne leur apprend pas la politesse, aux employées de bureau ? Vous savez, la qualité du service à l'égard du client, tout ça ?

Je souriais, mais mon humour tomba à plat. Ses yeux me fusillèrent, tels des rayons laser.

– Tu devrais peut-être te doucher avant que ton père ne rentre. Tu pues encore plus que les clodos devant l'immeuble, cracha-t-elle.

Elle avait parfaitement raison. J'avais pris la pluie plusieurs fois et cela faisait l'équivalent de trois jours que je portais les mêmes vêtements sans m'être lavé.

Je me levai et me rendis dans ma chambre sans lui accorder le moindre regard. Je m'adossai contre la porte sitôt après l'avoir refermée, le temps que mon cœur et mon esprit se remettent en ordre de marche. Je pressentais que ce ne serait pas la dernière fois que j'aurais à le faire si je restais coincé en 2007, et sur ce point je n'avais guère le choix.

À en croire ce que j'avais appris au cours de la conversation, mon moi plus jeune semblait s'être évanoui dans la nature à peu près au moment où j'avais débarqué en 2007. Rien de tout cela n'avait le moindre sens. Rien de tout cela ne collait avec les informations qu'Adam et moi avions collectées. Cette disparition me donnait l'impression de m'enfoncer encore plus profondément dans cette année 2007, cette nouvelle *home base*, pareille à des sables mouvants.

Ma chambre ressemblait beaucoup à celle de 2009, sauf mes jeans qui étaient cinq centimètres plus courts. Les seuls vêtements qui m'allaient encore étaient un short de gym et un T-shirt.

Une fois douché, je retournai dans le salon. Mlle Stewart était au téléphone, mais elle se tut en me voyant.

– Ton père veut te parler, annonça-t-elle en me fourrant l'appareil dans la main.

Je m'efforçai de jouer l'ado rebelle qui se fout complètement de ce que ses parents peuvent bien penser, mais j'avais déjà les jambes qui flageolaient.

– Ouais, salut, Papa.

– Mais bon Dieu, qu'est-ce qui t'a pris, Jackson ? hurla-t-il.

J'éloignai un peu le combiné de mon oreille et tournai le dos à Mlle Stewart.

– Ben, euh...

– Tu te rends compte du nombre de lois que tu as enfreintes ? Et des contorsions que tu m'as obligé à faire pour te sortir de ce merdier ?

Sans me laisser l'occasion de répondre, il déversa un flot de paroles ininterrompu pendant cinq minutes, puis s'arrêta dans l'attente de mes excuses les plus plates.

– Pardon, Papa, je voulais juste...

Je voulais juste savoir si tu bosses pour la CIA ! Et si tu as l'intention de m'enfermer dans une putain de cage.

– De toute façon, Jackson, je ne peux pas parler de ça maintenant, siffla-t-il, furibond. Je suis en train de faire refaire tes papiers. Mlle Stewart devrait pouvoir te trouver un vol pour Madrid d'ici demain après-midi. Si tu réussis à te tenir à carreau.

Ce n'était pas vraiment la réponse que j'escomptais.

– Euh, à vrai dire, je n'ai pas envie de retourner en Espagne.

– Et pourquoi ?

– Pour des raisons personnelles que je préfère ne pas évoquer devant une personne dont tu m'as imposé la présence, dis-je en jetant un coup d'œil à Mlle Stewart, qui s'était rassise pour se limer les ongles.

– Très bien, articula-t-il lentement. J'appellerai Loyola demain matin.

Je m'étais résigné à demeurer en 2007 jusqu'à ce que je trouve un moyen de repartir en 2009, mais il n'était pas question que je retourne au lycée.

– Je voudrais prendre un semestre off, si c'est possible.

– On en parlera plus tard. Je rentre demain.

– Tu es où, là ?

Dans un endroit top secret ?

– À Houston, pour affaires.

– D'accord, à demain alors, dis-je avant de raccrocher et de rendre le téléphone à l'envahisseuse. Merci, vous pouvez y aller, maintenant.

– Ce fut un plaisir, junior.

Et elle se leva pour attraper son sac, accroché sur le bras du fauteuil.

Je décidai soudain d'essayer de soustraire des informations à la seule source dont je disposais.

– Vous savez, mon père m'a dit ce que vous faites réellement. Vous n'êtes pas sa secrétaire, plus la peine de jouer la comédie. D'ailleurs, je trouve même ça plutôt sympa que vous soyez si... impliquée.

– Ça, tu l'as dit ! s'esclaffa-t-elle. Quand on veut se renseigner sur la corruption et les secrets dans une grande entreprise, il faut demander à la personne qui répond au téléphone. Elle sait toujours tout.

– Y compris sur la politique étrangère. Ça m'a bluffé ! avouai-je d'un ton incrédule en avançant de quelques pas.

– Nous sommes très engagés à l'international, mais j'imagine que tu es déjà au courant, répondit-elle avant de sortir une carte de visite de son sac. Appelle-moi quand tu veux si tu changes d'avis pour l'Europe. Ou si tu as envie d'en apprendre plus sur les affaires étrangères.

Je la dévisageai, médusé. *Elle est en train de me draguer ?* Je n'avais jamais vu personne changer de registre aussi vite. Personne d'honnête, en tout cas.

Dès qu'elle eut disparu, je m'effondrai de nouveau sur le canapé. J'aurais dû m'endormir aussitôt, car j'avais sacrément besoin de sommeil, mais toute cette histoire sur mon père l'agent secret me faisait flipper, sans compter que la rencontre avec Courtney et mon arrestation m'avaient empêché de chercher des indices.

Je m'attendais vaguement à ce que les deux types armés sortent de derrière une porte. Je me tournai et me retournai pendant des heures, écrasé par le remords et le poids de tout ce que j'avais abandonné en 2009. Et si je repartais de zéro ? C'était peut-être ça, la solution. Voir Holly ou lui parler en 2007, juste pour m'assurer qu'elle allait bien. Le cauchemar de 2009 arrêterait peut-être de me hanter si je savais qu'elle allait bien. Ici. Maintenant. Peut-être était-ce ainsi que je pouvais changer le cours des choses.

Je saisis le téléphone sur la petite table au bout du canapé. Holly avait peut-être le même numéro de portable en 2007 qu'en 2009. Il était 5 h 55, on était un lundi matin, il y avait donc toutes les chances qu'elle soit levée. Le cœur battant, je composai de tête son numéro.

Au bout de trois sonneries, j'entendis un bruit de papier qu'on froisse, puis de la musique à fond et enfin la voix que je souhaitais le plus entendre à cet instant.

– Allô ?

J'étais pétrifié, incapable de parler ou de bouger.

– Allô ? répéta-t-elle.

– Euh, oh, pardon, j'ai fait un faux numéro, articulai-je à grand-peine.

– Pas de souci, dit-elle dans un petit rire.

Je poussai un énorme soupir de soulagement, mais, en raccrochant, je sus qu'il ne me suffisait pas de l'entendre ; il fallait que je la voie. Je partis d'un pas chancelant vers ma chambre, plus fatigué que jamais, et me mis à échafauder un plan pour m'infiltrer non seulement dans la vie de Holly mais aussi dans celle d'Adam.

CHAPITRE TREIZE

Je dormis quelques heures, puis notai dans mon journal de bord certains des derniers événements. Si j'arrivais à entrer dans le cercle du plus jeune Adam, il aurait besoin de toutes ces pages de notes. Je le connaissais assez bien pour le savoir.

LUNDI 10 SEPTEMBRE 2007

Aujourd'hui, j'endosse officiellement le rôle de moi-même à dix-sept ans. Ça craint ! Malgré l'heure matinale, j'ai déjà défini quelques objectifs.

1) Éviter de me retrouver dans un endroit qui ressemble de près ou de loin à un lycée.

2) Découvrir ce que Holly et Adam font cette année. J'ai vraiment besoin de les voir. L'un comme l'autre. Même s'ils ne me connaissent pas.

On tambourina à la porte de ma chambre. C'était sans doute mon père, encore énervé par les événements de la veille au soir.

– Ça ne te fait ni chaud ni froid que j'aie vécu dans un autre fuseau horaire depuis le mois de mai ! protestai-je en glissant mon journal sous mon oreiller.

– Il est presque midi, tu as assez dormi comme ça. Je t'ai préparé à manger, cria-t-il à travers la porte.

Je me douchai et m'habillai sans me presser, le temps d'élaborer une histoire pour justifier qu'un lycéen brillant veuille soudain abandonner ses études en terminale.

En costume cravate comme d'habitude, ses cheveux bruns soigneusement peignés, Papa m'attendait à la table de la cuisine, devant du café et des œufs.

Une partie de moi avait envie de tout lui raconter, surtout ma rencontre avec Courtney et notre conversation. Elle lui manquait autant qu'à moi, sinon plus. Mais comment savoir ? Nous n'en parlions jamais. Pourtant, je me donnai une consigne officielle : *Ne prends rien de ce qu'il dira pour argent comptant.*

– Jackson.

Il m'adressa un bref salut de la tête.

– Papa.

– Je veux te parler de ton projet d'arrêter le lycée. Je comprends que tu aies des raisons personnelles pour être rentré d'Espagne, mais réfléchis à la possibilité de reprendre tes études à Loyola.

– C'est tout réfléchi, répondis-je, bien décidé à ne pas revivre ce cauchemar. Alors, tu vas au bureau ?

– Oui, confirma-t-il, caché par son journal.

Je me versai un verre de jus d'orange, dont j'avalai une longue gorgée.

– Qu'est-ce que tu faisais à Houston ?

Tu tuais des gens à mains nues ?

– Rien de bien intéressant, des réunions avec des hommes politiques pour court-circuiter la FDA avant qu'elle ne nous assomme de nouvelles réglementations. Autant de choses qu'un jeune homme qui abandonne le lycée ne pourra jamais faire.

J'enfournai une fourchetée d'œufs en grognant.

– Je n'ai pas envie de retourner dans un lycée qui grouille de crétins snobinards.

Il replia son journal pour me regarder.

– Eh bien, l'Europe t'a changé. Non que cela me déplaise, mais... ton éducation ne devrait pas avoir à en souffrir. Tu n'as qu'une année à tenir avant d'aller à la fac de ton choix.

Une année à tenir. Qu'est-ce que cela signifiait pour quelqu'un dans ma situation ?

– On en reparle plus tard, grommelai-je.

Il partit pour son travail, me laissant seul dans la cuisine. Les questions se bousculaient dans ma tête. Par exemple, est-ce qu'il enlevait son costume pour enfiler celui d'espion sitôt franchi le pas de la porte ? En tout cas, s'il bossait effectivement pour la CIA, je n'avais aucune chance de pouvoir le filer sans me faire repérer.

Mon père n'avait jamais donné l'impression d'être du genre à travailler pour les services secrets, mais c'est vrai qu'il s'était renfermé, ces dernières années. Selon moi, c'était à cause de Courtney. Et notamment parce qu'il aurait préféré que ce soit moi qui meure.

Comment lui en vouloir, d'autant plus maintenant que je jouais le rôle de l'insupportable délinquant de dix-sept ans trop pourri gâté pour aller jusqu'au bac ?

La sonnette retentit. Je fis un effort pour me lever et me dirigeai d'un pas pesant jusqu'à la porte d'entrée. Sur le seuil se tenait Henry, une grande enveloppe brune à la main.

– Courrier pour vous !

– Merci, lui dis-je en prenant l'enveloppe. Vous avez vérifié qu'elle ne contenait pas d'explosifs ?

– Oh, pardon ! s'excusa-t-il, ses yeux s'arrondissant. Je ne savais pas...

Je lui tapai sur l'épaule.

– Je vous taquine, Henry.

Je refermai la porte et retournai m'asseoir dans mon fauteuil. Je vidai le contenu de l'enveloppe : nouveau téléphone portable, passeport, permis de conduire, cartes de crédit, deux cents dollars et un message.

Junior,

J'espère que tout ceci te permettra de t'en sortir un peu mieux aujourd'hui. Je sais que les enfants privilégiés comme toi ont parfois du mal à se débrouiller seuls. D'ailleurs, j'ai enregistré mon numéro de portable dans le répertoire de ton téléphone. Je garde un œil sur toi, ordre de ton père.

Mlle Stewart

PS : J'ai déjà mis en alerte tout le personnel de l'aéroport de New York à propos de Pierre, l'étudiant français, alors ne t'avise pas de recommencer tes conneries.

Je me forçai à avaler un solide petit déjeuner dans l'espoir de recharger mes batteries. Il me fallait des infos sur la Holly et le

Adam de 2007, de préférence sans recourir à un saut temporel puisque je ne faisais que reculer dans le passé. Je connaissais un gars qui serait peut-être en mesure de m'aider, mais ça risquait de ne pas être une expérience bien ragoûtante.

***

Je traversai le couloir désert d'une des résidences de l'université de New York et frappai à la dernière porte. La musique m'assaillit au moment où un type rondouillard, cheveu gras et nourriture coincée entre les dents, m'ouvrit la porte. Il m'agrippa par le T-shirt et me tira violemment dans la pièce.

– Pas un mot ! dit-il.

– Euh, d'accord, répondis-je en regardant autour de moi.

Sa petite chambre était jonchée de linge sale et de barquettes de plats à emporter. Il y avait aussi un lit, quelque part. Enfin, je crois.

– Qui t'a parlé de moi ? demanda l'étudiant en resserrant la ceinture effilochée de son peignoir bleu.

– Un copain qui est dans ton cours de socio.

Dirty Leon (le seul nom que je lui connaissais) commençait sa quatrième année à NYU lorsque j'y étais entré. L'homme qui savait dénicher des réponses. Et apparemment, il pouvait les dénicher en restant assis sur son gros cul à se goinfrer de sandwiches et de cornichons par bocaux entiers.

Il sourcilla, mais fit un mouvement approbateur de la tête.

– Bien, tu es des nôtres désormais.

Des vôtres ? Quelle horreur !

– Bon, alors, explique-moi comment on doit procéder, dis-je.

Dirty Leon balança quelques sous-vêtements par terre pour pouvoir s'asseoir devant son ordinateur.

– Pour faire simple, c'est un contrat. Confidentialité exigée. Mais jamais aucun de mes clients ne m'a encore dénoncé.

– Grâce à ton charme irrésistible ?

– Je reçois des demandes d'information très délicates. Certaines pourraient envoyer pas mal de gens en taule. Maintenant, dis-moi ce qu'il te faut.

– Je cherche quelqu'un, c'est tout. J'ai les informations de base, adresse perso, nom du lycée…

– C'est une fille et tu voudrais en savoir un peu plus sur elle, devina-t-il d'un air entendu. Travail élémentaire, sauf si elle bosse pour les services secrets ou si elle a récemment changé de sexe.

– Ni l'un ni l'autre.

Je lui dis ce que je savais et me postai dos à la porte, refusant de m'asseoir où que ce soit au risque d'entrer en contact avec les calcifs de Dirty Leon.

– D'après le fisc, elle a un job, m'apprit-il, les yeux rivés sur l'écran.

Alors ça, c'était impressionnant.

– Elle bosse où ?

– À Newark, dans une boîte qui s'appelle Aero Twisters.

– C'est quoi ? Un bar à smoothies ?

Il tapota sur son clavier et une photo de Holly s'afficha à l'écran.

– Professeur de gymnastique pour les maternelles. T'es trop vieux pour t'inscrire à ses cours, on dirait.

La Holly du futur m'avait dit avoir travaillé comme prof de gym, mais sans préciser à quel endroit.

– Ils recrutent ! exultai-je en examinant l'écran.

– Oui, un agent de maintenance et d'entretien. C'est dans tes cordes ?

Sans doute pas.

– Peut-être, si je pensais que ça peut l'impressionner.

– Tout dépend de ton angle d'attaque, déclara Dirty Leon en contemplant le mur au-dessus de ma tête. Le rôle du mec qui bosse dur, prêt à se salir les mains… ça sent le ticket gagnant à plein nez.

– Ouais, c'est sûr.

Encore faut-il que je sois crédible.

Il se remit face à son ordinateur.

– D'après un e-mail du proprio du club, il y a eu un problème de fuite ce matin qui, je le cite, « lui a donné envie de s'arracher les cheveux ». À mon avis, tu devrais sauter sur l'occasion.

– Merci. Tu ne pourrais pas me sortir un CV bidon, des fois ?

Il se fendit d'un sourire qui révéla des morceaux de cornichon entre ses dents.

– Pour cinquante dollars de plus, je fais de toi le meilleur agent de maintenance de tout le New Jersey.

– Génial. Tu m'envoies ça par mail.

Je payai Dirty Leon, lui notai mon adresse mail et filai avant que les bactéries qui grouillaient sur les murs ne s'attaquent à moi.

Voilà qui me semblait un bon début. Ensuite, je chercherais la meilleure solution pour approcher Adam. Il m'avait bien dit de le faire si quelque chose du genre se produisait, mais je trouvais complètement délirant de me pointer et de lui lancer comme ça : « Salut, j'arrive du futur ! »

Ce boulot allait me permettre d'avancer dans mon plan. Encore fallait-il que je me fasse embaucher.

* * *

– Vous êtes le premier candidat en deux semaines qui se présente avec une véritable expérience de la maintenance, me dit Mike Steinman, assis à son bureau.

– Je suis ravi de l'apprendre.

Je venais de passer une demi-heure à inventer tellement de mensonges que j'en avais perdu le fil. Fort heureusement, il avait l'air de les gober. Je ne voyais aucun autre moyen de m'intégrer dans l'entourage de Holly. Nous n'avions pas fréquenté les mêmes écoles. Nos chemins étaient trop divergents pour que je puisse gagner sa confiance (style le gars de Manhattan qui n'arrêterait pas de tomber sur elle, « par hasard », dans le New Jersey). Donc, soit je décrochais ce boulot, soit je m'inscrivais dans son lycée. Et ça, c'était le plan B que je voulais éviter à tout prix parce que cela signifiait reprendre les cours. Certes, je n'avais jamais fréquenté un grand lycée public comme celui de Holly, mais les mêmes règles élémentaires s'appliquaient dans tous les bahuts. Entrer dans le cercle de quelqu'un sans point commun avec cette personne n'avait rien d'évident.

– Bien, c'est vingt heures de travail par semaine. Et vous faites la fermeture, le soir. Il y a pas loin de mille gamins qui passent par ici chaque semaine, alors on a de tout... Il faut s'attendre à des surprises.

– Rien ne me surprend.

Rien ne me surprend plus.

– Parfait. Vous pouvez commencer aujourd'hui ?

– C'est vrai ? m'exclamai-je avec un temps de retard. Vous m'embauchez ?

– Eh oui, il y a péril en la demeure ! répondit-il en se dirigeant vers la porte. On a une ampoule qui vient de griller au-dessus des barres asymétriques, et ce n'est que le début d'une longue liste.

– Merci, monsieur Steinman. Vous n'imaginez pas à quel point j'avais besoin de ce boulot.

– C'est gagnant-gagnant, alors, fit-il en ouvrant la porte. Au fait, tout le monde ici m'appelle Mike.

– Compris.

– Viens, je vais te montrer le vestiaire du personnel et le placard où on range le matériel d'entretien.

Mon pouls s'accélérait déjà. Elle était là, quelque part. Même si ce n'était pas ma Holly. Enfin, pas encore.

À la suite de Mike, je traverserai le praticable de gymnastique et passai entre les poutres. J'avais les jambes en coton et j'entendis à peine ce qu'il me dit en ouvrant un casier vide, pas plus les instructions que l'emploi du temps. Il conclut ses explications par une claque dans le dos.

– Tu es mon premier agent de maintenance en interne. Jusqu'ici, j'avais toujours sous-traité à différentes entreprises ou essayé de réparer les choses moi-même, et ça me faisait prodigieusement chier.

J'avalai ma salive et le remerciai d'une voix rauque. Avec un peu de chance, je ne m'électrocuterais pas en changeant une ampoule.

– Entre 16 et 19 heures, il y a un monde fou, donc tu feras attention de ne pas gêner les cours.

Il me lança un polo noir sur lequel étaient brodés les mots Aero Twisters Inc., que j'enfilai par-dessus mon T-shirt. Puis je suivis mon patron hors du vestiaire en direction du hall d'entrée, séparé du gymnase par un muret afin de permettre aux parents de regarder leurs enfants. Il me désigna une fille brune et un garçon pas très grand appuyés contre le mur.

– Je te présente Jana et Toby. Ils font partie de l'équipe. Ils enseignent quand leur programme d'entraînement le leur permet.

– Salut ! dirent-ils à l'unisson.

J'avais rencontré la future Jana à plusieurs reprises en 2009 et je me souvenais vaguement de Toby.

– Hé, Holly ! Viens par ici une seconde ! cria Mike.

Sa longue queue-de-cheval blonde émergea de sous la table.

– Qu'est-ce qu'il y a, Mike ?

Elle sortit à quatre pattes, avec, dans la main, le stylo qu'elle avait dû faire tomber, et rejoignit Jana et Toby. J'arrêtai de respirer et mes jambes se mirent à flageoler. Elle était si proche. Si réelle. Depuis quand ne l'avais-je pas vue ? Cinq jours, qui semblaient des mois.

– Jackson est notre nouvel agent de maintenance et d'entretien, annonça Mike.

– Incroyable ! Vous avez réussi à convaincre quelqu'un de faire des réparations ici ? plaisanta Holly.

Son rire cristallin résonna dans mes oreilles et j'eus l'envie soudaine de la jeter sur mon épaule et de m'enfuir en courant, pour veiller à ce que rien de mal ne lui arrive jamais. Je pris une inspiration et tentai de me concentrer malgré la souffrance qui me torturait. Elle ne me connaissait pas. Je le savais, mais cela n'empêchait pas la douleur au creux du ventre.

Je me forçai à sourire et à les saluer d'un signe de tête avant de m'éloigner dans la direction opposée. Mis à part la vision de Holly se faisant tirer dessus, rien ne m'avait jamais autant secoué de toute ma vie que la scène que je venais de vivre.

Et il me restait une ampoule à changer. Ça aussi, ça faisait peur.

***

L'escabeau chancela au moment où je tendis la main vers l'énorme lustre suspendu non loin des barres asymétriques. Je réussis à changer l'ampoule sans m'électrocuter, et j'étais en train de redescendre quand j'aperçus Holly qui distribuait des autocollants aux petites de sa classe, à la fin de leur cours. Je posai prudemment un pied au sol. Les hauteurs, ça n'avait jamais été mon truc.

Une mèche de cheveux blonds lui tombait sur les yeux, et je dus me retenir de ne pas la saisir pour la replacer derrière son oreille et voir si la sensation serait toujours la même. Et si elle était bien réelle. Tout mon être brûlait d'envie de la toucher, de la faire sortir d'ici, de tout lui raconter. Elle me croirait peut-être, mais elle ne saurait pas qui j'étais pour autant.

Sois pas con, Jackson.

Jamais elle ne me croirait, et il y avait même fort à parier qu'elle s'enfuirait en courant. Qui n'en ferait pas autant, d'ailleurs ? À part Courtney... et Adam. Je me ressaisis et entrepris de replier l'escabeau.

C'est alors que Toby apparut.

– Dis donc, Hol, c'était ton dernier cours ? demanda-t-il.

Je gardai les yeux fixés sur le mur blanc que je venais de recommencer à nettoyer avec un chiffon sale.

– Oui, dit-elle.

– Tu veux aller manger un truc, un hamburger, par exemple ?

J'étouffai un rire en secouant la tête.

– Je ne peux pas. Je dois...

Il tira sur sa queue-de-cheval en gloussant.

– Allez, on s'en fiche !

– Sérieux, Toby. Je me suis inscrite à deux cours d'option, ce semestre.

Toby leva la main pour l'interrompre, puis se tourna vers moi.

– Tu t'appelles bien Jackson, c'est ça ?

– Oui, répondis-je en m'approchant d'eux.

Toby s'adossa contre le mur, les yeux rivés sur Holly.

– Jackson, quand une fille t'envoie balader cinq fois en deux semaines, ça veut dire quoi, d'après toi ?

Je m'efforçai d'aller récupérer ma voix enfouie au fond de ma gorge. Leur laisser croire que j'étais infoutu de m'exprimer ne servirait à rien.

– Peut-être qu'elle ne mange pas de viande, avançai-je, ce qui fit sourire Holly.

– Si, elle en mange, mais de la fausse, dit Jana dans mon dos. Tu vas au lycée Washington ? me demanda-t-elle.

– Non.

Ils attendaient tous les trois un complément d'information. Je me remémorai rapidement les détails de mon identité actuelle.

– Je ne vais pas au lycée.

– Tu suis les cours par correspondance ? supposa Toby.

– Non plus, j'ai abandonné... enfin... j'ai eu mon certificat d'études secondaires.

– Alors, tu vas à la fac ? embraya Jana.

– Ce que tu peux être snob ! Pour toi, tout le monde doit forcément aller à la fac, dit Toby.

– J'irai peut-être, fis-je. Je n'ai pas encore décidé.

– Tu as dix-huit ans, alors ? reprit Jana.

– Donne-lui quelques jours avant de lui sauter dessus, lança Toby.

– J'ai dix-sept ans, précisai-je.

– Comme Holly ! s'exclama Jana. Elle a fêté son anniversaire il y a quelques jours.

Holly, l'air agacée, prit Jana par le bras.

– Allez, on sort de la zone des maternelles ! Histoire de laisser le nouveau respirer un peu.

À cet instant, Mike sortit de son bureau et je me remis à décrasser le mur.

– Jackson, il faut que je te montre comment on ferme. Je dois partir bientôt.

– Je m'en charge, Mike ! cria Holly depuis l'autre bout du gymnase. Je vais lui montrer, comme ça il pourra fermer demain.

– Impec, dit Mike.

À peine était-il sorti que Holly, Toby et Jana se précipitèrent à l'étage sur les équipements de fitness. Je regardai Holly grimper sur un tapis roulant, puis repris mon travail.

La liste des tâches à accomplir le soir était interminable et il me fallut un bon moment pour en venir à bout, sans doute en raison de mon manque total d'expérience du nettoyage de quoi que ce soit. J'étais en train de ranger mes affaires quand Holly et Jana vinrent prendre des bouteilles d'eau dans leur sac. Holly enleva son polo noir, révélant un soutien-gorge de sport fuchsia. Sa queue-de-cheval fouetta l'air juste sous mon nez et je sentis le parfum d'un shampooing à la pastèque que je connaissais bien.

Holly remonta rejoindre Toby pour un duel à mort sur les tapis roulants.

– Ils font ça tout le temps, dit Jana en prenant place à côté de moi. Moi, j'ai horreur de courir.

– Je suis essoufflé rien qu'à les regarder, fis-je.

Chaque fois que l'un des deux augmentait la vitesse, l'autre l'imitait. Cela dura environ vingt minutes, jusqu'à ce que Toby abandonne.

– C'est la première fois que je gagne ! exulta Holly, une fois qu'ils furent redescendus.

– Ça va, ça va, grommela Toby. Je vais me doucher.

– Hou, le mauvais perdant ! chantonna Jana.

– C'est bon, Holly, je reconnais ma défaite, dit Toby en s'inclinant bien bas devant la porte du vestiaire.

Holly éclata de rire et s'assit près de son sac, juste à côté de moi.

– Il est parti ? murmura-t-elle.

Ma langue était comme couverte de sciure de bois. Je ne pus qu'acquiescer de la tête. Je me fustigeai intérieurement d'être aussi empoté. *Mais dis quelque chose !*

– Bonjour les courbatures, demain matin ! s'exclama-t-elle en s'allongeant sur le tapis. Et si tu lui répètes ce que je viens de te dire…

Je me penchai au-dessus d'elle et rassemblai un peu d'audace.

– Oui, quoi ? Tu me feras virer ? Tu dévisseras tous les boulons de mon escabeau ?

Elle fut prise d'une crise de rire.

– Non, je ne ferai rien du tout. C'était une tentative lamentable de t'intimider.

Je tendis la main pour l'aider à se relever et elle hésita avant de l'agripper. Je la lâchai dès qu'elle fut debout. Le contact physique ravivait trop de souvenirs.

– Faut que j'y aille. Tu travailles demain ? demandai-je.

– Je suis là pratiquement tous les jours.

Elle me montra comment fermer les portes de devant, puis je partis à pied vers la gare, maudissant chacun des pas qui nous séparait un peu plus.

CHAPITRE QUATORZE

Je franchis la porte de chez moi et reconnus aussitôt la voix de mon père, sauf qu'il ne s'exprimait pas en anglais. On aurait dit du russe.

Je me collai contre le mur de la cuisine et l'écoutai parler pendant encore une ou deux minutes, jusqu'à ce qu'il raccroche.

– Jackson, c'est toi ?

Pour la discrétion, c'était raté.

– Oui, Papa.

– Où étais-tu passé ? demanda-t-il en me rejoignant dans le couloir.

– Euh, j'étais sorti, tu vois… avec des gens.

Il fronça les sourcils.

– Il est tard. Tu devrais appeler quand c'est comme ça.

– Désolé, marmonnai-je avant de changer de sujet. Tu parlais en russe, là ?

– Non, en turc, répondit-il en me tournant le dos. Nous sommes sur un nouvel essai thérapeutique en Turquie. Je préfère communiquer sans interprète, dans la mesure du possible.

Secret total, c'est signé CIA.

Je repensai soudain à un autre incident suspect qui s'était produit dans le futur. À l'époque, je pensais sincèrement que mon père avait juste pris de haut le fait que je sorte avec une fille ordinaire. C'était à la mi-juillet 2009. Holly et moi venions d'aller dîner et, à l'instant de rentrer dans mon immeuble, elle m'avait sauté sur le dos. Devant la porte, on avait salué Henry, qui avait ri en nous voyant.

– Bonne soirée, monsieur Meyer. Bonne soirée, mademoiselle Flynn.

– Ils n'utilisent jamais les prénoms ? s'étonna Holly.

– Ils refusent. Pourtant, j'ai essayé, crois-moi.

La porte de mon appartement n'était même pas encore ouverte que Holly m'embrassait déjà dans la nuque. Nous revenions d'un long week-end passé chacun de notre côté et, après cinq jours de séparation, nous n'avions qu'une idée : nous sauter dessus... ou au moins nous amuser un peu. Dîner d'abord avait été une très mauvaise idée.

– Tu veux boire quelque chose ? lui demandai-je en ouvrant le frigo du bar dans le salon.

– J'aime bien ce petit vin fruité. Il t'en reste ?

J'attrapai la bouteille, mais pas de verres. Les convenances ayant été respectées au dîner, tout ce que je voulais maintenant, c'était replonger dans le tourbillon de folie qui nous avait emportés la semaine précédente.

– On va se soûler comme il faut, ce soir, dis-je.

– À quoi on trinque ? s'enquit Holly, tandis que nous entrions dans ma chambre et prenions place au bout du lit.

À rien... pour le moment, pensai-je en débouchant la bouteille avant de la lui tendre.

– À nous, bien sûr. Les deux personnes les plus géniales de la terre.

Elle avala une gorgée du vin.

– T'es pas vrai, toi, boire ça au goulot… C'est une bouteille à combien ?

– Je ne sais pas trop, répondis-je en examinant l'étiquette. Une centaine de dollars, peut-être.

– Cent dollars ? s'étrangla Holly. On peut tout aussi bien se bourrer avec du whisky à dix dollars.

– C'est toi qui as choisi ! lui rappelai-je en riant. De toute façon, toi, avec deux ou trois bières, tu es déjà pompette.

Elle fit une grimace puis sourit.

– Raconte-moi l'Europe. Adam n'arrête pas de me parler des Alpes et de tous ces gens en bretelles et culotte de peau.

– Non, toi d'abord. Tu as fait quoi dans l'Indiana ? éludai-je, le temps de peaufiner mon histoire.

– Jackson, c'est le Midwest. Super chiant. J'ai fait des tonnes de cookies avec ma grand-mère et j'ai gardé mes petits cousins.

Je lui résumai mon voyage en Allemagne et en Italie avec Adam en expurgeant tout ce qui concernait les sauts temporels. À la fin, nous avions terminé la bouteille et Holly se mit à farfouiller dans mes disques. Elle en choisit un et vint s'allonger près de moi.

– Bon, je sais bien qu'on se la joue cool et détaché, mais est-ce que j'ai le droit de dire que tu m'as manqué ? Un tout petit peu, dans les moments où je m'ennuyais vraiment. Par exemple, quand la seule distraction possible, c'était de regarder pousser le maïs.

– Oui, tu as le droit.

Et je viens de décider que ce soir on se déshabille entièrement. Voilà. J'ai un plan.

Ne me restait plus qu'à convaincre Holly.

Nous nous étions rarement retrouvés seuls tous les deux, en fait, et je n'avais pas encore évoqué le déshabillage. Je n'avais aucune intention de la forcer. C'était plus une question de persuasion, de technique de vente. Quand elle se mit sur le dos, je soulevai son T-shirt, me penchai sur elle et posai mes lèvres juste au-dessus de son nombril. Je déboutonnai son jean en scrutant son visage. Quand je la fis glisser jusqu'en bas du lit en voulant lui ôter son pantalon par les pieds, elle éclata de rire, ce qui contribua à faire un peu retomber la tension.

– Tout en finesse, Jackson !

– On se moque de moi ? dis-je en me rallongeant près d'elle pour l'embrasser sur la joue.

– Oui, m'sieur !

Et elle posa les lèvres sur mon cou avant de passer la main sous mon T-shirt.

Un peu plus tard, nos vêtements étaient presque tous par terre et mes mains se promenaient dans le dos de Holly, allongée sur moi. Soudain quelqu'un toussa très fort.

Mon père se tenait dans l'embrasure de la porte, les bras croisés.

– Oh mon Dieu ! s'écria Holly en plongeant sous la couette.

– Papa ? Mais qu'est-ce que tu fais là ? T'es pas en Afrique du Sud ?

– C'était l'Amérique du Sud. Habille-toi, Jackson, il faut que je te parle. En privé, ajouta-t-il avant de sortir en claquant la porte.

Je tirai la couette. Holly avait les mains plaquées sur le visage, mais je voyais entre ses doigts qu'elle était écarlate.

– La honte ! gémit-elle.

– T'inquiète ! la rassurai-je en l'aidant à remonter vers l'oreiller. Il se fout totalement de ce qu'on était en train de faire, tu peux me croire.

– Jackson, ton père vient de me voir presque à poil. Je pense que j'ai le droit de me sentir un tout petit peu humiliée. Allez, va-t'en !

Elle se retourna sur le ventre pour se couvrir de nouveau la tête.

– Il va me falloir quelques instants avant de pouvoir aller parader là-bas, expliquai-je avec un grand sourire, bien qu'elle ne puisse pas me voir.

Son corps tressaillit de rire.

– La prochaine fois, même si tu penses que ton père est en Antarctique, tu fermes la porte à clé !

– T'es vraiment trop craquante, dis-je en lui déposant un baiser sur la joue. Tu bouges pas, OK ?

– Ah bon ? Dommage, j'avais prévu d'aller montrer ma petite culotte au type de l'ascenseur, marmonna-t-elle, la tête enfouie sous l'oreiller.

– Il aurait adoré.

J'enfilai mon jean et me rendis dans la cuisine, où mon père m'attendait, appuyé contre le comptoir.

– Qu'est-ce qui se passe, là-bas ? demanda-t-il.

J'ouvris le réfrigérateur pour y attraper une brique de lait. Je ne pris pas de verre pour boire, rien que pour l'emmerder.

– Eh bien, tu te rappelles la petite conversation qu'on a eue quand j'avais douze ans ?

– Arrête de faire l'andouille avec moi. Qui est cette fille ? Pourquoi tu continues à la fréquenter ?

– Cette fille s'appelle Holly, au cas où tu l'aurais oublié. Tu l'as déjà rencontrée et je continue à la fréquenter parce que je l'aime beaucoup. Ça te pose un problème ?

Il se pencha vers moi.

– Tu ignores tout d'elle. Ça fait des semaines qu'elle a accès à des informations confidentielles à cause de toi. Tu t'endors à côté d'une inconnue dans notre appartement. Qui sait ce qu'elle fait pendant ton sommeil ?

– Je crois que tu as levé un lièvre, approuvai-je en levant l'index. L'espionne qui venait du New Jersey. J'ai remarqué que son journal intime s'était épaissi ces derniers temps. Ne bouge pas, je vais la fouiller au corps pour trouver des preuves.

– Tu te crois malin, Jackson ?

– Tu sais quoi, Papa ? lançai-je avec un soupir agacé. J'aime beaucoup Holly, on est adultes tous les deux et ce qu'on fait ensemble ne regarde que nous.

Je m'éloignai sans un regard. Je faisais le fier-à-bras, mais intérieurement je tremblais comme un môme de dix ans.

Je retournai me coucher à côté de Holly et tentai de comprendre pourquoi mon père se comportait ainsi. Jusque-là, il n'avait jamais montré le moindre intérêt pour les filles avec qui je sortais ou que je ramenais à la maison.

– Tout va bien ? demanda Holly.

– Oui, oui, ça va. Dis-moi, t'es pas une espionne, hein ?

– Non, mais je rêve d'en être une depuis que je suis toute petite, s'esclaffa-t-elle.

Ce souvenir de Holly et moi, relax, en train de rigoler en 2009 me fit atrocement mal. Tant que je demeurais coincé en 2007, mon principal objectif était de faire en sorte que jamais les événements du 30 octobre 2009 ne se reproduisent. Si tel devait être le cas, la faute m'en incomberait puisque je saurais ce qui se tramait.

En m'endormant dans mon nouveau présent de 2007, je tâchai d'analyser les détails de cette soirée de 2009 où mon père s'était un peu trop comporté comme un agent secret. Il m'apparut qu'il semblait ne rien ignorer des précédentes visites de Holly à la maison, alors qu'il était en déplacement depuis près de trois semaines. Il en savait beaucoup plus qu'un père ordinaire.

En fait, la question que j'avais trop peur de me poser était la suivante : se pouvait-il que les types qui avaient tiré sur Holly travaillent pour mon père ou soient dans son camp ? En l'état actuel des choses, impossible d'écarter cette piste. Ni aucune autre d'ailleurs.

CHAPITRE QUINZE

Ça y est, j'ai décroché un boulot dans le New Jersey. Homme de ménage. Si mon père savait ça, il me foutrait une trempe ou m'engueulerait parce que j'ai abandonné un lycée privé ultrasélect pour aller changer des ampoules. Je fais ce job depuis une semaine et je ne me suis pas encore tué. Cela dit, mes collègues ont été suffisamment sympas pour dissimuler les plus grosses bêtises que j'ai faites le soir, après le départ de Mike. Même si Jana, Toby et Holly ne l'ont jamais dit, je pense qu'on a fait un vœu de silence collectif. Ils restent toujours après la fermeture pour utiliser les équipements, en dépit des remarques constantes de Mike sur les problèmes de sécurité et de responsabilité civile.

***

– Il y a eu un gros accident dans les toilettes. Tu peux aller voir ? me demanda Mike avant de repartir s'occuper d'un groupe.

J'attrapai une paire de gants en caoutchouc tout en ronchonnant. Ça ne pouvait pas être pire que de nettoyer les toilettes d'une cité universitaire. J'avais hérité de cette corvée, une semaine sur deux, pendant ma seule année de fac, alors que je partageais une chambre avec deux autres étudiants.

J'entrai dans les toilettes des hommes, jetai un coup d'œil rapide à la cuvette bouchée qui débordait et ressortis aussitôt pour aller voir Mike dans le gymnase.

– Je crois qu'il va falloir appeler un plombier, lui dis-je.

Il éclata de rire.

– Ah bon, mais c'est pas ce que tu fais dans la vie ?

– Si, si, bien sûr, je plaisante.

Bref, je l'avais dans l'os.

Holly me regardait par-dessus son épaule. Elle était assise par terre avec des feuilles de papier et une agrafeuse étalées devant elle.

– T'as besoin d'aide ? me demanda-t-elle.

– Non, ça ira, je gère.

Elle se leva pour me suivre malgré ma réponse.

– J'ai un peu de temps devant moi.

– Si tu veux, mais tu vas avoir besoin de ça, lui dis-je en lui tendant un masque de protection que j'avais trouvé sur le chariot d'entretien.

J'ouvris la porte des toilettes et m'approchai avec elle de la cuvette bouchée.

– C'est vraiment dégueu, marmonna-t-elle.

– Les hommes sont des porcs, Holly.

– Si tu le dis... je n'ai jamais vécu avec, moi.

– Veinarde.

– Et si tu utilisais ça ? suggéra-t-elle en désignant la ventouse posée à côté de la cuvette.

– Tu t'y connais ? m'étonnai-je.

– Je l'ai souvent fait. Pas toi ?

– Si, bien sûr, je fais ça tous les jours, répondis-je en haussant les épaules.

Elle pouffa tandis que je commençais à pomper. Ce n'était pas exactement le cadre dont j'avais rêvé pour notre plus longue conversation de l'année 2007, mais c'était mieux que rien.

Holly se pencha au-dessus de moi, ôta le couvercle du réservoir, qu'elle déposa contre le mur, puis plongea la main dans l'eau. Ce n'était pas une petite nature, cette fille.

– Tu vois ce bitoniau, là ? Je ne sais pas comment ça s'appelle, mais il devrait être relevé et c'est pour ça que la chasse ne fonctionne pas, dit-elle en tirant dessus, ce qui actionna la chasse d'eau.

– Joli ! m'exclamai-je.

Elle abaissa son masque et sourit.

– Tu crois qu'on peut respirer sans risque ?

Je m'emparai de la bouteille de désinfectant dans le chariot et me mis à asperger chaque centimètre carré des toilettes.

– C'est l'affaire d'une minute, dis-je.

Holly prit une paire de gants et une éponge pour m'aider à nettoyer. Une fois notre tâche terminée, elle ouvrit la porte et tomba nez à nez avec Jana.

– Alors comme ça, tu plonges dans les toilettes des hommes avec le nouveau ? se moqua cette dernière. Je suis impressionnée !

– Il y a de quoi. On a fait des trucs carrément dégueu, rétorqua Holly.

Puis elle s'éloigna, me laissant seul avec Jana, vêtue d'un justaucorps et couverte de magnésie jusqu'aux coudes.

– Elle ne sortira sans doute jamais avec toi, autant que tu le saches, dit-elle.

– On a juste nettoyé les toilettes ensemble, je t'assure.

– Je sais, gloussa-t-elle. Mais il faut bien que quelqu'un te prévienne avant que tu ne t'attaches trop.

Il est un peu tard pour ça.

– Elle a un copain ?

– Non. Et toi, tu as une copine ?

– Si on veut… enfin, non, pas vraiment.

Toby arriva alors et s'interposa.

– Mike part plus tôt ce soir et sera absent tout le week-end. On devrait s'organiser quelque chose.

– Une soirée poker ? suggéra Jana avec un sourire coquin.

– Excellente idée ! Tu te joins à nous, Jackson ? Tu es l'homme aux clés d'or maintenant, alors on a un peu besoin de toi.

– Vous voulez que je risque le boulot que je viens juste de décrocher pour vous permettre de jouer au poker et de faire les cons ?

– D'accord, tu veux quoi en échange ? demanda Toby avec un petit rire tranquille.

– Je marche si tu la convaincs de venir, déclarai-je en montrant Holly de la tête. Mais interdit de m'utiliser comme argument.

– Tu ne serais pas en train de tourner autour de ma nana ?

Jana lui tapota la tête comme à un petit chien.

– Laisse tomber, Toby. Ça s'appelle un amour à sens unique.

– Je suis juste curieux, c'est tout. En plus, on a passé un moment ensemble, dis-je.

Jana roula des yeux.

– Oui, ils ont nettoyé les chiottes tous les deux.

– Super-romantique, commenta Toby.

– Jackson ! appela Mike. Ramène-toi, il faut nettoyer la salle des maternelles, il y a un petit qui a vomi.

Parfait ! Cela faisait plaisir de savoir que les centaines de milliers de dollars investis par mon père dans des écoles privées ne l'avaient pas été en pure perte.

Lorsque j'eus fini de nettoyer la pile de tapis souillés, Toby s'approcha.

– C'est d'accord, ça marche, annonça-t-il.

– Comment tu as fait pour la convaincre ?

– Je ne révèle pas mes méthodes, rétorqua-t-il avec un large sourire. Mais ça implique beaucoup de contact physique, de sueur et peut-être d'exploration de l'amplitude de ses mouvements.

– Dans tes rêves, oui ! dis-je en lui donnant une légère bourrade sur l'épaule.

***

Toby et Jana s'en allèrent avant Mike et revinrent dix minutes après son départ, les bras chargés, suivis de deux autres types. J'étais en train de passer la serpillière dans le hall d'entrée. À la vue de celui avec des cheveux noirs et des lunettes de soleil, je lâchai mon balai, qui tomba dans un grand bruit métallique.

– Adam !

Zut, la gaffe !

– On se connaît ? s'étonna-t-il en se tournant vers moi.

Meeeeerde ! Trouve quelque chose, vite !

– Tu étais bien à la fête de la science, l'an dernier ? dis-je lamentablement.

– Oui, comme environ un millier de personnes.

Je sentis les quatre paires d'yeux braquées sur moi. Je continuai sur mon histoire pourrie.

– Ton projet était vraiment génial, tout ce truc sur...

– La théorie de la relativité, acheva-t-il à ma place.

– C'est ça.

– Nous voilà bien, encore un geek ! se lamenta Toby. Tu n'as pas intérêt à compter les cartes comme Silverman.

Holly nous rejoignit et s'arrêta devant l'autre type. C'est à ce moment que je le reconnus : David Newman, son futur copain. Il sourit et lui tendit un sac en papier.

– Ça fera sept dollars, lui dit-il. Et j'ajoute que j'ai dû attendre vingt minutes qu'ils refassent du guacamole.

– David, je t'aime ! déclara-t-elle en déposant les billets dans sa main.

– Elle ne me dit jamais ça, à moi, se plaignit Toby.

– Parce que ça t'embêterait, rétorqua-t-elle. Reconnais que ces trois mots te font peur.

Comme je le comprends !

– Les mots d'amour, peut-être, mais l'acte, pas du tout, dit-il.

David se mit à rire, mais Holly l'écarta de son chemin et s'éloigna avec Jana en marmonnant : « De vrais gamins ! »

– Bien joué, Toby ! commenta David.

– Ne me dis pas que tu ne t'es jamais amusé à vouloir briser sa carapace ? répliqua Toby.

– Je refuse de répondre, dit David en continuant à rire.

– Mais tu as déjà bien envisagé de l'embrasser ?

Je jetai un regard à Adam qui, comme moi, écoutait la conversation en silence.

– Pas vraiment, répondit David.

– Eh bien moi, si, avoua Toby. Surtout quand j'avais envie de la faire taire.

Ils rirent si bruyamment que Holly et Jana se retournèrent vers nous. Je me remis à nettoyer le sol tandis que s'engageait la partie de poker à la table qu'ils avaient installée sur le praticable.

– Alors, tu joues ? m'interpella Toby.

– Bien sûr, un peu de fric en plus, ça peut toujours servir.

Je m'assis à côté d'Adam, juste en face de Holly. Je brûlais de parler à mon ami, mais, dans l'immédiat, il fallait que je garde mon sang-froid pour entrer dans mon personnage, celui du mystérieux nouveau.

– Jackson, tu étais dans quel lycée avant d'abandonner ? me demanda David en distribuant les cartes. Dans le New Jersey ?

J'acquiesçai et donnai le nom d'un autre établissement.

– C'est pour ça qu'on ne t'avait jamais vu, dit Jana.

– Vous êtes tous en première ? demandai-je.

– Ouais.

– Pourquoi t'as arrêté ? s'enquit Toby.

Jana lui donna un coup de coude dans les côtes, mais je lui fis signe d'arrêter.

– J'en ai eu marre, c'est tout. Mon père voulait que je bosse.

– Vivement que ça se finisse, dit Holly, qui se défaussa de deux cartes avant d'en prendre deux autres dans la pile. L'anglais en option, c'est l'horreur. Je savais que ce serait dur, mais un bouquin tous les quinze jours plus un devoir de cinq pages trois fois par semaine, ça fait un peu beaucoup.

– Tu lis quoi en ce moment ? demandai-je.

– On vient de finir *Le Conte de deux cités*, répondit-elle, arrachant des grognements à Toby et Adam.

Ah, enfin une ouverture pour moi !

– J'ai toujours détesté Dickens, déclara Adam.

– Ah ouais ? s'étonna David en jetant ses cartes sur la pile. C'est surprenant pour un surdoué comme toi.

– La littérature n'a rien à voir avec les maths et les sciences, fit remarquer Adam.

– Toi non plus, tu n'as pas aimé ce livre ? dis-je à Holly.

– Si, mais j'ai du mal à écrire mon devoir. J'ai commencé et puis, la panne.

– Tu n'as qu'à écrire « C'était la meilleure des époques, c'était la pire des époques », récita Toby avec un très mauvais accent anglais. Qui suit ?

– Pas moi, j'ai rien, dit Jana en balançant ses cartes, imitée par David.

– Toby, je commence à comprendre pourquoi tu as autant de mal avec les filles, le taquina Holly. Tu es totalement incapable de voir le côté romantique d'une histoire comme celle-là. L'amour non partagé, le sacrifice personnel gratuit.

– Mademoiselle, vous êtes incroyablement sexy quand vous parlez la langue de la littérature, répliqua Toby.

– CQFD, lâcha Holly en m'adressant un coup d'œil. Il est incurable.

– Bon alors, explique-nous, puisque tu es si maligne, dis-je d'un ton provocant en lançant un autre jeton sur la table. Comme ça tu éviteras à d'autres pauvres filles de subir nos comportements si peu romantiques.

– Je ne suis sans doute pas la mieux placée pour ça. Jana, qu'est-ce que tu en penses, toi ?

– Eh bien, moi, déjà, je pense que Toby ne s'intéresse pas aux mêmes choses que Holly. C'est peut-être ça, le problème. Holly adore lire, donc son futur mec devra aussi aimer ça. Moi, je suis très punk et ska, alors je vais plutôt chercher quelqu'un qui partage ma passion pour des groupes dont personne n'a jamais entendu parler.

– C'est pas hyper excitant, pour l'instant. Il y a forcément autre chose, insistai-je.

– Je ne pourrais pas sortir avec un mec qui n'aime pas au moins un peu le sport. La gym occupe plus de la moitié de ma vie, donc c'est une condition *sine qua non*.

– Ben, et Toby ? Il est gymnaste comme toi.

– Il se trouve que c'est aussi mon cousin.

Comment se fait-il que je ne le sache pas ?

– OK, donc c'est mort, ça.

– Tu m'étonnes ! railla Toby. Allez, Holly, donne-nous un petit aperçu de ce qui se passe dans ta tête.

Oh oui, par pitié ! Effectivement... je ne connaissais pas grand-chose de la Holly de dix-sept ans.

– Je ne sais pas encore ce que je veux, répondit-elle. Ça viendra peut-être un jour, mais pour l'instant c'est lycée, boulot et économies pour les études.

– Plus chiant, tu meurs, commenta Jana.

Holly lui jeta une poignée de pop-corn à la figure par-dessus la table.

– OK, Jana. Je veux un mec qui a lu plus de trois lignes d'un roman de Dickens et qui peut réciter de la prose magnifique en dansant sur... voyons voir...

– *Come Away with Me* de Norah Jones, par exemple ? suggéra Jana avec un soupir, le menton posé sur sa main. Il faudrait que ce soit une valse.

– Attends, on parle bien d'un mec, non ? intervint David.

– Arrête ton char, Holly, dit Toby en s'étranglant de rire. T'es bien la dernière que j'aurais vue craquer pour ce genre de connerie.

– C'est pas des conneries quand c'est sincère, protesta Jana.

– Parfaitement, confirma Holly avant de déposer ses cartes sur la table. Full !

– Putain ! marmonna Adam, qui se coucha, suivi par tous les autres.

– Tu crois qu'elle bluffe ? demandai-je à Jana.

– Qu'elle bluffe ? répéta celle-ci sans comprendre. Mais elle vient de montrer ses cartes !

– Non, je veux dire sur le type idéal, le danseur de tango qui récite du Shakespeare, là.

– D'abord, c'est la valse, pas le tango, corrigea Holly. Et non, je ne bluffe pas. Mais il faut qu'il soit hétéro.

– Bon courage pour le trouver, celui-là, lâcha David.

– Il est peut-être assis en face de toi, dis-je.

Son visage tressaillit, mais elle esquissa vite un sourire confiant.

– Ça m'étonnerait.

– Ouais, t'as sans doute raison, concédai-je en ramassant le paquet de cartes pour les battre. De toute façon, je ne voudrais pas d'une fille aussi exigeante.

– Je ne suis pas exigeante !

– Holly, ton fantasme, c'est un type en collant qui danse la valse en te susurrant des vers de *Roméo et Juliette* à l'oreille, résuma David en prenant une des cannettes de soda empilées par terre. Dans le genre exigeant, on fait pas mieux. Avec les mecs de notre âge, tu auras du bol si tu réussis à en convaincre un d'arrêter de cracher partout et de se gratter les couilles en ta présence.

Holly lui pinça la joue en souriant.

– Quel charmeur tu fais, David ! Et puis je n'ai jamais parlé de collant.

– Même sans ça, c'est grave, gémit Toby. Qui peut bien t'avoir fourré ces niaiseries dans le crâne ? C'est pour ça qu'on n'a jamais droit à un rencard, nous autres.

– Tout ça, c'est à cause de romans à l'eau de rose écrits par des bonnes femmes sur des hommes qui n'existent pas dans la vraie vie, intervint Adam. Ça crée des attentes irréalistes.

– Joliment dit, Adam, approuva Holly. C'est peut-être la vérité, mais on ne choisit pas les envies qu'on a.

– J'ai bien l'impression que Jackson allait tenter sa chance, pas vrai ? dit Jana en me donnant un coup de coude.

Holly me reprit le paquet de cartes des mains.

– C'est ça, marmonna-t-elle. Bon, on joue au poker, oui ou non ?

Toby nous regarda l'un et l'autre, puis il pointa l'index vers Holly.

– Tu as peur qu'il arrive à te séduire, avoue.

– Je suis impatient de voir ça, se réjouit David.

Holly afficha une expression digne d'une joueuse de poker professionnelle et me lança d'un air de défi :

– OK, Jackson. Fais-nous ton numéro.

– Non, merci, je ne suis pas trop d'humeur à danser. De toute façon, pour toi, tous les mecs se valent. Ton opinion est déjà faite, ça se voit.

Je me répétais qu'il fallait garder un ton badin et la titiller si nécessaire. La flatterie ne marche jamais avec les filles un tant soit peu intelligentes. Une lueur de colère passa dans son regard et je retins une envie de sourire.

– Très bien, si tu as raison et que tu as les qualités du mec parfait, tel que je l'imagine, j'accepte de sortir avec toi, dit Holly.

– Qu'est-ce qui te fait croire que, moi, j'ai envie de sortir avec toi ? Je ne vois pas bien ce que j'ai à y gagner, dans ton deal.

Ses joues s'empourprèrent. Elle baissa les yeux vers la table, mais les releva aussitôt.

– Désolée, ce n'est pas ce que je voulais dire. Je t'invite à dîner demain soir et je nettoierai les toilettes après le boulot. Mais si c'est moi qui ai raison, tu dois t'engager à quelque chose en échange.

– Jackson, si j'étais toi, j'accepterais la proposition toilettes, dit Toby. Après trois fêtes d'anniversaire et une matinée entière de cours, ça ne va pas être beau.

– Si c'est moi qui ai raison, tu devras venir plus tôt et m'aider pour les trois anniversaires pleins de mômes qui hurlent, de gâteaux et de tonnes de papier cadeau, proposa Holly.

– Vendu.

– C'est vachement plus rigolo que de se soûler, votre truc, commenta David.

– L'un n'empêche pas l'autre, répliqua Toby.

– C'est moi qui choisis la musique, dit Adam en sortant un iPod de sa poche.

– Non, voyons plutôt ce que Holly a en stock, dis-je en lui souriant.

Elle me tendit son iPod, dont je fis dérouler la playlist en quête de la chanson idéale. Bingo. Je choisis *You Don't Know Me* de Jann Arden, puis me levai tandis que Jana branchait l'iPod sur la chaîne hi-fi, et tendis la main à Holly.

– Un jeune du New Jersey qui nettoie les toilettes et qui sait valser ? ironisa-t-elle.

– La vraie question, c'est : est-ce que toi tu sais ?

Je ne lui mentais pas. J'avais appris à danser lors d'innombrables soirées chic, mais aussi parce que j'avais choisi l'option danses de salon et folkloriques pendant mon premier semestre de fac ; c'était la plus facile à obtenir dans mon module d'arts appliqués.

– Un peu. Juste des notions vues en cours de gym, répondit-elle.

À la seconde où je passai un bras autour de sa taille, je sus que cela allait être difficile, mais j'avais besoin d'un prétexte pour la toucher, ne serait-ce que quelques minutes. Elle mit sa main dans la mienne et je sentis un influx nerveux parcourir son corps raide et tendu. Elle attendait que je démarre.

– Détends-toi, murmurai-je.

Ses épaules se relâchèrent un peu lorsque je l'attirai plus près de moi. Je fis un pas en arrière et elle me suivit, puis elle se laissa conduire. Mon nez frôlait ses cheveux.

Notre pas de deux s'arrêta à l'autre bout du praticable, sitôt la chanson terminée. Holly me regarda comme si elle espérait quelque chose. Je rapprochai instinctivement ma bouche de la sienne, puis me rappelai ce qu'elle voulait. Ce n'était pas un baiser. Alors, je détournai vivement mes lèvres vers son oreille et lui déclamai une citation qui se trouvait bien au-delà de la première page du roman de Dickens. « *Quand votre charmant visage se retrouvera dans l'enfant auquel vous sourirez, n'oubliez pas qu'il existe un homme prêt à donner sa vie pour vous conserver l'un des êtres qui ont part à votre amour.* »

Je relevai la tête, elle tourna son visage vers le mien et sa bouche effleura ma joue au passage. Je me figeai quand ses lèvres s'arrêtèrent à deux centimètres des miennes.

Ne l'embrasse pas. C'était trop rapide. Ça la ferait paniquer. Alors que ses yeux se fermaient, je retirai mon bras et fis un pas en arrière en affichant un sourire satisfait.

– Tu étais sur le point de l'embrasser ! l'accusa Toby.

– Même pas vrai, répliqua-t-elle.

– J'en connais une qui va devoir nettoyer les toilettes, chantonna Toby. Jackson, je ne me doutais pas que tu étais un emballeur pareil. T'aurais pas un manuel d'apprentissage ?

– Tu as gagné, je nettoierai les toilettes, concéda Holly, rouge comme une pivoine.

Puis elle se détourna rapidement et s'éloigna.

– Holly, je ne tiens pas à ce que tu...

– On jouait tous les deux pour gagner, m'interrompit-elle. Si les rôles étaient inversés, j'exigerais ton gage.

– Tu n'auras pas à faire quoi que ce soit, lâchai-je sans réfléchir.

– Tu peux arrêter ton numéro de galanterie, soupira-t-elle. J'ai compris, tu as gagné.

Elle était en colère, à l'évidence, et personne ne savait quoi dire, pas plus moi que les autres. Je me massai les tempes du bout des doigts.

– Il faut que je rentre. Ma mère va flipper si je suis en retard, dit-elle en attrapant son sac avant de se diriger vers la sortie.

David me jeta un coup d'œil, puis se précipita derrière elle.

– Tu veux que je vienne chez toi un moment ?

– Non, je suis fatiguée et il faut que je bosse toute la journée, demain.

– Ça ira ?

– Tout va bien, David. Pourquoi ça n'irait pas ? Je viens d'être séduite par le mec parfait.

Elle essayait d'en rire, mais son ton sarcastique laissait transparaître son humiliation. Je me laissai tomber dans un fauteuil, la tête entre les mains.

– Et merde !

– Ben mon vieux... qu'est-ce que tu lui as fait ? dit Toby.

– C'est clair, pourtant, fit Jana.

Tout le monde se tourna vers elle, le regard interrogateur.

– Elle t'a pratiquement proposé de sortir avec elle et maintenant elle pense que tu t'es foutu d'elle. C'était forcément du
chiqué, vu que tu ne la connais que depuis hier.

– Sympa, Jana, dit Toby d'un ton sarcastique.

– Je ne dis pas que c'est vraiment un emballeur, je dis juste
que c'est sans doute comme ça que Holly le voit.

– Génial ! commentai-je avec un sourire crispé.

– À mon avis, ça ne doit pas arriver souvent que Holly
fasse le premier pas avec un mec, ajouta Adam.

– Ça, c'est sûr, dit David, qui revint s'asseoir à la table.

– Je suis vraiment trop con, marmonnai-je.

– Je trouve plutôt que tu es un génie, intervint Toby.
Qu'est-ce que tu lui as raconté ?

– Aucune importance. Bon, vous êtes tous prêts à partir ?

– Ça dépend de toi, dit Jana.

– Ouais, moi j'y vais.

Cette soirée avait fini en eau de boudin. Peut-être même
avais-je fait plus de mal que de bien. Je quittai le gymnase et
me dirigeai vers la gare. Sitôt assis dans le train, je sus que
je tenterais une nouvelle fois de repartir en 2009. Graviter
autour de la Holly de 2007 était vraiment trop dur. Et en
plus je m'y prenais comme un manche.

CHAPITRE SEIZE

J'étais sur le point de tenter un nouveau saut vers 2009 quand quelqu'un se laissa tomber sur le siège à côté du mien.

– Salut, Jackson.

Je me tournai et aperçus mon reflet dans les lunettes d'Adam.

– Tu m'as suivi ?

– Qu'est-ce que tu fous dans un train pour New York à minuit passé ? me demanda-t-il, l'air soupçonneux, en croisant les bras.

– Mon père bosse de nuit là-bas, je lui donne un coup de main.

– Où ça ?

– Au lycée Loyola. Il est homme de ménage.

– Tel père, tel fils, hein ?

– Exact.

– Arrête de me prendre pour un con. Comment tu savais mon nom ? Personne ne te l'avait encore dit.

– Je viens du futur et nous sommes amis en 2009.

Il ignora ce qu'il pensait être une blague.

– Tu sais ce que je crois ?

J'appuyai la tête contre la fenêtre et fermai les yeux.

– Envoie ta théorie, Adam.

– T'es un agent secret.

Perdu. Mais je suis peut-être le fils de quelqu'un qui en est un.

– Je vois. Donc, je ne voyage pas dans le temps, mais je suis un agent secret qui espionne ton projet scientifique pour le lycée, parce que l'État veut te piquer tes théories et les utiliser pour fabriquer des armes.

– Pas des armes, non.

J'éclatai de rire et me redressai pour le regarder.

– Je ne bosse pas pour les services secrets, je te promets ! Et je n'ai aucune intention de te piquer ton projet ou de te dénoncer comme hacker.

– Je n'ai jamais dit que j'étais un hacker, rétorqua-t-il, le visage crispé.

– Euh, non, c'est vrai…

– Donc tu es bien un agent secret ?

– Adam, j'ai vraiment envie de te dire la vérité, mais tu ne me croiras certainement pas.

– Essaie toujours, lança-t-il en se carrant dans son siège.

Je pris une profonde inspiration, prêt à tenter un changement d'identité complet et risqué.

– On va y aller pas à pas. Je ne voudrais pas que tu me fasses un infarctus. Premièrement, j'habite Manhattan.

– D'accord.

– Tu veux venir chez moi ? Je te raconterai la suite là-bas.

– Juste pour que tu sois au courant : j'ai des amis qui savent exactement où je me trouve si jamais je ne devais pas rentrer.

– Je n'en doute pas un instant.

***

Adam ouvrit des yeux comme des soucoupes devant la façade de l'immeuble.

– Tu habites vraiment ici ?

– Eh oui.

Dans l'ascenseur, il se tordit les mains et regarda de tous côtés comme si la brigade antihackers s'apprêtait à lui sauter dessus.

– Qui est ce jeune homme ? demanda Papa alors que nous traversions le salon.

– Adam Silverman. Adam, je te présente mon père.

– Enchanté, monsieur, fit Adam en lui serrant la main.

– Jackson, je vais m'absenter quelques jours.

– Tu vas où ?

– En Corée du Sud pour affaires. Je t'ai laissé un message tout à l'heure, mais tu ne m'as pas rappelé. On passe me prendre dans cinq minutes. Tu te débrouilleras ?

– Depuis quand tu fais des affaires en Corée du Sud ?

Il arqua les sourcils comme pour me signifier qu'il n'avait pas l'intention de parler de ça devant un parfait inconnu.

– On se voit dans quelques jours.

Je précédai Adam jusqu'à ma chambre, fermai la porte et lui indiquai le canapé à l'autre bout de la pièce. Puis je sortis du tiroir de mon bureau un petit coffre argenté. Je passai des photos en revue et lui en tendis certaines. La veille, j'en avais imprimé quelques-unes de 2009 à partir de ma carte mémoire, en pensant qu'elles feraient plus vrai ainsi.

– C'est... ?

– Holly, complétai-je.

Il retourna la photo et en examina le verso. Un grand sourire apparut sur son visage.

– Très sophistiqué. Et c'est assez génial de te greffer sur mon projet de science. La plupart des gens ont entendu parler de la théorie de la relativité, mais toi, tu vas plus loin et tu me balances ton histoire de voyage dans le temps... Très créatif.

– J'en conclus que tu ne crois pas à ta propre recherche ?

Je savais bien qu'il faudrait plus que quelques photos pour le convaincre.

– Bien sûr que si, en théorie. D'où tu tiens ces photos de moi ? De l'ordinateur de mes parents, peut-être ?

– C'est moi qui les ai prises. Qu'est-ce que tu entends par « en théorie » ? Soit tu y crois, soit tu n'y crois pas.

– Je crois à la possibilité de voyager dans le temps, mais ça nécessitera encore beaucoup de recherche et sans doute une technologie qui n'existe pas pour le moment.

– Tu te trompes.

– Ce n'est pas possible, alors ?

– C'est possible et j'en suis capable.

Il éclata de rire.

– Très bien, prouve-le.

– Qu'est-ce que je pourrais bien te dire qui ne fasse pas trop voyante de fête foraine ? C'est le futur. Tu vas entrer au MIT et obtenir 2 300 points à tes SAT.

– Pas mal, comme score. Quoi d'autre ?

Il se pencha en arrière et se croisa les mains derrière la nuque. Je m'affalai sur mon lit, sortis de mon sac mon journal de bord et commençai à le feuilleter.

– J'ai peut-être oublié ce que tu voulais que je dise.

– Ça ne devait pas être très important.

– Je n'avais pas exactement prévu de me retrouver coincé dans le passé, faut dire.

Soudain je pointai mon index vers lui avec un grand sourire.

– Ton chien vient de mourir, pas vrai ? Il y a quelques jours ?

– Quel tact ! marmonna-t-il. Mais ça ne prouve rien du tout. On en a parlé avec Jana tout à l'heure, tu nous as sans doute entendus.

– Désolé.

– Comment s'est-on rencontrés dans le futur ?

– On était moniteurs de centre aéré. Holly aussi.

Je scrutai son visage en espérant y trouver un signe quelconque prouvant qu'il me croyait, mais il demeurait d'un calme olympien.

– Tu as bien dû prouver que tu pouvais voyager dans le temps à un moment ou un autre, non ? demanda-t-il.

– Oui, ça a commencé un peu comme la conversation qu'on a maintenant. On accompagnait une sortie de deux jours. C'était la nuit, les gamins dormaient et on discutait tous les deux. Tu as imaginé une expérience et tu m'as fait partir dans le passé et revenir.

J'ouvris mon portefeuille et lui tendis la carte mémoire.

– Tiens, elle contient plein de données expérimentales.

Il la fit tourner entre ses doigts tandis que je me replongeais dans mon journal de bord pour retrouver la page sur laquelle j'avais noté les détails de cette première expérience.

– Ça t'a suffi pour m'embobiner ? Mon futur moi doit vraiment être un abruti.

– Non, tu me l'as fait faire dix fois, l'assurai-je, l'œil subitement attiré par un gribouillage au bas de la page datée du 11 avril 2009. Tiens, regarde ! Tu as écris une note toi-même.

Il m'arracha le cahier des mains. Je le vis blêmir.

– Où tu as eu ça ? dit-il en se laissant retomber sur le canapé.

– C'est toi qui l'as écrit. Je ne sais même pas ce que ça veut dire. C'est du latin ?

– Oui, c'est du latin, confirma-t-il, les doigts figés sur le coin de la page.

– Qu'est-ce que ça veut dire ?

Après un long silence, il se mit à feuilleter frénétiquement les pages de mon journal. Puis sans me regarder, il lâcha :

– Ça n'a aucune importance. T'inquiète.

Les yeux fixés au plafond, j'attendis sagement les questions qui n'allaient pas manquer de fuser. À l'évidence, Adam avait su trouver les mots justes pour s'envoyer un message. Quelque chose dont il ne pourrait pas douter. Quant à moi, je n'aurais jamais dû douter de lui.

***

– Jackson, réveille-toi !

Penché au-dessus de moi, Adam me secouait par les épaules. La lumière était si vive que j'eus du mal à ouvrir les yeux. Il avait dû allumer toutes les lampes de la chambre.

– Il est quelle heure ?

– 4 heures.

Avec tous ces voyages temporels, « 4 heures », ça ne m'évoquait pas grand-chose. Je m'approchai de la fenêtre et constatai qu'il faisait toujours nuit. C'est alors que je vis le tas de composants électroniques par terre. D'autres pièces non utilisées jonchaient le sol et il y avait désormais deux moniteurs sur mon bureau.

– Mais qu'est-ce que... ?

– Désolé, j'ai dû emprunter deux autres ordis dans la maison pour pouvoir récupérer tes données les plus récentes. Le disque dur n'avait pas assez de mémoire et il n'acceptait pas la carte que tu m'as donnée, alors j'ai, comment dire... fabriqué mon propre ordinateur.

Il fouilla parmi les pièces, ramassa certains des composants, qu'il jeta sur la pile plus vite que son ombre. Je l'observai attentivement. Ses cheveux noirs partaient dans tous les sens, il avait les pupilles aussi dilatées qu'un accro au crack et il claquait des doigts en permanence. Je l'avais déjà vu dans cet état, le jour où il avait avalé un pack de six Red Bull. Un psychiatre l'aurait probablement déclaré dément.

– Tu as pris de la caféine ?

– Il faut que j'examine certaines notes avec toi, répondit-il en soulevant une liasse de feuilles.

– On va manger un morceau d'abord. C'était de la Red Bull ou du café ?

Je le poussai vers la porte. Il ne protesta pas, mais serra les papiers sur sa poitrine, sans doute pour que je ne puisse pas les lui arracher.

– Prêt pour la première question de ma liste ? demanda-t-il en s'installant à la table de la cuisine.

Je sortis des tranches de dinde du frigo, attrapai un paquet de pain de mie et jetai le tout sur la table.

– Oui, mais tu manges en même temps que tu parles. Histoire d'éponger toute cette caféine.

Il fourra un morceau de pain dans sa bouche et mâchonna rapidement.

– Euh, attends... Donc en 2009, Holly et toi vous avez dix-neuf ans et vous êtes en première année à NYU ?

– Non, je suis en deuxième année et Holly en première.

– Holly est au lycée... Enfin, la Holly de maintenant est au lycée et l'autre à la fac. OK. Comment tu nous as rencontrés, en 2009 ? On était encore au lycée, non ? Ou alors on a passé nos diplômes en avance ?

– Non, non. On a commencé notre formation de moniteurs en mars. On a eu quelques séances avant le début officiel de la saison d'été.

– Dis donc, c'est limite tabou, votre truc. Un étudiant à la fac qui se met avec une petite lycéenne ? Enfin, remarque, c'est exactement ce que t'es en train d'essayer de faire en ce moment... mais en pire.

Je poussai un soupir et résistai à l'envie de retourner au lit. Dans ma tête à moi, tout cela était très clair.

– Ça n'a rien de tabou. Cette Holly-là n'a que quatre mois de moins que moi. Elle est parmi les plus âgés de sa classe, et moi parmi les plus jeunes de la mienne, c'est tout. C'est si important que ça ? Et de toute façon, tu devrais déjà savoir tout ça. Tu la connais depuis combien de temps, Holly ?

– Deux ans. Et mon cerveau est tellement en surchauffe que j'arrive pas à me concentrer sur ce genre de détail, là. En plus, elle est de 90 et moi de 91, alors ça me perturbe. Bref, toi tu habites ici et tu vas à NYU en voiture, et Holly loge à la cité U, c'est ça ? Quel bâtiment ? On devrait peut-être y aller en repérage ?

– Ce que tu peux me fatiguer ! Je ne prenais pas la voiture, j'avais une chambre en cité U, moi aussi, mais pas dans le même bâtiment que Holly. J'habitais à la maison pendant les vacances. Tu es déjà venu ici, d'ailleurs. Enfin, le toi du futur. Holly aussi est déjà venue ici... et dans ma chambre à la cité U. Bon, tu veux savoir autre chose ? Le nom de tous mes profs ou le chemin que je prenais tous les matins pour aller en cours ?

L'œil rivé à la feuille de papier posée devant lui, Adam réfléchit un long moment avant de répondre.

– Non, ça va. Enfin, pour le moment.

– OK, alors on passe à la question suivante ? suggérai-je en me massant les tempes.

– D'accord : que se passe-t-il si tu reviens... disons... de trente minutes dans le passé et que tu y restes trente et une minutes ? Techniquement, tu serais...

– Dans le futur. Je n'ai jamais voyagé au-delà des bornes de ma propre vie.

– C'est bien ce que je pensais. Mais pourquoi refaire un saut vers le présent, d'ailleurs ? Tu pourrais rester dans le passé jusqu'à ce qu'il rejoigne l'heure à laquelle tu es parti, non ?

C'était vraiment étrange de devoir expliquer tout ce bordel à Adam.

– Désolé, il manque quelques pages, là, mais c'est une des toutes premières expériences qu'on a faites. Je reviens toujours à mon point de départ, voilà tout. Rappelle-toi : ça n'a rien à voir avec ce qui se passe pendant le saut. C'est comme si je n'étais pas tout à fait présent, je me sens plus léger, je ne ressens presque pas le chaud et le froid. Et aucun de mes actes pendant mes sauts normaux n'affecte ma *home base*.

– Je vois, dit-il en enfournant encore du pain. Tous ces sauts normaux forment une sorte de temporalité fantôme, de temporalité miroir.

– C'est ça, comme si on passait et repassait un film en espérant que le héros qu'on ne veut pas voir mourir finira par s'en sortir. Comme si on pouvait lui crier de faire attention pour changer les choses, sauf que ça ne marche pas. Mais, putain, comment j'ai fait pour me retrouver ici en 2007, pas comme un fantôme, mais comme le vrai moi ?

– Et comment l'autre toi a-t-il disparu ? demanda Adam d'un air perplexe.

Soudain il me regarda de ses yeux fous de caféinomane.

– J'ai une théorie !

Coudes posés sur la table, je tentai de me concentrer, même si ce qu'il s'apprêtait à me dire allait sans doute me passer au-dessus de la tête.

– Vas-y, je t'écoute.

– Pour commencer, il est évident qu'il n'existe qu'une seule version de toi dans chaque *home base*.

– Exact, mais techniquement, je suis dans le passé en ce moment.

– Et si c'était un univers parallèle ? s'exclama-t-il en frappant du poing sur la table, ce qui faillit me faire tomber de ma chaise.

– OK, c'est confirmé, tu es complètement barge.

– Attends voir : tu me racontes tout un délire sur tes voyages dans le temps et c'est toi qui me traites de barge parce que je propose une théorie sur des univers parallèles ? J'éclatai de rire spontanément. Il avait raison. Qu'est-ce que j'en savais, après tout ?

– Mettons ce problème-là de côté, on y reviendra plus tard, dis-je. Question suivante.

– À deux reprises, tu signales avoir eu l'impression d'être ramené de force. J'établirai une équation pour ça, mais on dirait qu'il t'est impossible de vivre dans le passé.

– Il faut croire que si, soupirai-je. À condition que je déplace ma *home base*.

– Parfaitement. Si seulement on pouvait comprendre comment tu fais ça... Ce qui me dépasse, c'est que tu ne puisses pas repartir en 2009, enfin, dans ton univers parallèle, si on retient cette hypothèse. Aucune de nos expériences n'a jamais montré qu'il puisse y avoir le moindre risque de rester coincé dans le passé. Même si, visiblement, j'avais prévu le coup en écrivant cette note. Enfin, pas moi, mon moi plus vieux.

Je posai la main sur sa feuille.

– Donc, tu me crois ? Tu admets que j'arrive du futur ?

J'avais besoin de m'assurer que ce n'était pas juste la caféine qui parlait et que, d'ici une ou deux heures, Adam pourrait de nouveau raisonner de manière logique et pragmatique.

– Oui, cela ne fait aucun doute. Mais est-ce que tu as quitté 2009 parce que tu as cru que ces types armés allaient te tuer ?

– Tu as lu cette partie de mon journal ?

Il acquiesça. Je pris alors une profonde inspiration avant de lui confier une chose que je n'avais jamais dite à personne, que ce soit dans le passé ou dans le futur.

– Pour être franc, je n'ai pas le souvenir d'avoir décidé de partir, mais je sais que cela aurait été trop dur de rester... Tu as lu ce que j'ai écrit sur ma sœur, non ?

– Elle a eu un cancer, des tumeurs au cerveau, elle en est morte en avril 2005, récita-t-il d'après ses notes.

– Je n'étais pas là quand elle est morte.

– Je croyais que tu avais commencé à voyager dans le temps beaucoup plus tard, remarqua Adam en me dévisageant.

– Non, ce que je veux dire, c'est que je n'étais pas présent dans la chambre, précisai-je, la gorge nouée. Les gens disent souvent qu'ils auraient voulu être présents à cet instant-là, pour dire au revoir, tout ça.

– Oui, et alors ?

– Eh bien, moi, je ne voulais pas. J'avais trop peur. Pas tant de devoir lui parler, ou d'être triste, mais de regarder quelqu'un de vivant passer à l'état de... non vivant. J'avais très souvent imaginé la scène, sa poitrine qui se soulève, qui respire profondément, et qui soudain...

– S'arrête, compléta Adam.

– Je pensais aussi à tous ces trucs... Par exemple, quand est-ce qu'elle cessera de nous entendre ? Est-ce que ce sera après son dernier soupir ? Parce qu'il est possible de retenir son souffle, les gens font ça tout le temps, peut-être qu'elle nous entendrait encore ou qu'elle aurait des pensées... dis-je, avant de me frotter les yeux qui s'embuaient. C'est idiot, je sais...

– Non, ce n'est pas idiot, dit Adam d'une voix douce. Mais je ne comprends pas bien où tu veux en venir. Quel rapport avec ton départ de 2009 ?

– Eh bien, Holly respirait encore et je ne voulais pas que... ça s'arrête. C'est sans doute pour ça que je suis coincé ici, que je n'arrive pas à repartir.

– Je ne comprends toujours pas, répéta-t-il, le front plissé.

– Le karma. Le châtiment... parce que je suis parti.

Les yeux baissés vers la table, je piquais et repiquais du bout de ma fourchette la tranche de dinde dans mon assiette.

– Mais si c'était à refaire...

– Te bile pas, me coupa-t-il. J'essayais juste de décrypter ton hypothèse.

– Je suis certain que c'est pour ça. On ne devrait pas avoir une seconde chance pour faire ce qui est juste. Ce fichu karma ne va sans doute pas me lâcher et Holly ne voudra jamais avoir affaire à moi. Comme hier soir.

– Ouais, t'as gravement déconné, dit-il en se préparant un nouveau sandwich.

– J'ai été nul. En plus, elle a en permanence des mecs comme Toby qui lui demandent de sortir avec eux.

– Tu te trompes, elle n'a pas tant de propositions que ça. Elle n'émet pas ce genre d'ondes, et c'est comme ça que ça marche. Quant à Toby, il est incapable de regarder une fille sans fantasmer à mort. Je t'assure, insista-t-il en mordant le coin de son sandwich. Il ne cache rien de ce qui lui passe par la tête et je ne crois pas qu'il sache comment avoir une relation amicale avec une fille. Alors, il drague. Sans compter qu'il sait très bien qu'elle lui dira non.

La tête entre les mains, j'essayai de me faire à l'idée que cette journée – que cette année – était devenue ma nouvelle vie. Est-ce qu'un jour je n'aurais plus envie d'être ailleurs, dans un temps différent ? Qu'est-ce qui était le moins égoïste ? Rester ici ou continuer à tenter de repartir ? Et même si j'y arrivais, serais-je en mesure de sauver Holly ?

Adam interrompit le fil de mes pensées.

– Tu n'es pas obligé de répondre à d'autres questions pour l'instant. Je sais que c'est dur pour toi.

– Non, franchement, tu peux me poser toutes celles de ta liste, dis-je avec un sourire. Ça fait une éternité que je n'ai pas eu l'occasion de parler à quelqu'un comme ça, sans mentir ou dissimuler.

Il s'efforça de ne pas laisser paraître son enthousiasme, mais je n'étais pas dupe. Ce ne serait peut-être pas que du fun comme en 2009... mais au moins, je n'étais plus seul.

– Je crois qu'on peut être absolument certains d'une chose, dit Adam.

– Je t'écoute.

– Tu as bien changé de *home base*, mais je n'ai pas la moindre idée de comment tu t'y es pris.

– À part le coup de sauter dans un univers parallèle. Mais te connaissant, je sais que tu n'abandonneras pas tant que tu n'auras pas la réponse.

CHAPITRE DIX-SEPT

J'arrivai au club vers 8 heures du matin, ayant décidé de me débarrasser au plus tôt du nettoyage afin de pouvoir aider Holly à préparer les anniversaires. Je me disais que cela constituerait un bon moyen de faire la paix avec quelqu'un qui désormais me détestait. Lorsque j'ouvris la porte, les lumières étaient déjà allumées, et deux personnes se trouvaient à l'intérieur : Holly, qui tournoyait sur les barres, et Toby, debout sur un bloc, en contrebas.

Alors le contact physique et la sueur, c'était ça, son allusion d'hier soir.

Toby la poussa pendant l'une de ses pirouettes, et mon cœur manqua de s'arrêter quand je la vis lâcher la barre et effectuer un double saut périlleux avant de retomber dans un bruit sourd sur les tapis bleus.

– Joli ! commenta Toby.

– Ça fout la trouille, dis-je.

Ils sursautèrent l'un et l'autre, puis se détendirent en constatant que c'était moi. Néanmoins, le visage de Holly se crispa.

Merde, elle est toujours en colère.

Holly fila vers le vestiaire pour se changer. Je rassemblai mon matériel et me mis à nettoyer les vitres de l'entrée. Au bout d'un moment, Toby me rejoignit.

– Je crois qu'elle a toujours les boules pour hier soir, dit-il.

J'affichai un sourire forcé malgré mon chagrin.

– Ça doit bien te faire kiffer, toi.

– Possible, oui.

Il attrapa un chiffon en ricanant et ôta une trace sur la vitre près de moi.

– Mais bon, la vie ne va pas s'arrêter parce que j'ai pris un râteau avec Mlle Holly Flynn, ajouta-t-il.

– C'est clair.

– Sans rire, j'aime bien la taquiner, c'est tout. Attention, hein, je trouve Holly super sympa, mais une fille comme ça, c'est un peu trop pour moi.

– Explique.

– Elle est trop intelligente. Je ne pourrais jamais l'enfumer, elle s'en rendrait compte tout de suite.

Il s'arrêta de frotter un instant, tête penchée.

– Cela dit, je lui roulerais bien une pelle, dit-il.

– Pourquoi Holly n'est pas dans l'équipe, avec Jana et toi ? Elle a l'air très douée.

– Elle n'a pas fait de compétition depuis trois ans, depuis qu'elle est arrivée de l'Indiana. Je crois que c'est à cause de ses blessures, et peut-être de l'argent, aussi.

– De l'argent ?

– Elle n'est pas à la rue, mais la gym est un sport qui coûte cher.

– Elle serait assez bonne pour faire de la compète, non ?

– Cette fille a plus de talent que toute l'équipe réunie. Mais elle refuserait de me croire, alors je ne lui dis rien.

– Elle penserait que tu cherches simplement à la brancher.

– Oui, enfin, contrairement à certains, je ne suis pas un pro du baratin, moi ! s'esclaffa-t-il. En plus, j'ai rencontré une nana, hier soir, à une fête chez un pote. Elle est super canon et pas franchement fute-fute.

– Ton genre de meuf, quoi.

– Oui, mais seulement si elle est vraiment un peu conne et qu'elle fait pas juste semblant pour la galerie. Parce que sinon, tu t'en prends plein la gueule à un moment ou à un autre. Moi, j'adore me foutre des gens quand ça leur passe par-dessus la tête.

Je me retins de dire à Toby ce que je pensais de sa philosophie de la drague.

– Elle a l'air géniale, déclarai-je.

La conversation s'arrêta lorsque Holly sortit du vestiaire. Vêtue d'un bermuda beige et de son T-shirt orné d'un badge géant indiquant « animateur », elle avait natté ses cheveux humides.

Je la rejoignis dans la salle réservée aux fêtes, où elle était en train de disposer un gobelet en face de chaque chaise autour de la table. Je m'emparai d'une pile d'assiettes et en déposai une devant chacun des gobelets. Elle m'ignora pendant un long moment, puis s'immobilisa et se tourna vers moi.

– Qu'est-ce que tu fais ?

– Je t'aide, c'est tout. T'es énervée, ça se voit, alors j'essaie d'arrondir les angles.

– Et pourquoi ça ? lança-t-elle, les mains sur les hanches.

Je voulus répondre, mais ma langue s'emmêla et retint les mots que je n'avais pas le droit de prononcer. Qu'est-ce que ma Holly m'aurait dit de faire ?

Jackson, arrête d'être aussi poule mouillée et montre-toi plus malin que moi.

– Je te le dis si tu me dis pourquoi tu es vexée.

Elle retourna à la préparation de la table, posant des cuillers et des fourchettes colorées.

– Je ne suis pas vexée. Simplement, je ne suis pas intéressée.

Aïe. Ça, ça fait mal.

– Ah bon ?

– Je connais les mecs dans ton genre.

– Mais encore ?

Elle prit une paire de ciseaux, un rouleau de ficelle, et se mit à en couper de longs bouts pour attacher les ballons.

– Eh bien, le genre qui en fait juste assez pour coucher avec une fille.

– D'abord, tu supposes que je veux sortir avec toi, et maintenant tu supposes que j'ai envie de coucher avec toi !

Ce dont j'ai envie et que j'ai déjà fait.

– Non, ce n'est pas ce que je voulais dire, s'excusa-t-elle en rougissant comme la veille au soir.

– Si tu es si sûre de toi, alors dis-moi cinq choses que tu sais sur moi.

– Tu travailles ici, ça fait une.

– Trop facile, quoi d'autre ?

– Tu as lu *Le Conte de deux cités* et tu sais danser la valse, alors que tu as arrêté tes études et que tu viens du New Jersey.

– J'en connais une qui a de jolis préjugés ! Reconnais que tu ne sais pas assez de choses sur moi pour te prononcer sur mon prétendu statut d'emballeur.

– Et alors, on fait quoi ?

– Tu me dois un dîner.

– Très bien. Rendez-vous à 17 heures. On mange thaïlandais et c'est moi qui conduis.

– Ça me va.

***

Le dernier anniversaire se termina vers 17 heures. Trois quarts d'heure plus tard, Holly m'attendait à la porte, vêtue d'une jupe en jean et d'un haut bleu. Elle avait lâché ses cheveux, qui tombaient en boucles.

– Tu es superbe.

Elle haussa les épaules.

– Je suis rentrée me changer pendant que tu réparais la pomme de douche dans le vestiaire des hommes.

Après avoir éteint les lumières et fait une dernière ronde, je verrouillai la porte du club et la suivis jusqu'à sa voiture. Une dizaine de livres empruntés à la bibliothèque occupaient le siège passager. Je les déplaçai avec précaution sur la banquette arrière.

– Super voiture !

– C'est une Honda de quinze ans d'âge complètement pourrie et l'air conditionné est cassé.

– J'adore les voitures vintage.

Silence pendant tout le reste du trajet. Une fois devant le restaurant, elle coupa le moteur et se tourna vers moi.

– Il faut que je te dise que je n'ai pas le droit de sortir avec des garçons. En même temps, on n'est pas en train de sortir ensemble, mais pour ma mère, ça y ressemblerait fortement. Donc, j'ai invité quelques copains.

– Pour te servir de chaperons ?

– C'est ça.

– Qui as-tu invité ?

– David et Adam. Tu les as rencontrés hier. Et Jana aussi.

– Super.

Juste avant d'entrer dans le restaurant, elle me fit face et son visage se retrouva à quelques centimètres du mien.

– J'ai réfléchi et tu as raison : je t'ai jugé beaucoup trop vite.

– Ce sont des excuses ?

– Non, mais je te donne une chance de me prouver que j'ai tort. Pas parce que je pense que tu as besoin de m'impressionner, mais plutôt pour protéger ta réputation.

– Comme tu voudras.

– Parfait. Donc j'imagine que tu seras prêt à répondre à quelques questions pendant le repas. Tu l'as dit toi-même, je ne peux pas citer cinq choses que je sais sur toi.

– D'accord, dis-je, incapable de dissimuler la nervosité croissante qui filtrait dans ma voix.

– Au fait, Jackson…

– Quoi ?

– Ce ne sera pas une partie de plaisir.

Mon cœur battait déjà à tout rompre. Il était très difficile de mentir à Holly. J'étais bien placé pour le savoir, puisque je l'avais fait un nombre incalculable de fois.

– Tes parents bossent dans quel domaine ? me demanda-t-elle, sitôt assise à notre table.

– Mon père travaille dans un lycée de Manhattan.

– Il est prof ? s'enquit Jana, assise de l'autre côté.

– Non, homme de ménage.

Jana acquiesça sans mot dire. Je posai de nouveau les yeux sur Holly.

– Tu as des frères et sœurs ? embraya-t-elle.

Je pris mon verre et avalai une longue gorgée d'eau avant de répondre.

– Une sœur.

– Plus jeune ?

– On est jumeaux, mais elle est morte il y a quelques années.

– Oh, je suis désolée, murmura-t-elle en baissant les yeux.

Avec un peu de chance, cela mettrait un terme aux questions sur ma famille. David nous regarda l'un et l'autre et comprit qu'il y avait comme un malaise.

Le serveur vint prendre nos commandes, puis David et Jana se mirent à discuter de la saison pitoyable de l'équipe de foot du lycée. Holly ne disait rien, se contentant de remuer la coupelle de sauce soja posée au centre de la table.

– Tu es déjà à court de questions ? dis-je.

Elle m'adressa un vague sourire.

– Tu rêves ! Quel est ton livre préféré ?

– Voyons... *En terre étrangère*.

– Je ne connais pas. C'est bien ?

– Oui, excellent. C'est l'histoire d'un humain élevé sur Mars et qui revient sur la Terre.

– Ça a l'air intéressant. Ta chanson préférée ?

– Hum… Difficile de choisir. Je te donne mon top 5 dans le désordre. *Somewhere Only We Know* de Keane, *Pictures of You* de The Cure, *Falling Slowly* de Glen Hansard, *Mad World*, dans la version de Gary Jules, et *Beast of Burden* des Rolling Stones.

J'avais réussi à sortir spontanément des chansons anciennes et qui évoquaient, par ailleurs, des souvenirs marquants pour Holly et moi.

– Je crois que je n'en connais pas une seule.

– Je suis sûr que tu en reconnaîtrais certaines si tu les entendais.

– Ton film préféré ?

Une fois de plus, je fis dans l'ancien, pour assurer le coup.

– *Retour vers le futur.*

Adam s'étrangla sur son verre d'eau au point de me cracher dessus.

– Je suis d'accord, c'est bizarre comme choix, ironisa Holly.

– Je suis sûr que toi, c'est un film sirupeux des années 1980 qui raconte l'histoire d'une fille gnangnan, ripostai-je.

Genre… *Seize bougies pour Sam.*

Holly leva les yeux au ciel tandis que le serveur apportait nos commandes.

– Alors là, tu n'y es pas du tout.

– C'est quoi cet interrogatoire, Hol ? demanda David.

– Je suis en train de me faire un nouvel ami, répondit-elle en enroulant des nouilles sur sa fourchette.

– Intéressant, dit-il avec une moue.

Alors que Adam, David et Jana poursuivaient leur discussion, Holly reprit la parole.

– Quel était le prénom de ta sœur ?

– Courtney, dis-je à mi-voix.

On pourrait croire qu'il serait devenu plus facile de prononcer son nom après tout ce temps, mais non.

– Et moi, je peux te poser une question ? enchaînai-je.

– Je t'en prie.

– Pourquoi ces séances d'entraînement matinales, puisque, apparemment, tu as abandonné la compétition ?

– Pour le fun. Rien d'autre.

– Ah, l'amour du sport. Comme c'est beau !

Elle me jeta sa serviette par-dessus la table en riant.

– Vas-y, moque-toi. Monte sur un trampoline et saute pendant cinq minutes, on verra bien si tu ne deviens pas accro.

– À propos d'accro, as-tu d'autres addictions à me révéler avant que je ne remonte dans ta voiture ?

– La caféine, avoua-t-elle.

– Moi aussi.

– Alors, ça ne te gêne vraiment pas de sortir avec des gens qui sont encore au lycée ?

– Et c'est reparti pour les préjugés ! On ne peut pas tous être des petits génies qui suivent des cours optionnels comme toi. D'ailleurs, je t'informe que j'ai passé un certificat d'études secondaires. Donc techniquement, j'ai mon bac.

– C'est dur, comme examen ?

– Je n'en sais rien. J'ai payé quelqu'un pour le passer à ma place.

Adam s'étrangla derechef, cette fois-ci sur un morceau de poulet. Je lui tapai dans le dos pendant qu'il toussait.

– Très drôle. Bien, quel est... ton endroit préféré de New York ? lança-t-elle avant de triturer son pad thaï du bout de sa fourchette.

– Central Park.

– Ça nous fait un point commun, déclara-t-elle en me regardant de plus près.

– J'en conclus que tu vas me donner ton numéro de téléphone ?

Curieusement, les autres s'étaient arrêtés de discuter une fraction de seconde avant que je prononce cette phrase. Mauvais timing. Ils se figèrent quelques instants, puis se remirent à manger. Sans me quitter des yeux, Holly prit le temps de boire une longue gorgée d'eau.

– Je vais te donner mon e-mail, finit-elle par répondre.

– OK.

– Les échanges de services, on arrête quand ?

– Moi, je trouve ça plutôt marrant.

– Moi aussi, fit-elle, le visage éclairé par un sourire.

J'avais déjà son numéro, évidemment, mais je voulais que ce soit elle qui me le donne.

***

Je dis à Holly qu'elle pouvait me ramener devant chez elle et que j'irais ensuite à pied jusqu'à la gare. À ma grande surprise, elle ne fit aucune objection. Manque de chance, notre arrivée coïncida avec celle de sa mère, qui se garait dans l'allée. La femme blonde vint à notre rencontre.

– Tu me présentes ton ami, Holly ?

Dire qu'elle avait l'air ravie de me voir serait exagéré, néanmoins je tendis le bras pour lui serrer la main.

– Bonjour, je m'appelle Jackson.

La Katherine du futur ne m'appréciait pas vraiment, donc je ne m'attendais pas à un accueil très chaleureux.

– Il travaille au club avec moi, expliqua Holly.

– Enchanté, madame Flynn.

– Lèche-cul, marmonna Holly, ce qui me fit bien rire.

– Je te donne mon mail et tu m'envoies un message, d'accord ? lui dis-je en entrant derrière elle dans la maison.

Elle prit un bout de papier et un stylo sur la table, me les tendit et j'inscrivis l'adresse.

– On se voit lundi ?

Elle acquiesça. J'attrapai mon sac et filai avant que Katherine ne puisse poser d'autres questions.

Quand j'arrivai chez moi, un e-mail de Holly m'attendait déjà. Une seule phrase, qui m'invitait à chatter un moment sur le Net.

Tu veux que je te raconte un truc rigolo ?

Je lançai le logiciel de messagerie instantanée et tapai ma réponse, puisqu'elle était déjà en ligne.

Moi : *Ça a un rapport avec tout ce que je casse au club ou ma chute de l'escabeau ?*

Holly : *Tu es tombé de l'escabeau ?*

Moi : *Pas encore.*

Holly : *OK, alors voilà : ma mère vient de passer 20 mn à me bombarder de questions sur toi. Elle est du genre à flipper dès qu'il s'agit des garçons, même quand on ne fait que parler. C'est à force d'ingurgiter tous ces téléfilms ringards.*

Moi : *Elle me soupçonne d'être un cambrioleur + un assassin + un escroc ?*

Holly : *N'oublie pas kidnappeur et obsédé du porno sur Internet.*

Moi : *MDR. Je plaide non coupable !*

Holly : *Elle me soûle avec ses conneries. « Holly, rappelle-toi ce film où une femme chatte sur le Net avec un type sympa, elle décide d'aller le rencontrer à Aruba, et elle se fait enlever par des mecs de la mafia des Caraïbes qui réclament une rançon pour la libérer. »*

Moi : *Ça pullule de mafieux caribéens dans le New Jersey, c'est bien connu.*

Holly : *Je sais. Ils sont partout. Est-ce qu'il y a seulement des gangs à Aruba ?*

Mon nouveau portable sonna à cet instant. C'était Adam.

– Salut ! Quoi de neuf ?

– Ton père n'est pas ton père, balança-t-il.

Je me penchai tellement en arrière que je faillis tomber de ma chaise, envoyant valdinguer mon ordinateur portable par terre.

– Quoi ?

– J'ai récupéré des échantillons de ses cheveux et ça ne colle pas. Sauf si un autre homme dort dans le lit de ton père.

– Comment tu peux savoir ça ? Enfin, je…

– J'ai des contacts dans un labo privé qui fait des analyses ADN, murmura-t-il. Mais que ça reste entre nous.

– Il y a forcément des erreurs dans ces tests, parfois, dis-je, le cœur battant.

– Oui, on peut quelquefois avoir un faux test positif de paternité, mais quand c'est négatif, c'est négatif.

Je me tus pendant si longtemps qu'Adam dut commencer à s'inquiéter.

– Tu as envie de faire une expérience ? proposa-t-il.

Ma main tremblait si fort que j'avais du mal à tenir le téléphone.

– Bien sûr. Et je crois que... ma sœur avait peut-être raison. Il faut que j'en sache plus à propos de ma mère.

– Les grands esprits se rencontrent. Mais attends, j'arrive. Je veux voir ça de mes yeux. Enfin... je sais que j'ai déjà vu ça, mais en fait, pas vraiment, euh, parce que...

– Te bile pas, Adam, je t'attends.

Je refermai brutalement mon portable et le jetai sur le bureau.

J'arpentai la pièce quelques minutes avant de me rasseoir dans un silence effaré. C'est alors que je me souvins que j'avais laissé Holly en plan. Je ramassai mon ordinateur par terre et tentai de me ressaisir avant de reprendre la conversation.

Moi : *Problème de connexion, désolé. Je t'aurais bien appelée, mais...*

Holly : *Très subtil, Jackson. Tu sais quoi ? Donne-moi ton numéro de portable, comme ça, si je n'ai pas de nouvelles et que j'ai peur que tu sois en train de t'étouffer avec une cacahuète, par exemple, je pourrai t'appeler pour vérifier que tu n'es pas mort.*

Moi : *Et si c'est moi qui ai peur que tu sois en train de t'étouffer ?*
Holly : *C'est bon, tu peux avoir mon numéro.*
Moi : *Je ne l'utiliserai qu'en cas de péril mortel.*
Holly : *Ça marche.*

Je dus mettre un terme à notre conversation à cause d'un nouvel appel d'Adam, qui préférait que je vienne chez lui, au cas où la CIA aurait posé des micros dans mon appartement. Non seulement je me rangeai à son avis, mais en plus je me promis de ne plus jamais rouler des yeux ni me moquer de ce que j'avais pu appeler la parano d'Adam.

***

J'avais à peine sonné qu'Adam ouvrait la porte à toute volée. Je traversai derrière lui le salon mal éclairé, où deux personnes qui devaient être ses parents regardaient la télévision, confortablement installés sur le canapé.

– Tu es déjà venu ici, j'imagine ? demanda Adam en refermant la porte de sa chambre.

– Oui. Bon, alors, ça t'est venu comment cette idée de test de paternité ?

– C'est à cause de toutes les pilules de caféine que j'ai prises pour rester éveillé, expliqua-t-il en sortant des objets du tiroir de son bureau. Il m'est passé plein de trucs par la tête. Je voulais surtout vérifier s'il y avait des ressemblances dans vos ADN.

– Dans quel but ?

– Pour répondre à certaines questions que tu poses dans ton journal de bord. Si ton père travaille effectivement pour la

CIA, un voyageur temporel, ça pourrait leur être utile, non ?
Je peux te trouver des milliers de façons d'exploiter ça.

– Tu penses qu'il serait peut-être capable de voyager dans le temps, lui aussi ?

C'était là encore une hypothèse que nous n'avions jamais envisagée auparavant, mais il faut dire qu'Adam avait lu les notes concernant son futur moi. Il poursuivait donc ainsi avec logique son raisonnement délirant.

– Je sais pas, reconnut-il. Ça expliquerait comment il arrive à concilier ses boulots de P-DG et d'agent secret. Mais bon, inutile de pousser plus loin puisqu'il n'y a pas de concordance ADN. Quelle date tu vas viser cette fois-ci ?

– Eh bien, toi et moi, on avait le projet, enfin dans le futur, de voler mon dossier médical. Je crois que c'est toujours une bonne idée, mais que fait-on pour celui de ma mère ? C'est peut-être à cause d'elle que je suis comme ça… Est-ce que les dossiers des personnes décédées sont conservés ?

Une extrême concentration se lut sur le visage d'Adam. J'avais déclenché quelque chose en lui.

– Si tu pouvais remonter très loin dans le temps… ce genre de documents était beaucoup moins bien protégé.

– Bien sûr : je rentre dans l'hôpital, je convaincs l'infirmière à l'accueil de quitter son poste et je pirate son ordi.

Je plaisantais, mais Adam prit évidemment mon plan très au sérieux. Il se mit à plat ventre sur son lit et leva les yeux vers moi.

– Voyons voir… Courtney et toi, vous êtes nés à l'hôpital universitaire de New York, ce qui veut dire que votre mère biologique y est décédée, d'accord ?

– D'accord, répondis-je lentement, prenant conscience de l'importance de cette conclusion.

Je n'avais jamais vraiment considéré les choses sous cet angle. J'étais pourtant allé bien des fois dans cet hôpital, mais je n'avais jamais réfléchi au fait que ma sœur et ma mère y étaient mortes toutes les deux. Cela faisait plus de la moitié de ma famille, sinon la totalité, puisque mon paternel n'était pas mon père biologique.

– Hé ho, Jackson ? dit Adam en agitant la main devant moi. Il nous faut une date où tu te trouvais dans cet hôpital... dans le passé... il y a très longtemps, de préférence.

– J'y suis allé plusieurs fois pour rendre visite à Courtney.

– Non, ça n'ira pas. Il faut une occasion où tu y étais toi en tant que patient, pour une hospitalisation, une consultation ou un bilan avec le docteur Melvin. On a besoin que tu remontes assez loin, avant les ordis, à l'époque où on trimballait encore les dossiers médicaux dans des chariots, comme ça tu pourrais peut-être y jeter un œil en passant.

Sans doute était-ce lié au choc d'avoir découvert que mon père n'était pas mon père, mais un plan absolument parfait se formait dans mon esprit. Je me rappelai une date très ancienne qui ferait l'affaire. Et puis j'avais quelque chose à vérifier.

– 24 décembre 1996, lançai-je à Adam.

– OK. Essaie aussi de consulter le dossier de ta mère, si possible. Tente au moins le coup, une fois sur place.

Il me tendit un petit carnet et un chronomètre.

– Je n'en reviens toujours pas que tu puisses emporter des objets avec toi, mais pas en rapporter. C'est comme si tu étais entouré par un champ d'énergie quand tu fais le saut. Enfin, si tes notes sont exactes.

– Eh bien, tu vas bientôt pouvoir enregistrer tes propres observations, dis-je en faisant jouer le chronomètre plusieurs fois à la manière de l'autre Adam. Tu crois que ça pourrait marcher si je touchais une personne ?

– Pas sûr. En tout cas, ne compte pas sur moi pour te servir de cobaye.

– Tu as raison, c'est trop dangereux.

– Il faut qu'on puisse évaluer avec précision le temps que tu passes là-bas. Accroche le chrono à un passant de ta ceinture et dès que tu arrives, tu le déclenches.

Il ouvrit son placard, y prit un blouson de ski noir et m'enfonça un bonnet de laine bleu sur la tête.

Je ne savais presque rien de ma mère. Le nom figurant sur mon acte de naissance était Eileen Meyer, mais je ne connaissais ni la couleur de ses cheveux ni celle de ses yeux. Je n'avais jamais vu la moindre photo d'elle et tout d'un coup, je voulais savoir. Je fermai les yeux et me concentrai sur une date beaucoup plus éloignée que celles de toutes mes tentatives précédentes.

CHAPITRE DIX-HUIT

La première chose que je remarquai, après m'être réveillé au milieu d'un tas de neige et avoir déclenché le chronomètre, ce fut les tours jumelles qui s'élevaient vers le ciel, à quelque distance de là, comme si un géant les avait remises à leur place. Je retins un frisson et me mis debout.

Je remontai la fermeture Éclair du blouson d'Adam et avançai sur le trottoir en pataugeant dans la neige. Je gardais un souvenir très précis de cette veille de Noël. Il était tombé au moins quinze centimètres de neige. J'étais à la maison avec Courtney et mon père, nous regardions les flocons tomber tout en faisant des paquets-cadeaux pour la fête que nos voisins organisaient à partir de minuit. Jamais en six années de vie je n'avais été si excité. Tout l'argent du monde n'aurait pu acheter une chute de neige aussi magique à la veille de Noël. Adam me reprocherait sans doute mon imprudence à mon retour, mais il fallait que j'y retourne, que je revive cela. Il serait toujours temps ensuite de me mettre en chasse des dossiers médicaux. Et d'ailleurs, cet événement allait me conduire directement au bon endroit.

Tout était d'un blanc lumineux, presque aveuglant. Je traversai Central Park jusqu'à l'un des terrains de base-ball.

Au bout d'un petit quart d'heure, je vis arriver deux enfants habillés en marshmallows punks, qui tiraient leur père par la main. Je m'appuyai contre la cage de protection des batteurs afin de leur tourner le dos, renfonçai mon bonnet sur la tête et chaussai une paire de lunettes de soleil. Je n'étais pas le seul autour du terrain, si bien que je ne risquais pas de me faire trop remarquer.

– Jackson, si tu commençais par fabriquer la tête ? suggéra mon père.

J'eus du mal à ne pas réagir en entendant mon prénom, mais je ne me retournai pas.

– Non, je fais le corps d'abord. Il va être é-norme ! jubila le plus jeune moi.

– Jackson, tu fais jamais ce que te dit Papa. Le père Noël ne t'apportera rien cette année, dit Courtney de sa voix de Miss Je-Sais-Tout.

– Il m'a apporté plein de trucs, l'an dernier.

– Laisse-le donc s'occuper du corps, Courtney. De toute façon, il faudra bien que quelqu'un le fasse, intervint mon père.

Au bout d'un moment, je risquai quelques coups d'œil vers eux. Le bonhomme de neige commençait à prendre forme.

– On va lui mettre trois yeux, comme un alien de l'espace, proposa le plus jeune moi.

– Beurk ! Il faut qu'il ait un chapeau haut de forme et qu'il ressemble à un homme, protesta Courtney.

– Ben, tant pis alors, je vais en faire un à moi, rétorqua le plus jeune moi.

J'entendis le rire de mon père, qui ne m'imposa pas de participer au bonhomme de ma sœur.

– Papa, pourquoi le père Noël il apporte des cadeaux plus petits aux pauvres ? demanda Courtney.

– T'es bête ! C'est parce qu'ils ont des maisons plus petites, répondit le moi de six ans.

– Qui t'a dit ça, Courtney ? questionna mon père.

– Silvia.

C'était la baby-sitter portoricaine qui nous gardait chaque fois que Papa s'absentait.

– Qu'est-ce qu'elle a dit exactement ?

– Eh ben, elle m'a dit que pour Noël, dans sa famille, ils avaient toujours des fruits et que le père Noël apportait ça parce qu'ils n'avaient pas assez d'argent pour acheter des cadeaux, répondit Courtney.

Du coin de l'œil, je la vis enrouler une écharpe autour du cou de son bonhomme de neige.

– Silvia vient d'un autre pays où il y a des traditions différentes, expliqua mon père.

– Je vais lui donner la moitié de mes cadeaux, déclara Courtney.

– Bien sûr, je suis certain qu'elle voudra ta voiture Barbie, ironisa le petit moi. Silvia, elle a au moins cent ans, elle peut pas conduire une voiture à pédales. Moi, je vais lui donner une partie de mes trucs.

– Ça m'étonnerait, parce que t'auras rien qu'un sac de charbon, répliqua Courtney.

– Ça me dérangerait pas d'avoir du charbon. On fait des diamants avec du charbon, pas vrai, Papa ?

– Oui, c'est vrai. Et personne n'aura besoin de donner quoi que ce soit, parce qu'on va lui offrir un vrai cadeau.

– On prend une photo du bonhomme pour lui montrer ? demanda le petit moi.

Ma voix s'était éloignée et je savais ce qui allait se passer. Je retins mon souffle et attendis.

– Qu'est-ce que tu fabriques là-bas ? cria mon père.

– Je prends des bras pour mon bonhomme.

Je me tournai vivement, au risque de me faire repérer. Il fallait que je voie ça. Le plus jeune moi entreprit de grimper dans l'arbre et sauta pour atteindre une branche au-dessus de lui.

– Jackson, non, pas celle-là ! hurla mon père, qui se précipita vers moi.

Je faillis me crier à moi-même de faire attention. Mon avatar de six ans était figé sur une branche basse, l'œil rivé sur une autre juste au-dessus de lui qui ployait sous l'action conjuguée du poids de la neige et des à-coups du petit garçon qui venait d'essayer d'en arracher un bout.

Mon père plongea pour rattraper le plus jeune moi par la taille, au moment où il tombait, et protéger leurs deux têtes de ses bras. La main que le plus jeune moi avait tendue pour amortir sa chute heurta le sol gelé, préservé de la neige par la ramure de cet arbre gigantesque. Je me crispai, le souffle coupé. Même d'aussi loin, j'entendis l'os craquer, à moins que ce ne fût le souvenir du bruit encore gravé dans ma mémoire. En tout cas, il était moins sonore que le hurlement de Courtney. Elle courut vers son frère et se pencha au-dessus de lui, les mains sur le visage, avant de s'écrier :

– Son bras est tombé !

C'est à cet instant précis que le petit moi décida qu'il était temps de paniquer et de fondre en larmes.

– Son bras est juste cassé, ma puce, dit mon père avant de me relever prudemment.

Il fit glisser mon bras hors de la manche de mon blouson et son regard s'assombrit. Sitôt qu'elle vit l'os qui sortait de la peau, Courtney se retourna pour vomir la livre de pâte à cookies qu'elle avait avalée un peu plus tôt.

– Je veux pas mourir ! m'entendis-je pleurnicher. Appelle le docteur Melvin, Papa, s'il te plaît.

– Il faut juste aller à l'hôpital. Tout ira bien, c'est promis.

J'étais loin, mais je le vis tourner la tête et l'entendis grommeler dans sa manche :

– Edwards, bon sang, où êtes-vous ?

Quelques instants plus tard, un homme passa en courant à côté de moi.

– Excusez-moi, monsieur, vous avez besoin d'aide ? demanda-t-il à mon père.

– Oui, mon fils s'est blessé.

L'homme prit Courtney dans ses bras. Ma sœur avait fini de vomir et commença à gémir des excuses au cas où je serais effectivement en train de mourir.

– Ce que j'ai dit sur le père Noël, c'était pas vrai, Jackson. Il va t'apporter plein de cadeaux. Pardon, pardon, pardon !

– C'est une fracture multiple, il va falloir l'opérer, déclara l'homme qui s'appelait Edwards.

Le plus jeune moi serrait son bras disloqué contre son ventre et continuait de pleurer, mais bien moins fort que les vagissements stridents de Courtney. Mon père me porta dans la neige d'un pas rapide. Je les regardai s'éloigner tous les quatre.

Cet Edwards était à l'évidence un genre d'agent secret. Je me souvenais de lui, mais j'avais alors cru qu'il était juste intervenu pour apporter son aide. Or mon père n'aurait jamais laissé un inconnu s'emparer de ma sœur comme ça. À l'époque, j'étais trop distrait par la douleur intense qui me traversait le bras et sans doute trop jeune pour mémoriser tous les détails. Je relevai la manche du blouson d'Adam pour effleurer mes cicatrices, qui s'étaient estompées avec le temps.

Je pris un taxi pour l'hôpital, où je savais que mon père se rendait. Ayant vécu ces événements une seconde fois, je n'avais pas l'impression que Papa faisait semblant d'être notre père. Il était sincèrement inquiet. Peut-être ignorait-il lui-même qu'il n'était pas notre père biologique. À moins qu'il n'ait été un de ces nombreux parents adoptifs qui décident de ne rien révéler à leurs enfants.

Ou bien était-ce autre chose encore.

Lorsque le taxi se gara devant l'hôpital, je cherchai mes plus vieux billets, rangés dans une toute petite poche de mon portefeuille. Par chance, j'avais accumulé des pièces et des billets anciens. Au cas où.

Je franchis à grands pas la porte de la salle d'attente des urgences, espérant apercevoir d'un peu plus près l'homme que mon père avait appelé Edwards. Ils n'étaient pas là et, pour autant que je me souvienne de cette soirée, je n'étais resté éveillé que peu de temps avant d'être emmené sur un brancard en direction du bloc, où on m'avait posé des vis dans le bras. Il fallait juste que quelqu'un me permette de franchir la porte des urgences.

– Je peux vous aider ? me demanda l'infirmière à l'accueil.

– Euh, oui, je viens voir mon... mon frère, Jackson Meyer. Il vient d'arriver avec mon père... Blessure au bras.

– Quel nom ? dit-elle en levant les yeux de la pile de papiers qui se trouvait devant elle, sans doute parce que je la dévisageais comme si elle venait de me parler en japonais. Quel est votre nom, à vous ? précisa-t-elle.

Zut, je n'avais pas pensé à ce menu détail.

– Euh, Peter... Peter Meyer.

Elle tapota sur le clavier de son ordinateur, relié à un de ces gros écrans vert et noir comme je n'en avais pas vu depuis une éternité. Même les coupes de cheveux des infirmières que j'avais croisées semblaient étranges. En d'autres circonstances, j'aurais éclaté de rire.

– Vous avez une pièce d'identité ?

Aïe, il est temps de prendre la tangente.

– Oui, euh, c'est-à-dire que je l'ai oubliée dans le taxi. Je viens de l'appeler et le chauffeur est en train de me la rapporter. D'ailleurs, il faut que j'aille à sa rencontre. Je reviens.

Je fis demi-tour et manquai de percuter un homme habillé d'un costume bleu. Il faisait un bon mètre quatre-vingts, avait le crâne rasé et la peau mate. Il me rappelait quelqu'un. Très fortement.

– Je crois que je peux t'être utile, dit-il d'une voix de basse puissante, avec un soupçon d'accent du Sud.

– Ah oui ?

– Tu viens avec moi ?

C'était tout sauf une question et je le suivis, complètement paniqué, mais mourant d'envie aussi de découvrir le lien entre tous ces gens et tous ces événements. De toute façon, je savais comment m'échapper au besoin.

J'eus du mal à suivre la foulée gigantesque de l'homme. Il me tint la porte de l'ascenseur et j'y pénétrai. Il fit glisser une carte magnétique dans une fente et une petite trappe de la taille de sa main s'ouvrit. Je tendis le cou pour bien voir : c'était une espèce de lecteur d'empreintes digitales. Ça ne semblait pas faire partie des procédures de sécurité normales pour un hôpital. Surtout en 1996. Et pourquoi allions-nous à l'opposé des urgences ? L'homme regardait droit devant lui, mais il répondit à ma question silencieuse.

– L'aile de cet hôpital réservée à la recherche n'est accessible qu'aux personnes autorisées, mais je suis certain que tu étais déjà au courant.

– Euh, non, avouai-je.

Ma voix sonnait comme celle d'un enfant apeuré, alors que cet homme était calme et tranquille, comme s'il passait son temps à faire défiler des gens devant son scanner d'empreintes digitales.

Je sentis l'ascenseur descendre, mais les chiffres lumineux qui indiquent d'ordinaire sa progression restaient éteints. Lorsque les portes s'ouvrirent enfin, j'eus le souffle coupé. Quatre hommes armés se tenaient juste devant nous. Ils nous mirent en joue. Pétrifié, j'hésitai à appuyer sur un bouton pour repartir.

– Il est interdit de remonter sans autorisation, dit l'homme mystère.

Je tentai alors de me concentrer pour m'échapper et retrouver Adam en 2007, mais évidemment la peur m'en empêcha, comme lorsque mon père avait essayé de m'étrangler dans son bureau. L'un des hommes armés m'attrapa et me palpa des chevilles jusqu'à la poitrine.

– Il est clean, il n'est pas armé, annonça-t-il.

– Merci. Par ici, reprit mon accompagnateur.

Je réussis à mettre un pied devant l'autre et pris conscience du lieu où je me trouvais, une sorte de tunnel souterrain. L'homme ouvrit une porte et me poussa à l'intérieur d'une pièce. Un autre me força à m'asseoir dans un fauteuil pareil à celui d'un dentiste et m'attacha les bras avec des lanières. J'eus l'idée de résister, mais y renonçai : à quoi bon ? Ces types étaient armés.

– Je suis le chef Marshall, annonça l'homme qui m'avait accompagné. Qui es-tu ? Nous savons pertinemment l'un comme l'autre que Jackson Meyer n'a pas de frère.

Je ne répondis pas.

– Faites-lui une prise de sang, ordonna le chef avec un signe de tête à l'attention de l'autre homme.

Alors là, c'est flippant de chez flippant.

Je fermai les yeux et m'efforçai de faire se volatiliser la pièce. De me barrer de là. D'éviter l'unique expérience qu'Adam et moi ne pouvions réaliser. Oui, les plongeons dans le passé ressemblaient à *Un jour sans fin*. Et cette sensation de légèreté que je ressentais toujours pendant les sauts (sauf celui du 30 octobre 2009) me protégeait presque de toute douleur. Si je me blessais durant un saut, je revenais dans le présent avec une bosse sur la tête ou un truc du style, mais jamais rien de grave. Cependant, que se produirait-il s'ils me tuaient pendant cette année 1996 qui n'était pas ma *home base* ? Je n'en avais aucune idée. Je ne savais pas si je serais effectivement mort.

Je sentis à peine l'aiguille s'enfoncer dans mon bras et, quelques instants plus tard, j'entendis des pas s'éloigner.

– Tu ne pourras pas sortir d'ici, je préfère te prévenir, déclara le chef Marshall.

– Vous me l'avez déjà dit, lui rappelai-je en rouvrant les yeux.

– Ce que je veux dire, c'est que tu ne pourras sortir par aucun moyen. Le docteur Melvin a mis au point un nouvel équipement de sécurité. Une pulsation électromagnétique.

Euh, oui, quèsaco ? Et il connaissait le docteur Melvin, en plus. Courtney avait peut-être raison sur les liens entre tous ces gens. Melvin était-il en train de me bombarder à coups d'électroaimants, comme je ne sais qui d'autre ils avaient amené ici avant ? Sauf que le chef et l'autre type se trouvaient dans la pièce avec moi.

– Allez, ton nom ! dit le chef Marshall avec son accent sudiste.

Il s'installa dans un fauteuil en face du mien, les bras croisés sur la poitrine.

– Comment connais-tu Jackson Meyer ?

Je demeurais silencieux, le regard fixé sur le mur derrière lui, essayant de me calmer.

– Ce n'est pas un Ennemi, décréta l'autre homme.

– Vous en êtes certain ? s'enquit le chef.

– Oui.

Marshall vint se planter devant moi et me dévisagea de très près, puis m'arracha mon bonnet.

– Un Ennemi ? dis-je enfin.

– Fais pas l'idiot avec moi, dit Marshall. Vous voyez la ressemblance avec les autres ? demanda-t-il à l'homme.

Les autres ?

L'homme s'approcha si près de moi que je sentis l'ail qu'il avait dû avaler au déjeuner.

– Oui, je vois. Mais, c'est… impossible, non ?

Pour la première fois, le visage du chef Marshall se départit de son expression calme et posée. Il écrasa un bouton sur le mur et cria :

– Edwards, amenez-vous !

Edwards ? Où donc avais-je déjà entendu ce nom ? Quelques instants plus tard, l'homme qui était passé près de moi sur le terrain de base-ball entra en trombe.

– Que se passe-t-il, chef ?

– Allez me chercher l'agent Meyer.

Oh putain, l'angoisse !

– Désolé, chef, il est avec le garçon.

– D'accord. Alors allez chercher Melvin.

– Lui aussi il est avec le petit, au bloc.

– Avec le petit ? Eh bien, moi aussi, figurez-vous, assena le chef en se tournant lentement vers Edwards, qui ouvrit la bouche pour la refermer aussitôt.

– Vous voulez dire qu'il peut… enfin, pas encore, mais un jour… ?

Je n'entendis pas la fin de sa phrase. L'idée que mon père arrive et me voie, plus âgé, après ce qui s'était passé dans son bureau en 2003, suffit à me donner la force de me concentrer sur mon évasion. La dernière chose que je vis fut le visage du chef Marshall scrutant le mien de près. Je ne sais pas ce qui me foutait le plus la trouille : son regard ou le sourire carnassier qui se dessinait sur ses lèvres au moment où je quittai 1996.

CHAPITRE DIX-NEUF

– Jackson ! me hurla Adam à l'oreille.

J'étais allongé par terre dans sa chambre, les yeux rivés au plafond.

– On est en quelle année ? demandai-je.

– En 2007, répondit-il lentement.

La pièce tourbillonnait. Une fois assis, je regardai la maquette d'ADN géante qui trônait sur le bureau d'Adam, et ses boules bleues et rouges se mirent à tournoyer comme des étoiles au-dessus de la tête d'un personnage de dessin animé. J'empoignai Adam par son T-shirt et le secouai.

– Il faut que je téléphone à mon père. Tout de suite !

– OK.

Il m'aida à me relever, mais je m'affalai sur lui.

– Je ne sens plus mes jambes, murmurai-je avant de m'effondrer sur son lit.

Je soulevai une main, la tournai et la retournai devant mes yeux en m'attendant à la voir disparaître ou devenir transparente. Puis le bleu et le rouge qui tournoyaient virèrent au noir, et tout le reste avec.

***

La première chose que je remarquai en me réveillant le lendemain matin fut la masse profondément endormie près de moi. Je me levai, heureux de constater que mes jambes avaient retrouvé leurs sensations, même si elles étaient toujours faibles. Quant à ma tête, elle résonnait comme après une cuite sévère.

– Tu tiens debout, constata Adam en ouvrant les yeux.

– À peine.

Je posai les mains sur mes côtes pour comprimer ma cage thoracique parcourue par une douleur lancinante. Adam enfila un T-shirt et ouvrit la porte de sa chambre.

– Viens, il faut que tu avales quelque chose, dit-il.

Manger était la dernière de mes préoccupations, mais mon manque d'appétit au cours de la semaine écoulée s'était déjà soldé par la perte de presque trois kilos. J'allais bientôt disparaître. Au sens propre.

– Bonjour, Maman, dit Adam à la femme qui était en train de faire sauter des pancakes dans la cuisine.

– Tu te lèves bien tôt. Je ne savais pas que tu avais invité un copain.

Mme Silverman tourna le dos à sa poêle et me sourit. Je réprimai un fou rire, car les parents d'Adam avaient été pour moi une grande source de plaisanteries en 2009. Je les avais surnommés Paul et Judy, parce qu'ils me rappelaient les histoires de *Dick et Jane* que je lisais à la maternelle, celles publiées dans les années 1950. Ils n'avaient pas la moindre idée des capacités ni des activités de leur fils. Dans leur vie, tout n'était que soleil et pancakes.

– Enchanté, je m'appelle Jackson.

Une fois assis à table, Adam fit glisser mon journal de bord vers moi.

– Écris ce dont tu te souviens.

– Mon chronomètre indiquait quoi ?

– Un peu plus de deux heures.

– Et le tien ?

– Quatre minutes.

J'avais fait ce débriefing bien des fois avec l'Adam du futur, mais je trouvais toujours très bizarre de partir aussi longtemps pour découvrir que le temps écoulé dans ma *home base* se comptait en minutes, voire en secondes.

– J'avais l'air de quoi ?

– Comme les fois que tu as notées avec m… avec l'autre gars. Tu avais le regard vide, tu ne réagissais à rien. Allez, écris, m'enjoignit-il en tapotant de nouveau sur la page.

Mes souvenirs, parcellaires et confus, se décidèrent à me revenir à l'esprit quand je me mis à en dresser la liste, stimulé par le feu roulant des questions d'Adam.

– Eh ben mon vieux, on dirait que tu as choisi la bonne date, dit celui-ci. Maintenant, on est sûrs que ton père est un genre d'agent.

– Qui est un agent, mon grand ? demanda Mme Silverman en déposant une assiette de pancakes devant chacun de nous.

– C'est dans une série télé, éluda Adam.

– Qui veut du jus de fruit ? proposa-t-elle en souriant.

– Moi, dit Adam.

– Non merci, répondis-je.

– Bon, alors tu « ressembles » à des personnes mystérieuses. Ou alors il voulait dire que tu ressemblais à toi plus jeune. Auquel cas, sa remarque n'aurait rien d'étonnant.

– Il a juste dit : « Vous voyez la ressemblance ? », puis un truc à propos de la similitude avec les autres... Ou peut-être avec « l'autre », au singulier, pour parler de l'autre moi.

J'éloignai mon assiette car je me sentais un peu nauséeux après mes aventures de la nuit précédente, mais Adam me la remit sous le nez en m'intimant de manger. Je ne pus avaler que quelques bouchées avant de me précipiter dans les toilettes pour tout vomir.

– Sans doute des sushis pas frais, entendis-je Adam expliquer à sa mère alors que je me brossais les dents.

– J'ai du Maalox, me dit-elle à travers la porte de la salle de bains.

Lorsque je ressortis, Adam m'attendait, un flacon à la main. J'en avalai une lampée directement à la bouteille en repartant vers sa chambre, où je me jetai sur son lit. Adam referma la porte derrière nous en essayant de ne pas faire tomber son assiette de pancakes.

– C'est tes voyages temporels qui te rendent malade. Si on en croit tes notes et ce qui vient de t'arriver, ça paraît évident.

– Tu es sûr que ce n'est pas psychosomatique ? La culpabilité qui ressortirait sous forme de maladie ? Je n'avais jamais ressenti ça avant que Holly se fasse tirer dessus.

Parcouru de frissons, je remontai les couvertures jusqu'à mon cou et me couchai en chien de fusil. Adam, lui, s'assit sur sa chaise de bureau et recommença à s'empiffrer.

– Tu n'aurais pas lu *La Psychologie pour les nuls*, des fois ? dit-il. Je crois que tout ça est relatif. Avant de remonter en 2007, tu n'étais jamais allé plus loin que quelques jours. La formule est basée sur le nombre d'années que tu remontes et sur la durée de ton séjour dans le passé. Mais ça tu le savais, puisque les formules sont dans ton journal.

– D'accord, mais alors pourquoi est-ce que je ne me sens pas malade en permanence cette année ? Techniquement, c'est le passé pour moi.

– Je crois que c'est parce que 2007 est devenue ta *home base*. Toutes les autres années sont celles où tu ne devrais pas te trouver, donc tu as forcément des problèmes quand tu t'y rends. Plus tu restes absent de ta *home base*, plus les symptômes s'accentuent. C'est comme si ton corps était écartelé et qu'il arrivait à son point de rupture.

– Ça se tient, sauf que je ne comprends toujours pas pourquoi c'est comme ça.

– Je crois pouvoir affirmer qu'il y a des tonnes de trucs qu'on n'a pas encore compris.

– C'est vrai, mais... il faut vraiment que j'appelle mon père. Je n'ai qu'à lui demander s'il bosse pour les services secrets. Lui dire que j'ai surpris une conversation, par exemple. D'autant qu'il est du côté des gentils, pas vrai ?

– Alors là, rien n'est moins sûr, rétorqua Adam en levant un sourcil. Il t'a amené à l'hosto quand tu t'es cassé le bras, d'accord. Mais qu'est-ce que ça prouve ? Et même si c'est un gentil... imagine que ça n'entre pas en ligne de compte et qu'il soit obligé de se retourner contre toi, à la seconde où il comprendra que tu sais ce qui se mijote ? Comme ces voyages dans le temps te mettent la tête dans le seau, je crois que tu devrais les limiter aux missions vraiment importantes. Il faut que tu récupères, mon pote. Pour le moment, tu devrais jouer les andouilles avec ton père. Ce sera plus facile pour obtenir des infos. Apparemment, les types du sous-sol de l'hôpital n'étaient pas vraiment ravis de te voir, et ils connaissaient ton père... comme s'ils étaient dans le même camp.

Il fit une pause, pendant laquelle je vis la fumée qui sortait de ses oreilles. Je me rassis et m'appuyai contre la tête de lit en bois.

– Putain, je me sens vraiment trop mal. Quand je pense que j'avais prévu de demander à Holly de sortir avec moi, aujourd'hui. Elle m'a donné son numéro, hier soir.

– Elle est occupée, dit Adam.

Il me tourna le dos et commença à fouiller dans un tas de papiers sur son bureau.

– Ah bon ?

– Je lui ai promis de l'aider à réviser son contrôle de maths.

– Super ! Comme ça j'ai un bon prétexte pour la voir, si je peux m'incruster dans votre petite séance. Tu n'as qu'à lui dire qu'on était justement ensemble.

Il attrapa un jean dans son placard et l'enfila, toujours sans me regarder.

– Je ne crois pas que ce soit une bonne idée. Elle est hyperangoissée par ce contrôle...

– Adam, qu'est-ce que tu me caches ? Elle t'a dit quelque chose ?

– Je ne voulais pas t'en parler aujourd'hui, mais il faut croire que je n'ai pas le choix, soupira-t-il en se tournant enfin vers moi. J'ai lu toutes tes notes et j'en retire l'impression que... toi et Holly vous sortiez ensemble comme ça. Ce n'était pas sérieux.

– Tu parles de Holly 007 ou de l'autre ?

– Holly 007 ?

– Oui, ça fait plus cool que Holly 2007, non ?

Il se mit à rire.

– Très fort, comme nom de code ! Non, je voulais dire l'autre, celle de 2009. Bref... En dehors du remords de l'avoir abandonnée en train de mourir, est-ce que les choses sont vraiment très différentes aujourd'hui de ce qu'elles étaient dans le futur ?

Je le fixai des yeux, ne sachant pas très bien comment lui répondre. Je me sentis rougir d'une colère involontaire.

– Écoute, Jackson. Je n'ai rien contre toi. Il t'est arrivé plein de trucs merdiques et complètement tordus, et le fait que tu veuilles t'assurer qu'elle ait survécu et qu'elle soit en sécurité prouve que tu es un mec bien. Mais tu ne crois pas que c'est risqué d'être aussi proche d'elle... pour un certain nombre de raisons ? Holly est une bonne copine et je ne voudrais pas qu'elle souffre.

– Tu crois que je cherche à me rapprocher d'elle parce que je culpabilise ? lui demandai-je, faute de bien comprendre.

J'étais en territoire inconnu. D'ailleurs, pour moi, toutes les relations humaines relevaient du territoire inconnu.

– C'est un peu l'impression que ça donne, mais je peux me tromper. Dans un cas comme dans l'autre, il faut que tu arrêtes de culpabiliser.

Adam se retourna vers son ordinateur. Je m'allongeai sur le ventre, le regard perdu dans les motifs des draps, essayant de m'imprégner de son analyse si fine. En cherchant à séduire Holly, voulais-je juste me déculpabiliser ? Ou bien éprouver de nouveau le frisson de lui faire la cour ?

D'un autre côté, j'aurais pu la quitter lors de la dernière soirée que nous avions passée ensemble en 2009. J'étais en retard d'une heure pour le dîner et je lui avais dit que je devais renoncer au cinéma parce que j'avais quelque chose de prévu avec Adam. Elle s'était levée de sa chaise, avait récupéré son sac et dit calmement : « Eh bien, moi aussi, j'ai d'autres choses à faire ailleurs, et j'y vais de ce pas. »

Je m'étais levé à mon tour pour la retenir, la sachant furieuse avant même qu'elle me hurle dessus. Mais au moins, j'avais tenté de la retenir. Ça devait forcément compter. Je n'étais jamais sorti avec les filles de mon lycée, ni avec celles qui en savaient trop sur ma vie personnelle ou qui avaient connu ma sœur. De ce point de vue, à l'université, cela avait été plus simple. Sans trop savoir comment, j'avais fini par raconter toute ma vie à Holly… mais pour une fois, j'étais son unique source d'informations. Holly ne savait rien des ragots ni des rumeurs qui couraient sur mon compte au lycée.

C'était facile de parler à Holly : je lui disais la moitié des choses et elle complétait. Elle savait ce que j'avais dans la tête. Comme le jour où je l'avais embrassée pour la première fois…

Le jour de mes dix-neuf ans. Le 20 juin 2009. Mon père faisait exprès d'ignorer cette date, comme chaque année depuis la mort de Courtney. Holly venait de rompre avec David et avait accepté à contrecœur de sortir en boîte avec l'équipe des moniteurs du centre aéré. Bien sûr, j'étais aux anges de pouvoir me retrouver seul avec elle, mais je voyais bien qu'elle broyait du noir et faisait juste semblant de s'amuser.

Sous l'inspiration du moment, j'abandonnai mon projet de l'attirer sur la piste de danse.

– Tu veux t'en aller ? lui demandai-je.

– Tu as faim ?

– J'ai l'estomac dans les talons.

– Moi aussi.

Ses doigts se retrouvèrent dans la paume de ma main, et je les serrai pour l'entraîner jusque dans l'air chaud de l'été. Je lui lâchai la main avant même que nous nous retrouvions sur le trottoir.

– Tu ne manges pas de pizzas, c'est ça ?

– Non, je suis allergique aux produits laitiers.

– Je connais un petit traiteur super à l'autre bout de la ville. Ils ont plein de plats sans produits laitiers.

– Ça a l'air sympa.

Un taxi nous emmena loin de la boîte. Dans la salle presque déserte du traiteur, je l'aidai à repérer les plats végétariens de la carte et en commandai un de chaque, ou presque. Une fois notre butin étalé sur la plus grande des tables, je lançai la conversation.

– Ça fait combien de temps que tu ne manges plus de viande ?

Elle plongea un morceau de pita dans un bol de houmous avant de répondre.

– Quelques années. J'en mangerais si j'en aimais le goût, mais ce n'est pas le cas.

– Donc, ce n'est pas parce que tu veux sauver une vache ?

– Pas vraiment, non.

Elle m'adressa un sourire avant de boire une gorgée de son thé glacé.

– Je peux te poser une question ? dit-elle.

– Vas-y.

– C'était ton plan depuis le départ ? D'être tout seul avec moi ce soir ? J'ai entendu dire que... tu fais ça souvent.

Je restai muet. Mes vannes habituelles tomberaient à plat. Je croisai les mains sur la table et regardai Holly droit dans les yeux. Elle cessa de mâcher au milieu d'une bouchée.

– Tu sais, je t'ai vue danser avec Brook et je savais que tu culpabilisais d'être en train de t'amuser. Ça nous fait un point commun.

C'était la vérité. Je voulais juste être près d'elle, sans vraiment savoir pourquoi. Et ça me faisait un peu peur.

Elle baissa les yeux et plongea sa fourchette dans la barquette de fruits. Elle savait parfaitement de quoi je parlais.

– Oui, c'est vrai, confirma-t-elle.

– Alors écoute, voilà ce qu'on va faire pour déculpabiliser, annonçai-je, ce qui attira son regard. Ce soir, seules les choses habituelles et quotidiennes sont autorisées. Manger, boire, dormir.

Elle esquissa un sourire.

– Ça a l'air bien. On ne fait que dans le banal.

– Et on peut aussi parler, d'accord ?

– Bonsoir, monsieur Meyer, comment allez-vous ? fit une voix dans mon dos.

Je me retournai et vis mon père qui se dirigeait vers le comptoir.

– Papa ? Mais qu'est-ce que tu fais ici ?

Il regarda dans ma direction et nous salua d'un signe de tête.

– J'ai encore du travail, alors je viens acheter quelque chose à emporter au bureau.

– C'est ta secrétaire qui s'en charge d'habitude, non ?

– Je lui ai dit de rentrer chez elle, répondit-il en haussant les épaules.

Il voulait être seul pour la même raison qui faisait que je ne souhaitais pas l'être. Je me levai d'un bond et jetai un regard à Holly, puis à mon père.

– Je te présente Holly Flynn. On travaille ensemble.

– Kevin Meyer, enchanté, fit mon père en lui serrant la main.

– Moi de même, dit-elle.

Mon père prit le sac en papier que lui tendait le serveur et se retourna vers nous.

– Vous êtes dans un lycée de New York ? demanda-t-il à Holly.

– Je vais à NYU en septembre.

– Elle entre en première année, précisai-je.

– Vous aurez donc un étudiant de deuxième année pour vous servir de guide, dit-il en se dirigeant vers la porte. Jackson est très doué pour ça.

Je décidai alors de pousser un peu le bouchon.

– Je rentrerai sans doute un peu tard, si ça te va...

– Aucun problème, lâcha-t-il sans même se donner la peine de me regarder.

Je pris une profonde inspiration et me passai la main dans les cheveux.

– C'était trop zarbi, dit Holly.

– Il travaille dans l'immeuble juste en face, expliquai-je. C'est lui qui m'a fait connaître ce traiteur.

– Ce n'est pas ce que je voulais dire. Je parlais de... comment dire...

Je baissai les yeux.

– Ça va, c'est bon.

– Alors, de quoi on parle ? lança-t-elle, ayant perçu mon besoin de changer de sujet.

– Qu'est-ce qui s'est passé avec ce Donny ou Daniel, je ne sais plus ?

– C'est David, et tu le sais très bien, rectifia-t-elle en réprimant un sourire. Je croyais qu'on n'avait pas le droit de parler de ses ex quand on sort avec quelqu'un ?

– On ne sort pas ensemble, donc tu n'enfreins aucune règle.

En général, je ne réclamais aucun détail sur ce genre de sujets, mais Holly aurait été trop difficile à percer sans en savoir un peu plus sur le type de mec avec qui elle pouvait sortir pendant un an. Je n'arrivais même pas à envisager qu'on puisse rester si longtemps avec quelqu'un à notre âge. Mon record était d'un mois, et encore, la fille avait passé la moitié de ce temps-là à l'étranger.

– Rien d'original. Le coup classique du petit copain de lycée dont on se lasse en vieillissant.

– Et il le prend bien ?

– Oui, David est un type bien, répondit-elle avec un léger sourire. Si ça se trouve, il dit ça juste pour m'éviter de culpabiliser.

200

La conversation dériva sur d'autres sujets jusqu'à ce que nous quittions le restaurant, une heure plus tard. Je parlais de tout et de rien, espérant qu'elle me croirait quand je lui disais que je n'avais aucun « plan » avec elle pour la soirée.

– Bon, qu'est-ce qu'on fait maintenant ? demandai-je.

– Je crois que je vais rentrer.

Non, non et mille fois non !

– Si on faisait une petite balade d'abord ? Un peu d'exercice, ça n'est pas interdit, ça n'a rien de fun.

– D'accord.

La tension qui avait disparu pendant le repas était en train de renaître. Holly le sentait également et voulait peut-être que quelque chose se passe. À moins qu'elle n'ait attendu exactement le contraire – rideau sur cette éventualité immédiatement !

– Alors, cette liberté retrouvée, ça a quoi de positif ? dis-je.

– Tout. C'est sans doute pour ça que je culpabilise.

– Logique.

Je tournai au coin de la rue sans faire attention à où nous allions. Tant que cela ne s'arrêtait pas... Holly glissa une main dans la mienne et s'arrêta au milieu du trottoir. Lorsque je me tournai pour la regarder, elle avait une drôle d'expression et je sus qu'on ne rigolait plus.

– Il faut que je te dise quelque chose, annonça-t-elle en s'approchant de moi.

Bon, c'est parti pour le discours sur l'amitié.

– Oui, quoi ?

– Joyeux anniversaire, Jackson, dit-elle en plongeant ses yeux bleu ciel dans les miens.

J'ouvris la bouche pour répondre, mais aucun son n'en sortit. Tout ce que j'aurais voulu ce jour-là, c'était que mon père prononce ces mots. Pas de cadeaux hors de prix ni de grande fête, juste cette courte phrase. Voire une formule du style : « Je sais que Courtney n'est plus de ce monde, mais elle aurait voulu que tu sois heureux aujourd'hui. » Cela m'aurait amplement suffi.

– Pardon, ce n'était pas la chose à dire, c'est ça ? s'excusa Holly, l'air soucieux, en me lâchant la main. Je me disais que, après le départ de ton père...

Mes neurones se mirent en mode express, focalisés sur une seule chose. Je poussai doucement Holly en arrière jusqu'à ce que ses épaules touchent le mur de l'immeuble derrière nous. Ses yeux étaient grands ouverts et ses joues s'empourpraient. Je n'eus aucune hésitation, craignant qu'elle ne m'interrompe dans mon élan. Je me penchai et l'embrassai en me serrant contre elle. Elle avait un goût délicieux, mélange de fraise et de menthe poivrée.

Ses bras, qu'elle avait levés contre le mur, redescendirent pour s'enrouler autour de mon cou et m'attirer plus étroitement contre elle. Ses doigts couraient dans mes cheveux, ses lèvres sur ma joue, nos cœurs battaient à tout rompre. J'avais envie d'arracher nos vêtements pour qu'elle se frotte contre moi.

Puis elle posa les mains sur ma poitrine et me repoussa. Je reculai aussitôt, tandis qu'elle s'appuyait contre le mur, le souffle court, les cils battant rapidement. J'avais les nerfs à fleur de peau. Et si j'avais mal compris ?

Puis ses lèvres dessinèrent un sourire.

– Eh bien...

Je poussai un soupir de soulagement et me rapprochai d'elle pour lui enlacer la taille.

– J'en avais envie depuis si longtemps, dis-je.

– Et moi donc ! répondit-elle, ses grands yeux plongés dans les miens.

Bien sûr, ce n'était pas la Holly 007 et ce baiser avait été totalement fougueux.

La Holly du futur m'avait percé à jour. Elle seule en paraissait capable. Être ainsi à la merci de quelqu'un m'avait sans doute fait peur au bout d'un moment. Je l'avais quelque peu repoussée après la rentrée, d'autant que nous avions chacun beaucoup de travail. Il semblait plus simple de trouver des prétextes que de lui avouer (et de m'avouer à moi-même) ce que je ressentais vraiment. Ma vie était très simple à l'époque.

Pas besoin de définir clairement les choses, les relations amoureuses par exemple, il serait toujours temps d'y songer plus tard.

Jusqu'à ce qu'il soit trop tard.

Dans le présent, Adam tapotait toujours sur le clavier de son ordinateur, ce qui me donnait tout loisir de réfléchir et de me reposer.

La meilleure chose à faire en 2007 était peut-être de permettre à Holly de mieux me connaître. Plus de comédie, plus de jeux, juste le vrai moi – enfin, en oubliant la partie « je viens du futur ». Et si cela ne nous convenait pas, je pourrais toujours prendre mes distances et m'assurer simplement qu'elle était en sécurité.

Je me rassis dans le lit.

– Dis donc, Adam…

– Tu ne dors pas ?

– Non, je réfléchissais à ce que tu m'as dit. Je n'ai pas de réponse toute prête, mais je te promets d'y aller en douceur, avec Holly.

– Super, content de te l'entendre dire. J'ai écrit quelque chose sur la troisième de couverture de ton journal, annonça-t-il, le doigt pointé vers son bureau.

J'y jetai un coup d'œil.

– Encore du latin ?

– Euh, si on veut. Écoute-moi bien, c'est très important. Si tu as besoin de me faire passer un message que tu ne peux pas me donner dans ta *home base*, parce que c'est trop dangereux ou que tu n'es pas seul, tu peux toujours remonter d'un jour ou deux en arrière et je t'apprendrai comment faire sans que personne d'autre que moi ne comprenne. Comme ça, une fois de retour, tu pourras utiliser la méthode.

– Qu'est-ce que tu racontes ? Pourquoi tu ne m'expliques pas maintenant ?

– C'est un système que même la CIA ne pourra pas percer, et je ne vais pas prendre le risque de t'en parler dans ta *home base*, alors que ça peut avoir des conséquences sur ce présent, s'obstina-t-il en secouant la tête.

– Bon, alors je vais rentrer et te laisser à tes occupations de l'après-midi, dis-je en rangeant le cahier dans mon sac.

– Si tu veux venir, pas de problème. Je suis certain que Holly n'y verra aucune objection.

– Non, je préfère attendre jusqu'à demain avant de la revoir.

* * *

Je fus très surpris de trouver un e-mail de Holly en rentrant. J'aurais cru qu'elle voudrait prendre un peu de distance, même si je l'intéressais. Je n'avais jamais connu de fille aussi patiente qu'elle. Ça en devenait même parfois insupportable.

Holly : *Il paraît que tu vois mon copain Adam. Tu es un geek, toi aussi ?*

Moi : *J'aimerais bien, mais je ne suis pas assez intelligent, alors je fais juste semblant.*

Holly : *Donc, en gros, tu es le roi du pipeau ?*

Moi : *Oui, mais j'essaie de changer. J'envisage même d'aller dans un groupe de parole.*

Holly : *Quelle est ta plus grande faiblesse ?*

Moi : *Les grillades. Une bonne entrecôte bien juteuse avec un peu de gras croustillant tout autour, miam !*

Holly : *LOL ! Et beurk ! Mais ce n'était pas le sens de ma question. Quel est ton morceau de pipeau préféré quand tu veux bourrer le mou à quelqu'un ?*

Moi : *Qu'en termes élégants ces choses-là sont dites ! Je crois que c'est de déclamer des sonnets de Shakespeare en français pour impressionner une fille. Ça, il me faudra au moins plusieurs séances chez un psy pour décrocher. Ça marche trop bien.*

Holly : *J'aimerais dire que ça ne marcherait pas avec moi, mais je crains que si. Évidemment, tu ne pourras plus jouer sur l'effet de surprise.*

Moi : *C'est clair.*

Holly : *Adam vient d'arriver. Faut que je révise pour mon interro de maths. A +.*

Et voilà. Premier pas vers la franchise et les révélations sur moi. Ce n'était pas si horrible. Enfin, pour l'instant. Je m'endormis sur le canapé en consignant tous les détails de moments partagés avec Holly 009 dont je me souvenais. Au cas où j'oublierais. Il y en avait tellement que je n'avais pas pris la peine de les noter, persuadé que j'aurais tout le temps de m'y mettre à l'avenir.

***

À mon réveil, il faisait nuit. J'avais passé presque toute la journée à dormir. Pendant près d'une heure, je m'occupai à diverses tâches en me demandant si j'avais intérêt à recontacter Holly, que ce soit par mail ou par téléphone. Alors que j'étais sur le point de craquer et de lui envoyer un petit mot, je me rendis compte qu'elle m'avait précédé. La Holly de dix-sept ans était peut-être un peu moins patiente que l'autre.

Holly : *Je sais que je suis une vraie truffe de t'envoyer encore un mail au bout de six heures seulement, mais je voulais savoir si tu avais des conseils pour préparer les SAT.*

Moi : *Oui, en pagaille. Mais j'ai droit à quoi en échange ?*

Holly : *Tu voudrais quoi ?*

Moi : *Je peux te téléphoner, là ?*

Holly : *Essaie, tu verras si je réponds.*

J'aurais dû deviner qu'elle dirait ça. Je me glissai dans mon lit et éteignis la lampe avant de composer son numéro.

– Coucou, dit-elle.

– Coucou.

– Alors ?

– Alors... Raconte-moi un truc sympa sur le lycée. J'ai l'impression que ça fait une éternité que je l'ai quitté.

Là encore, une déclaration sincère. Décidément, j'étais lancé.

– Eh bien, j'ai un nouveau projet à préparer pour l'option d'anglais qui est vraiment génial. Pendant une semaine, il faut tenir un journal de bord avec des paroles de chansons qui expriment nos différentes humeurs de la journée.

– Et c'est quoi ta chanson en ce moment ?

– *Vacation* des Go Gos. Tu connais ?

– *Can't seem to get my mind off of you*, fredonnai-je.

– C'est pas trop cucul ?

– Non, j'adore.

– Et toi, c'est quoi ?

Elle avait la voix plus détendue. Je fermai les yeux et l'imaginai pelotonnée sous une couette blanche, la tête sur un oreiller bleu ciel fripé.

– Voyons... *All Mixed Up*.

– Connais pas.

– C'est d'un groupe qui s'appelle 311.

– Tu t'y connais drôlement en musique.

– Ouais, je suis un geek de la musique.

– Moi, j'aime des chansons bizarres. Au point que j'ai trop la honte de le dire, parfois.

– Comme quoi ?

– Par exemple, *Don't Ask Me Why* de Billy Joel.

Je lui en chantonnai les premières mesures dans le combiné.

– Tu la connais ? Incroyable !

– Je sais même la jouer à la guitare.

– C'est pas vrai !

– Si, je t'assure. Je te montrerai un jour.

– Super !

J'avoue, j'avais un peu triché sur ce coup, mais je n'y pouvais rien si je connaissais sa chanson préférée et si j'avais appris à la jouer à la guitare pour impressionner Holly 009.

Quand je m'endormis ce soir-là, il y avait longtemps que je ne m'étais pas senti aussi bien dans ma peau. Je laisserais aux méninges d'Adam, cent fois plus compétentes que les miennes, le soin de digérer les nouvelles infos que j'avais recueillies et me contenterais de jouer la comédie face à mon père, comme il l'avait suggéré. Pour l'instant, j'étais coincé dans ce drôle de purgatoire à attendre que quelque chose ou quelqu'un m'indique quoi faire ensuite.

CHAPITRE VINGT

Je sais que je ne suis pas censé voyager dans le temps pendant un petit moment. Étant donné que j'ai cru mourir durant plusieurs jours après mon dernier saut, les ordres d'Adam sont sans appel. Mais ce matin, je me suis réveillé en pensant à Courtney, à des erreurs que j'aurais aimé réparer. Comme pendant notre année de cinquième. On était non seulement frère et sœur mais aussi dans la même classe, alors je savais tout ce qui lui arrivait. Y compris bien des choses que j'aurais préféré ignorer.

Par exemple, ses problèmes de ventre dus au trac. Chaque fois qu'il y avait un contrôle ou une audition musicale, elle avait des gaz et une diarrhée terribles. Je la voyais se précipiter aux toilettes et je savais exactement pourquoi. Ça ne m'intéressait pas vraiment et je n'en parlais jamais avec elle, mais un jour mon meilleur copain, qui à l'évidence craquait pour Courtney sans que ce soit réciproque, la voit sortir du gymnase en courant juste avant son exposé pour la fête de la science. Il me demande si elle est malade et je lui réponds sans y penser : « Elle va bien. C'est juste qu'elle n'aime pas trop péter en public. »

Mon pote se met à ricaner et je comprends alors ce que je viens de faire. Mais au lieu de lui dire tout de suite que c'était un bobard ou de rectifier le tir, je ne dis rien et je rigole même avec lui. Pendant plusieurs semaines après cette fête, Courtney a dû faire face à son nouveau surnom : Crotte en chocolat. Atroce.

Difficile de croire, après tout ce qu'on a vécu tous les deux, qu'une vanne foireuse faite au collège me donne l'impression d'être le plus grand connard de l'univers. Eh bien, le pire c'est que je ne lui ai jamais avoué que c'était moi qui avais lancé la rumeur sans le vouloir. On n'a jamais évoqué cette histoire par la suite. Comme si elle avait su que je n'étais pas assez courageux pour défendre ma sœur devant mes copains. Comme si elle avait compris. Mais elle n'aurait pas dû l'accepter, et moi je n'aurais pas dû être aussi lâche.

**

Je tentais d'insérer la clé dans la serrure du club, mais tout tournait tellement autour de moi que je n'y arrivais pas. Après quelques semaines de repos dans ma nouvelle *home base*, j'avais enfreint les règles d'Adam afin de passer quatre heures entières avec ma sœur, en 2003. Et j'étais en train de le payer. J'avais prévu de ne rester que quelques minutes, mais j'avais été incapable de repartir. Adam m'avait aussi conseillé de faire du sport chaque jour pour mieux résister aux effets secondaires des sauts. En quatre heures de voyage temporel, j'avais sans doute anéanti les effets bénéfiques de trois semaines de jogging et de musculation. C'est l'impression que cela me donnait, en tout cas.

La porte sembla s'ouvrir toute seule et je manquai de tomber. Une voix familière m'accueillit.

– Salut Jackson, ça roule ? lança Toby.

– Tu te sens bien ? Tu as l'air tout pâle, s'inquiéta Holly d'une voix qui me paraissait très lointaine.

Leurs visages se mirent à tournoyer devant moi. Je fermai les yeux et basculai dans le néant.

***

– Tu as d'autres chaussures à mettre pour rentrer chez toi ? demanda Toby.

– Non, mais je peux conduire pieds nus, répondit Holly.

J'ouvris doucement les yeux. Je vis les casiers gris des vestiaires du personnel et me rendis compte que j'étais allongé sur le canapé.

– Tiens, regardez qui est réveillé. Alors, t'as la gueule de bois ? dit Toby.

– À l'odeur, je dirais que non, estima Holly. C'est sans doute une gastro, ça traîne en ce moment. J'en ai eu une, il y a quinze jours, et j'ai dégueulé genre tous les quarts d'heure pendant six heures d'affilée.

– Bon, comme tu es de nouveau parmi nous, je me casse, déclara Toby.

– À plus ! lança Holly.

Je sentis un gant de toilette humide sur mon front.

– On est en quelle année ?

Holly éclata de rire et s'assit à côté de moi.

– Tu veux dire quelle heure il est.

– Oui, ça aussi.

– 5 heures de l'après-midi.

J'essayai de m'asseoir, mais elle m'en empêcha.

– Reste allongé, tu vas encore tomber et je n'ai pas autant de force que Toby.

– Il faut que je finisse mon boulot.

– On s'en est chargés.

– C'est vrai ? Il ne fallait pas.

– Tu aurais dû te faire porter pâle aujourd'hui.

Non, j'aurais dû effectuer mon saut pendant un jour de congé.

– Oui, tu as sans doute raison. Comment je me suis retrouvé ici ?

Holly sourit et déplaça le gant de toilette sur mon front.

– Tu t'es écroulé dans les bras de Toby, qui t'a retenu avant que ta tête ne heurte le sol. Ensuite, il t'a relevé et tu as vomi sur mes chaussures.

– Désolé, marmonnai-je en enfouissant mon visage entre mes mains.

– Ce n'est pas grave. Comme je te l'ai dit, j'ai eu la même chose. Avec tous ces mômes pleins de morve qui laissent leurs virus partout, c'est obligé de s'en choper un.

– Heureusement que vous étiez là. Sinon je me serais évanoui devant la porte et j'aurais une belle bosse sur le crâne.

Elle rit et passa les doigts sur mon bras droit. Ce simple contact me rendit fou. Trois semaines à s'échanger des e-mails anodins – des blagues ou des anecdotes sur les délires des

« mamans du club » que Holly devait se farcir –, sans que je la voie une seule fois en dehors du travail. Ce n'était pas vraiment calculé, mais les paroles d'Adam restaient gravées dans mon esprit et j'avais peur de me retrouver seul avec elle, au risque de déclencher quelque chose qui irait au-delà de l'amitié entre collègues. D'autre part, Holly 007 n'avait que dix-sept ans : en 2009, je n'aurais jamais envisagé de sortir avec une fille de cet âge.

– Tu t'es fait ça comment ? demanda-t-elle en effleurant ma cicatrice.

– Je suis tombé d'un arbre quand j'avais six ans. Et toi ? dis-je en lui touchant le menton. Cette cicatrice, elle vient d'où ?

– J'ai fait un vol plané en sautant de la table de la cuisine. Huit points de suture, dit-elle avant de serrer mes doigts entre les siens. Tu as les mains gelées.

Elle me regardait avec une intensité incroyable, et même si je ne désirais rien tant que ça, je n'étais pas sûr que ce soit une bonne idée.

– Tu es sans doute prête à y aller, lui dis-je.

– Oui, mon dernier anniversaire s'est terminé il y a une heure. Mais toi, ça va aller ?

– Je vais appeler Adam, il me ramènera.

– Je te ramène moi, si tu veux. Tu habites où ?

Loin, très loin.

– C'est gentil, mais on avait prévu de se voir avec Adam, de toute façon.

Holly rassembla ses affaires, puis vint se rasseoir près de moi. Elle fit alors quelque chose qui me stupéfia : elle ôta le gant de toilette, se pencha vers moi et posa doucement ses lèvres sur mon front.

– Tu n'as pas de fièvre, c'est bon signe.

Je ne savais pas si c'était un geste amical, mais je m'en fichais. Mes bras l'enlacèrent. Ma main caressa ses cheveux et je la tins serrée contre moi.

Elle tourna la tête et je sentis son souffle sur mon cou, puis elle eut un petit rire et dit :

– Mais qu'est-ce que tu fais ?

Je la lâchai aussitôt.

– Je te remercie, c'est tout. On est très câlins dans la famille.

– Pas de quoi, dit-elle avec un sourire. Et j'espère que tu vas te sentir mieux.

Holly eut un peu de mal à sortir de la pièce, comme si elle avait le vertige ou perdait l'équilibre. Adam arriva quelques minutes plus tard, une boisson énergétique à la main.

– Comment tu as pu faire ça sans moi ! s'emporta-t-il.

Je m'emparai de la bouteille et l'ouvris.

– Désolé. Ça faisait plusieurs semaines et j'ai eu un instant de faiblesse. De toute évidence, je suis en train d'en payer le prix.

– Pas grave, on oublie. J'ai un plan du tonnerre. Enfin, disons que c'est plutôt l'occasion de se remettre en chasse des dossiers médicaux. Et si ça ne marche pas, il faudra peut-être aller directement à la source et questionner celui qui a pris toutes les notes de ton dossier.

– Il faut repartir dans le temps ? Parce que là, je suis crevé.

– La faute à qui ? Mais non, pas de saut aujourd'hui. Cela dit, il va quand même falloir que tu informes ton père de ton boulot clandestin, si tant est que la CIA ne te surveille pas depuis le début. Tu vas forcément capter son attention si tu lui mentionnes certains de tes symptômes.

Je voyais très bien où il voulait en venir et je lui savais gré de prendre des gants pour le dire, d'autant plus que je venais de passer plusieurs heures avec Courtney : il voulait que je simule les symptômes d'une tumeur au cerveau, sujet qui flanquait à mon père une trouille indescriptible depuis quelques années.

– OK. C'est quoi, ton plan ?

***

Mon père arriva en courant au club, où il fut accueilli par Adam.

– Il s'est évanoui et s'est plaint d'un mal de tête carabiné, expliqua mon copain.

Allongé sur le canapé, je fermai les yeux à demi.

– C'est toi, Papa ?

– Oui, c'est moi, Jackson. Viens, on y va. J'ai déjà appelé le docteur Melvin. Il t'attend à son cabinet.

– Vraiment ? Un dimanche ? murmurai-je en me levant avec l'aide d'Adam.

– Tu es un patient très particulier.

Adam haussa les sourcils dans le dos de mon père, comme pour me dire « Tu vois, il y a bien quelque chose de louche dans ce dossier ».

Cela me dérouta un peu de constater que mon père avait pris ma BMW M6 pour venir jusqu'ici, seul. Avec un peu de chance, j'éviterais de vomir du Gatorade sur les sièges. Je bouclai ma ceinture et il démarra en trombe.

– Tu ne crois pas que tu devrais ralentir ?

– Ne t'inquiète pas, j'ai plein d'amis dans la police du New Jersey.

Je n'en doute pas une seconde, agent Meyer.

– Et nous parlerons de ce nouvel emploi plus tard, je te le promets. C'est la raison qui t'a poussé à arrêter le lycée, j'imagine ?

– Tu ne viens pas de dire qu'on en parlerait plus tard ?

Il marmotta des insanités dans sa barbe, puis vira si brutalement à droite qu'il m'envoya valser contre la portière.

– C'est parce qu'on est riches, c'est ça ? Tu veux voir ce que c'est qu'une vie normale ?

– Pas vraiment. Je veux juste draguer une fille qui ne sortirait jamais avec un mec friqué de Manhattan.

Il me lança un coup d'œil rageur.

– Pardon ?

– C'est de l'humour, Papa.

Je gardai le silence pendant tout le reste du trajet, surtout parce que sa conduite à la James Bond me foutait franchement les jetons. Il devait bénéficier de l'immunité diplomatique ou d'un truc du genre. Ou alors, il savait qu'il pouvait rouler plus vite que les flics. Si jamais on se retrouvait filmés par la télé au cours d'une de ces poursuites de police déjantées avec hélicoptères en survol, ce serait la faute d'Adam.

Mon père s'arrêta devant l'hôpital dans un crissement de pneus.

– Attends-moi dans le hall, je vais garer la voiture.

Il revint en un temps record et je le suivis jusqu'à l'ascenseur. Il ne cessa de se balancer d'avant en arrière, le temps que j'appuie sur le bouton menant à l'étage du docteur Melvin.

– Je croyais qu'il y avait un sous-sol. Je ne le vois pas sur le plan. Un truc souterrain... dis-je.

Cela faisait plusieurs semaines que je lâchais des allusions pour observer ses réactions. Jusqu'ici, je n'avais rien recueilli d'intéressant. Il était doué pour les couvertures. Super doué, même.

– Je n'en sais rien. Tu n'auras qu'à poser la question à l'accueil, si ça t'intéresse tant.

Le vieil homme bedonnant aux cheveux gris en bataille nous attendait à la porte de l'ascenseur.

– Comment vas-tu, Jackson ?

– Pas très bien, docteur Melvin.

– Direction la radiologie pour une IRM. On va essayer de savoir ce qui cause ces maux de tête et ces évanouissements.

Sa voix avait toujours le même ton amical, celui d'un grand-père ou d'un oncle adoré. Avec Courtney, on aimait beaucoup venir le voir. On repartait à chaque fois avec des cadeaux et des bonbons plein les bras.

– Je préférerais une IRMf complète, dit mon père.

– D'accord, ça peut se faire.

Les appareils du service de radiologie n'étaient pas une découverte pour moi. Même le tunnel ne m'effrayait plus. Je restai calmement allongé pendant que la machine cliquetait à tout-va. Une fois l'examen terminé, j'allai me rhabiller, tandis que Melvin et mon père discutaient dans la zone d'observation derrière la paroi vitrée. Après avoir enfilé mon T-shirt, je vis Melvin lâcher le bloc-notes qu'il tenait entre les mains. Mon père le ramassa, le visage tendu par l'inquiétude. Je détournai la tête quand ils regardèrent vers moi. Après cinq bonnes minutes, Melvin me rejoignit pour m'emmener dans son cabinet, où régnait un silence de mort. Il y avait beaucoup de secrets qu'ils ne me révéleraient sans doute pas, mais si je pouvais obtenir ne serait-ce que quelques informations, mon séjour à l'hôpital aurait valu le coup.

Je m'assis sur la table d'examen et observai Melvin qui faisait défiler les images de mon cerveau sur un grand écran plat relié à un ordinateur.

– Qu'est-ce qui ne va pas ? J'ai vu vos têtes dans la salle, tout à l'heure.

Melvin se tourna vers moi avec un sourire forcé.

– Il n'y a rien de grave. Ni tumeur, ni contusion.

– Alors pourquoi vous faisiez ces gueules d'enterrement ?

Mon père, qui arpentait la pièce, s'arrêta soudain pour contempler les clichés.

– Nous ne sommes pas certains de ce qui t'arrive, avoua-t-il.

Melvin avait passé un tensiomètre autour de mon bras et placé un stéthoscope dans ses oreilles.

– Ta tension est basse et tu es déshydraté, dit-il.

– Et c'est pour ça que vous flippez ?

Je voulais absolument des réponses à toutes mes questions (et à celles d'Adam), mais dans l'immédiat ils me mettaient surtout le trouillomètre à zéro.

Melvin remit le stéthoscope dans la poche de sa blouse et jeta un regard en coin à mon père, qui lui donna le feu vert d'un signe de tête.

– Avant d'établir mon diagnostic, je dois te poser certaines questions.

– Je vous écoute... articulai-je lentement.

– On a constaté de l'activité dans cette partie de ton cerveau, commença Melvin, en me montrant une zone en haut à droite de la première image. Cela peut indiquer... peut-être...

– Quoi ? fis-je, suspendu à ses lèvres.

– Eh bien, c'est inhabituel et cela pourrait expliquer certains symptômes.

Comme le fait d'être coincé deux ans en arrière dans le passé ? Ça compte, comme symptôme ?

– Inhabituel, c'est-à-dire... différent des images de mon cerveau prises avant ?

– Oui, répondit mon père.

– C'est peut-être parce que je suis plus âgé.

Beaucoup plus âgé.

– As-tu déjà eu... des pertes de mémoire ? demanda mon père, semblant avoir choisi cette dernière expression avec le plus grand soin. Par exemple, est-ce que tu t'es déjà réveillé quelque part sans trop savoir comment tu étais arrivé là ?

– Bon, alors là, vous me faites vraiment flipper, tous les deux.

– As-tu une mémoire photographique ? Es-tu capable de retenir des pages de livres au mot près, des itinéraires ou des cartes détaillées, peut-être ? continua Melvin.

– Pourquoi ? Je devrais ?

– Avec ton patrimoine génétique, c'est une possibilité...

Mon père s'éclaircit la gorge bruyamment.

– Pardon, se reprit Melvin. Je voulais dire que c'était possible au vu de l'activité remarquée dans cette zone de ton cerveau.

J'aurais apprécié d'être parfaitement calme afin de bien choisir mes mots, mais ce n'était pas le jour.

– De quelle partie du cerveau s'agit-il ? Je ne suis pas complètement idiot. J'ai suivi des cours d'anatomie et de physiologie.

– Quand ça ? lancèrent-ils de concert.

Flûte. À la fac !

– Euh, en fait c'était une sorte de séminaire. Une journée d'étude... Pour être honnête, c'était surtout pour échapper à un contrôle de maths...

– Écoute, Jackson...

Mon père, le visage crispé, se tourna vers moi.

– Voilà, tu as été adopté. Courtney aussi, bien sûr. Pardon de ne t'en avoir jamais parlé, mais il n'y avait pas vraiment de raison de le faire. Jusqu'à aujourd'hui.

Simuler un tel choc serait plutôt délicat pour moi, et puis j'étais presque certain qu'il avait lâché cette bombe dans le but de détourner mon attention de la gaffe de Melvin sur mes gènes. Il était très doué pour les couvertures, et il ne serait probablement pas dupe si je mentais. J'optai pour une autre solution que le choc simulé.

– Euh, tu sais, Papa, ça fait longtemps que j'avais compris.

– Ah bon ? fit Melvin.

– Ben... On ne se ressemble pas vraiment, et puis...

Aucune autre explication ne me venait, car une autre question me taraudait.

– Cette histoire sur ma mère qui serait morte pendant l'accouchement, c'est vrai ou pas ?

Mon père secoua la tête.

– Pas exactement. Je suis désolé de ne pas te l'avoir dit non plus.

J'eus le sentiment d'avoir reculé. Je savais déjà que mon père n'était pas mon père et, désormais, j'en savais encore moins sur ma mère que je ne le pensais.

Melvin vint s'asseoir à côté de moi et me passa le bras autour des épaules, comme si j'étais un enfant triste. Je m'attendais presque à ce qu'il ouvre son tiroir et en sorte une sucette.

– Jackson, il faut que tu comprennes... nous n'avons aucune information sur ta famille. En tant que médecin, je m'appuie sur l'histoire familiale pour établir un diagnostic, d'habitude.

Entendre Melvin dire à voix haute que je n'avais pas de vraie famille fut dur à encaisser. Existait-il quelqu'un d'autre qui soit capable de voyager dans le temps comme moi ? Ou bien étais-je une sorte de mutant monstrueux trouvé au bord d'une route ?

– Donc, vous pensez que mes « parents » avaient une activité cérébrale anormale, comme la mienne ?

– Pas exactement comme la tienne, mais proche, répondit Melvin.

À ma grande surprise, mon père oublia sa couverture : fusillant Melvin du regard, il sortit de sa réserve.

– C'est faux, il est complètement différent d'eux. Ça fait des années que je vous le dis.

Puis il quitta la pièce en claquant la porte. Melvin la contempla un moment, puis revint à moi, les yeux écarquillés.

– Il sait qui sont mes vrais parents ? demandai-je.

– Non, il est juste bouleversé à cause de ta sœur. C'est de ma faute, j'ai ravivé de mauvais souvenirs. Son cancer était très rare et très agressif. Comme vos parents sont morts et que nous n'avons aucun détail sur votre histoire familiale, le fait que tu puisses avoir le même cancer est une possibilité que nous ne pouvons ignorer.

Oh, la belle histoire ! Sauf qu'il y manquait un chapitre. Les types du sous-sol qui nous connaissaient, Papa, Melvin et moi, ne s'intégraient pas dans cette fable qu'ils essayaient de me faire avaler. Mon père et Melvin utilisaient une technique à laquelle j'avais souvent recouru moi-même : quand on me reprochait d'avoir fait une grosse bêtise à la maison ou à l'école, par exemple, j'en reconnaissais une autre moins grave pour désamorcer l'accusation plus sérieuse. Ça marchait toujours comme sur des roulettes.

– Mes parents biologiques sont morts ?

– Oui, je suis désolé, confirma tristement le docteur Melvin. C'est la seule chose que nous savons d'eux.

Incapable de me retenir, je posai des questions en rafale.

– Mais quand sont-ils morts ? Juste après notre naissance ? Quand ai-je été adopté ? Est-ce que j'ai vécu avec eux ?

Le docteur Melvin jeta un coup d'œil inquiet en direction de la porte, sans que je sache s'il souhaitait que mon père revienne ou au contraire qu'il reste dehors afin de pouvoir me faire des révélations.

Finalement il prit une profonde inspiration et dit :

– Tout ce que je sais, c'est que vous vivez avec ton père depuis l'âge de onze mois.

Onze mois. Donc, pendant presque une année de ma vie, la toute première, j'avais été élevé par quelqu'un d'autre. Concrètement, cela ne changeait pas grand-chose, mais j'avais l'impression que si. Ma tête bourdonnait de questions, et je ressentis le besoin soudain de m'allonger.

– Je ne me sens pas très bien, dis-je à Melvin, qui remplit un gobelet d'eau et me le tendit. Vous n'auriez pas plutôt une sucette ?

Il sourit et attrapa une sucette rouge dans son tiroir.

– Repose-toi un peu, je vais parler à ton père.

– D'accord.

À la seconde où la porte se referma, je sortis mon téléphone et me mis à écrire un texto à l'attention d'Adam.

***

Un peu plus tard, tandis que nous rentrions à la maison, mon père, qui avait remis sa carapace, me présenta ses excuses.

– Je suis désolé que ton adoption soit arrivée comme ça sur le tapis. J'ai mal réagi. Le docteur Melvin rentre parfois dans des détails tellement techniques qu'il en oublie qu'il s'adresse au commun des mortels. De toute façon, c'était plus lié à ta sœur qu'à toi.

– C'est toujours le cas, dis-je sans me rendre compte à quel point j'étais en accord avec mes dix-sept ans supposés.

Il me regarda intensément pendant un long moment, puis sortit de la voiture et confia les clés à Henry.

– Tu as raison, Jackson. Courtney n'est plus là, mais toi si. C'est parfois difficile pour moi de reprendre là où nous en étions, comme si de rien n'était. Mais je vais faire des efforts, promis.

Était-ce une nouvelle tactique ? Essayait-il d'établir un lien pour que j'arrête de chercher des réponses et que je fasse confiance à un homme qui me mentait depuis toujours ?

– D'accord, Papa.

– Alors, parle-moi un peu de cette fille que tu essaies d'impressionner. En tout cas, là-dessus, tu me disais la vérité, ça se voyait.

La sécurité de Holly et le message d'Adam m'enjoignant de ne pas la mêler à tout ça l'emportèrent sur toutes mes autres pensées. Je franchis à grands pas la porte de l'immeuble, suivi de mon père.

– Elle ne te plairait pas, crois-moi. De toute façon, il n'y a rien de sérieux. Je suis juste content d'avoir un boulot.

– Si tu le dis.

Traduction : il ne me croyait pas.

Mon téléphone sonna. C'était Adam, évidemment. Je me rendis dans ma chambre et fermai la porte avant de répondre.

– Salut, quoi de neuf ?

Je lui racontai la comédie que mon père m'avait servie.

– Rentre dans son jeu, Jackson. Il faut qu'il culpabilise un peu par rapport à ce qu'il te cache.

– Oui, c'est malin. Qui sait ? Il va peut-être finir par craquer.

– Bien, dis-moi ce qui a justifié que tu enfreignes la seule règle que je t'avais fixée ?

Je n'avais pas réellement honte d'avoir eu envie d'aller voir Courtney, mais je savais aussi que je n'aurais pas dû le faire pour plusieurs raisons. Toutefois je ne voulais pas entrer dans les détails avec Adam.

– Primo, tu m'as imposé beaucoup plus qu'une seule règle. Secundo, ça n'a pas duré bien longtemps, c'était juste une petite visite, et puis j'ai perdu la notion du temps.

– Il faut vraiment que tu apprennes à te responsabiliser, grommela-t-il. Ça ne doit pas se reproduire, tu m'entends ? Je vais établir une nouvelle liste d'hypothèses sur la base des informations que tu viens de me fournir.

– D'accord.

– Au fait, Holly m'a demandé de tes nouvelles, ajouta-t-il sur fond de clavier maltraité. Elle a appelé une première fois il y a une heure, et une seconde il y a cinq minutes.

L'espace d'un instant, l'intégralité de cette vie complètement barge et embrouillée s'évapora. Je redevins juste moi-même, Jackson Meyer, un type normalement constitué, aux anges parce que la fille qu'il aimait semblait s'intéresser à lui. Même si je voulais y aller doucement avec Holly 007, ne pas m'approcher trop près, c'était agréable à entendre. Elle me rendait heureux, et vu les circonstances, c'était un véritable exploit.

CHAPITRE VINGT ET UN

Des dizaines de visiteurs pressés passaient devant moi, tandis que je me tenais devant les vitraux du Metropolitan Museum of Art. Adam commençait vraiment à me courir sur le haricot. C'est vrai : il m'avait réveillé à 3 heures du matin avec un texto qui disait : *RV au Met 9 h 30. Grosse expérience de physique top secrète. Vive les geeks !*

– Tu sais que tu es dur à reconnaître avec une casquette sur le crâne ?

Je fis volte-face et me trouvai nez à nez avec une personne qui n'était pas Adam.

– Holly ? Mais qu'est-ce que tu fais là ?

– Sortie scolaire, répondit-elle en souriant avant d'embrasser du regard le gigantesque hall. Mais je veux m'échapper et tu vas me servir de complice.

– Euh, je ne peux pas, j'ai rendez-vous avec Adam.

Je devais avoir l'air complètement ahuri car elle se mit à rire.

– À l'heure qu'il est, Adam est en train de ronfler en cours de trigo !

– Ça m'étonnerait : on doit se retrouver ici, protestai-je, de plus en plus déboussolé.

Soudain, son visage se crispa et elle me tira par le bras derrière une statue.

– Excuse-moi, mon prof de théâtre, M. Orman, regardait dans notre direction.

Elle posa de nouveau les yeux sur moi et ses joues s'empourprèrent légèrement.

– Ce n'est pas Adam qui t'a envoyé le texto, c'est moi.

J'en restai comme deux ronds de flan. Holly, à l'origine de cette aventure impromptue ?

– C'est toi qui m'as envoyé un texto depuis le téléphone d'Adam à 3 heures du mat' ?

– Oui. Il m'aidait à réviser et ça s'est prolongé tard. À un moment, il s'est endormi, et je me suis rappelé ce que tu avais dit sur Central Park, que c'était ton endroit favori...

Si elle avait été Holly 009, je l'aurais embrassée sur-le-champ. Mais ce n'était pas le cas. Du coup, je la pressai de questions pour remplir le silence.

– Ta parano de mère te laisse dormir chez Adam ? Tu n'as pas peur d'avoir des ennuis pour avoir fait le mur ?

– Je lui ai dit que je dormais chez Jana. Et puis, on n'a fait que bosser. En plus, ma mère ne me laisse jamais venir à New York toute seule. C'est ma seule occasion. Alors, t'es OK ou pas ? lança-t-elle en prenant la direction de la sortie.

– OK, acquiesçai-je en me sentant sourire.

– J'étais persuadée que tu devinerais que le texto était de moi.

– Le « Vive les geeks ! » aurait dû me mettre la puce à l'oreille, mais je me suis dit qu'Adam était sans doute bourré.

Holly se retourna pour me regarder et continua de marcher à reculons.

– C'est énorme ! Je n'en reviens pas d'avoir réussi mon coup ! Toby me couvre et M. Orman ne prend même pas le bus avec nous pour rentrer. Bref, j'ai la journée devant moi.

– Tu devrais être espionne ou détective privé, la taquinai-je.

– Mon rêve ! soupira-t-elle. Mais j'aurais besoin d'améliorer sérieusement mon niveau en langues étrangères si je voulais me lancer dans l'espionnage.

Je l'entraînai vers Central Park en contournant le musée, puis je pris le sac à dos qu'elle portait et le jetai sur mon épaule.

– Qu'est-ce que c'est lourd ! T'as mis quoi là-dedans ?

– Une couverture et trois livres, au cas où j'aurais envie de m'allonger au soleil pour bouquiner pendant des heures. Et plein de trucs à grignoter, aussi.

– Tu as bien préparé ton coup, on dirait. Au fait, comment ai-je décroché le rôle du complice ?

Elle se mit à rire, mais garda les yeux fixés sur les arbres devant nous.

– Je me suis dit que si je devais faire ça avec quelqu'un, autant que ce soit avec une personne qui n'aurait pas à sécher les cours.

– Ah, d'accord. Alors ça n'a rien à voir avec mon potentiel de bad boy rebelle ?

Elle me décocha un sourire.

– Si, un peu, bien sûr.

Une pelouse à côté d'une aire de jeux nous parut un endroit agréable. Holly étendit la couverture sur l'herbe tout près des balançoires.

– Il y avait un portique dans mon jardin quand j'étais petite, mais je n'utilisais presque jamais les balançoires.

– Tu faisais quoi, alors ?

– Regarde.

Elle grimpa au poteau en métal rouge, progressa à la force des bras le long de la barre transversale, puis fit une traction et un soleil, et se retrouva la tête au-dessus de la barre et les jambes dans le vide.

– Joli ! À moi.

– Je t'en prie.

Comme elle, je tirai sur les bras pour me hisser jusqu'à la barre et effectuai une rotation.

– C'est moins difficile que je ne le croyais.

– Tu es doué. Il faut que tu demandes à Toby de te montrer des mouvements à la barre fixe.

Je sautai sur l'herbe et attendis que Holly en fasse autant. Mais elle passa une jambe sur la barre et se mit debout de guingois.

– Holly, je ne crois pas que tu devrais…

– Relax, je fais ça depuis l'âge de cinq ans.

Elle se tourna avec aisance et se mit à marcher, ses orteils s'enroulant autour de la barre. Moi, tout ce que je voyais, c'était son crâne éclatant sur le sol dur.

– Tu me fous la trouille, là. Descends, s'il te plaît.

– La première fois que j'ai essayé ça, ma mère était devant l'évier, en train de faire la vaisselle. Quand elle m'a vue par la fenêtre, elle s'est précipitée dehors comme une folle en me hurlant de redescendre. J'ai obéi et j'ai été punie toute la soirée dans ma chambre.

Elle se remit en position suspendue, effectua quelques rotations supplémentaires, puis lâcha la barre et exécuta un saut périlleux arrière avant d'atterrir avec grâce. Je poussai un soupir de soulagement qui la fit rire.

– Tu m'as filé un infarctus ! Tu es pire qu'un singe en liberté.

Elle se rapprocha de moi et, dès qu'elle fut à portée, je m'emparai de sa main pour l'attirer sur la couverture.

– Assieds-toi, s'il te plaît, lui dis-je.

Elle me trouvait visiblement ridicule, mais elle m'obéit. Je m'étendis et regardai les nuages à travers les branches des arbres. Holly aussi.

– Tu te sens mieux ? demanda-t-elle. La gastro, c'est carrément atroce.

– Oui, maintenant ça va bien. Mais c'était vraiment une journée pourrie. Je peux te poser une question ?

Je roulai sur le côté pour mieux la regarder.

– Oui, bien sûr.

– Si tu pouvais recommencer quelque chose... pour effacer une erreur ou juste pour te fabriquer un beau souvenir, est-ce que tu le ferais ?

– D'où tu sors ce truc ? C'est très vague comme question. Difficile d'y répondre.

– J'ai fait un rêve l'autre nuit, expliquai-je, prenant appui sur mon coude. J'ai revécu une scène où je m'étais comporté comme un minable avec ma sœur.

– Tu lui avais fait quoi ?

– J'avais raconté un truc super gênant sur elle à un copain et il l'a répété à tout le collège. On devait avoir douze ans et je voulais frimer un peu.

– C'était si gênant que ça ? Si tu as raconté qu'elle avait fait pipi dans sa culotte à trois ans, ce n'était pas bien grave.

Je fronçai le nez.

– Non, il s'agissait de flatulences et c'était récent. Très, très récent.

– Trop nul, dit-elle en mettant la main devant sa bouche.

– Je sais, approuvai-je en souriant. Bref, dans mon rêve, je revenais à cette époque, mais avec l'âge que j'ai maintenant, et je savais que je pouvais empêcher que ça se produise, mais sans que cela change quoi que ce soit aujourd'hui, ou le lendemain.

– Ta sœur ne saurait jamais que tu culpabilisais ?

– Non.

– Mais toi, si.

– Exactement.

Holly se tut pendant un long moment avant de me répondre.

– Je trouve qu'il y a une certaine noblesse à vouloir réparer une erreur.

– Je ne pourrais pas réellement la réparer.

– Non, mais il est parfois difficile de prendre les bonnes décisions. Plus on s'entraîne, plus ça devient facile. Même si ce n'est que dans un rêve.

– Tu as peut-être raison, dis-je en me remettant sur le dos.

Elle se glissa plus près de moi et se tordit les mains comme si elle avait le trac. Les yeux toujours fixés sur les nuages, je tendis le bras pour lui séparer les mains. Je posai l'une d'elles entre nous deux, et la mienne à côté. Quelques instants plus tard, ses doigts effleuraient ma paume. Je les serrai avant de fermer les yeux.

– Hol ?

– Oui ?

– Ne t'affole pas, d'accord ? Être allongé près de toi… ça me suffit parfaitement. Je n'ai rien d'autre en tête.

Et c'était la vérité vraie. Mon pouce dessinait de petits cercles sur le plat de sa main, tandis que je humais l'air frais de l'automne où se mêlait l'odeur d'un feu de bois.

– Tu es complètement différent de ce que j'imaginais.

– Toi, tu es exactement comme je me l'imaginais, dis-je en me souriant à moi-même.

Elle pencha la tête contre mon épaule. Je sentis ses lèvres toucher ma joue et une bouffée de chaleur envahit mon corps tout entier. Je tendis mon autre main vers elle et la posai sur sa joue. J'aurais pu rester dans cette position éternellement. Et peu importait l'année.

Cela me rappela la première fois où nous avions fait l'amour (avec Holly 009 évidemment, qui, elle, était majeure). Avant, j'avais élaboré tout un tas d'idées baroques, de projets énormes. Mais ce que je me souvenais avoir préféré finalement n'avait rien à voir avec l'acte en soi.

C'était en 2009, en plein mois de juillet, deux jours après l'entrée impromptue de mon père dans ma chambre. Nous étions enfin seuls dans mon appartement. Porte de chambre verrouillée. Super musique à fond. Et rien pour nous empêcher de faire ce dont on avait envie.

Holly ôta sa robe par la tête puis traversa le lit à genoux. Je mis la main sur l'élastique de sa culotte rose et la fis glisser.

Ma bouche remplaça bientôt mes mains. Holly passa ses doigts dans mes cheveux, puis murmura :

– C'est la première fois.

Mes lèvres se figèrent juste au-dessus de sa hanche. Cette déclaration pouvait s'interpréter de différentes façons.

– C'est la première fois que quoi ?

– Que je fais l'amour.

Je m'attendais à tout, sauf à ça. Je n'avais pas imaginé un instant que Holly puisse encore être vierge. Je m'agenouillai à mon tour et la regardai droit dans les yeux.

– La toute première fois ?

Elle se cacha le visage entre les mains.

– J'aurais dû t'en parler plus tôt.

– Holly, cela n'a aucune importance. On n'est pas obligés de...

– Si, j'en ai envie.

Elle laissa retomber ses bras et s'affala sur le ventre, le visage enfoncé dans l'oreiller.

– C'est trop la honte !

Je m'allongeai près d'elle et posai une main sur son dos.

– Tout va bien, la rassurai-je.

– Si je te dis un truc, tu promets de ne pas te moquer de moi ?

– Parole de scout, dis-je en levant trois doigts.

Elle sourit, puis s'assit en tailleur.

– J'ai failli, une fois. Avec David, on avait projeté depuis toujours de perdre notre virginité le soir du bal du lycée.

Je retins un sourire.

– Oui, je sais, c'est pas très original. Bref, on avait pris une chambre d'hôtel, tout bien, mais David a eu un petit problème et il a déchiré tous les préservatifs qu'il avait apportés.

– Mais tu as dit que c'était la première...

– Non, il les a déchirés, je n'avais même pas enlevé ma robe. Je t'épargne les détails.

J'éclatai d'un rire sonore, puis me tus en surprenant son regard furibond.

– Enfin, bon, on s'est dit qu'on allait en racheter une boîte.

– Une plus grosse, j'espère.

Elle secoua la tête en riant.

– Une fois dans le magasin, on regarde partout pour s'assurer qu'il n'y a personne qu'on connaît. On arrive à la caisse pour payer et là, David se rend compte qu'il n'a pas pris son portefeuille. Et moi, mon sac. Alors, on demande à la vendeuse d'annuler. Et là, elle attrape son micro et appelle le gérant. Nous, tout ce qu'on veut, c'est se barrer vite fait, mais elle, elle commence à baratiner le gérant pour qu'il nous file des capotes gratos.

J'étais plié de rire, Holly aussi.

– Et ensuite ? demandai-je.

– Je l'ai remerciée en disant qu'on ne pouvait pas accepter. J'ai entraîné David dans la rue et je lui ai dit que c'était un signe et qu'on ne devrait pas le faire. En tout cas, pas ce soir-là.

– Et vous êtes retournés dans la chambre pour rigoler de toute cette histoire ?

– Pas exactement, dit-elle après s'être rallongée près de moi. L'ego de David en avait pris un coup. On était à peine rentrés à l'hôtel qu'il s'est endormi, à moins qu'il n'ait fait semblant pour éviter d'avoir à en parler.

– Et vous n'avez jamais remis ça ?

– Non. Et pas parce qu'il avait merdé avec les capotes, mais parce que cette nuit-là, je n'avais cessé de me demander : est-ce que David sera le dernier mec que j'embrasserai de toute ma vie ? Et je n'étais pas sûre de le vouloir, et puis les questions se sont empilées dans ma tête. Sachant qu'on allait partir faire notre vie chacun de notre côté, tout ça me mettait mal à l'aise.

Je l'enlaçai par la taille pour l'attirer près de moi.

– Tout est profond avec toi, hein ?

– Tu l'es aussi, profond, même si tu refuses de l'admettre, dit-elle, la joue posée sur ma poitrine. Par exemple, toute cette littérature classique que tu lis.

– C'est pour les études.

– C'est quand même la filière que tu as choisie. Enfin, bref, Jackson...

– Oui ?

– J'ai vraiment envie de le faire.

Sans répondre, je lui déposai un baiser sur l'épaule et fermai les yeux. Je savais que cela avait dû être difficile à reconnaître pour elle, mais à présent j'avais moi-même quelques inquiétudes.

– Jackson ?

Je poussai un profond soupir, puis posai la tête sur l'oreiller.

– Une autre fois, peut-être.

– Une fois qui sera encore plus parfaite que ce soir ? ironisa-t-elle en s'éloignant de moi.

– C'est juste que je ne veux pas te faire de mal, dis-je dans un murmure à peine audible.

L'idée qu'elle puisse ne pas y prendre de plaisir me refroidissait. Impossible de me souvenir de la dernière fois que je m'étais retrouvé avec une fille vierge, même sans passer à l'acte. Ce n'était peut-être d'ailleurs jamais arrivé.

En plein milieu de mes réflexions, elle se mit à embrasser chaque centimètre carré de ma peau. Ses mains faisaient des choses qui vidaient mon cerveau de tout sens logique. Je poussai un grognement et me couvris le visage.

– Holly, tu fais quoi, là ?

– Écoute, Jackson, serais-tu en train de suggérer que je devrais me trouver un autre mec ? dit-elle d'une voix légère et moqueuse.

– Non.

– Alors, c'est toi qui veux me larguer pour une poufiasse ?

– Non, bien sûr.

– Alors, je ne vois pas d'autre issue, à moins de faire vœu de célibat.

– Pas question.

Elle se mit à rire et prit mon visage entre ses mains, son front touchant le mien.

– Je veux que ce soit avec toi.

– Pourquoi ?

– Parce que... c'est comme ça, ça te va ? lança-t-elle en m'embrassant sur la bouche.

Je devinai assez facilement ce qu'elle avait failli avouer. Ces trois mots que ni elle ni moi n'avions jamais prononcés.

– Tu me jures de me dire si je te fais mal ?

Mes mains tremblaient déjà. Elle en prit une et la posa sur son cœur.

– C'est juré.

– Alors, d'accord.

Elle déposa un baiser sur ma joue.

– Je crois que je ne t'ai jamais vu aussi nerveux.

Nerveux, je l'étais. Je n'ai jamais rien fait aussi lentement de toute ma vie. Elle me traita d'expert de la capote pour me taquiner et je lui expliquai que je m'y étais entraîné depuis tout jeune. C'était vrai d'ailleurs. Je devais avoir quatorze ans. Quoi qu'il en soit, Holly et moi avions réussi à substituer à l'angoisse et à la gêne du moment une drôlerie incroyable.

En ce qui me concerne, l'acte lui-même fut génial. Je crois que c'est surtout parce que Holly est toujours authentique. Elle a cette capacité à me donner le sentiment de participer à quelque chose qui compte. Comme si tout était mémorable et ne pourrait jamais être effacé. Moi, je vis dans l'instant. Peu importe ce que j'ai envie de faire, je le fais. Mais j'avais l'impression que Holly avait planifié cette soirée et qu'elle l'avait souvent répétée dans sa tête. Qu'elle veuille m'impliquer ainsi était carrément énorme.

Un peu plus tard, on prit une douche ensemble. Elle se mit sur la pointe des pieds, enroula les bras autour de mon cou et me serra très fort, le visage tout contre ma poitrine, alors que l'eau coulait sur nos corps. À la façon dont elle se cachait la figure, je pensais qu'elle pleurait, mais j'avais trop peur de lui poser la question. On resta ainsi, dans les bras l'un de l'autre, pendant un moment. Puis, enfin, elle murmura :

– Merci.

Pour la première fois de ma vie, j'envisageai de prononcer ces mots... *Je t'aime.* Cela aurait été en parfait accord avec l'instant, pas grandiloquent, ni rien. Mais ma bouche demeura close à cette seule pensée ; je ne savais si c'était vrai ou pas. Au lieu de quoi, je lui dis :

– Tu sais que tu as une tache de rousseur sur le...

– Oui, je sais, coupa-t-elle en me mettant la main sur la bouche.

Nos rires fusèrent de nouveau, et il en fut ainsi toute la nuit. Pendant que je nous préparais des œufs brouillés, Holly resta assise sur le comptoir de la cuisine à écouter mes blagues. Elle était magnifique, enveloppée dans mon peignoir bleu, les cheveux mouillés et les joues encore en feu.

Quand j'y repense aujourd'hui, si ce moment s'était prolongé pendant plusieurs semaines, plusieurs mois, même, ma plénitude aurait duré tout autant. Rien ne s'était passé comme prévu et, pourtant, tout avait été parfait.

Totalement absorbé dans mon souvenir de Holly 009, je n'avais même pas remarqué que Holly 007 était en train de ronfler et de baver sur mon sweat-shirt. Je relâchai sa main et enlaçai ses épaules pour la rapprocher de moi et empêcher que sa tête ne repose sur le sol dur. Elle bougea un peu, puis ouvrit les yeux.

– Je me suis endormie, c'est ça ?

Elle nettoya du revers de sa manche la salive qu'elle avait sur la figure. Je lui souris.

– Quitte à sécher les cours, autant piquer un petit roupillon, pas vrai ?

– Excuse-moi, dit-elle en s'asseyant, le rose aux joues. Je fais partie de ces gens capables de dormir dans un embouteillage, au milieu des klaxons et tout le bazar.

– Tu avais beaucoup de devoirs hier soir ?

– Oui, et je prépare mes SAT pour dans quelques semaines.

– Je m'en suis bien tiré quand je les ai passés et je suis toujours prêt à t'aider.

– C'est quoi « bien » ?

– 1 970 points.

– C'est excellent, tu veux dire. Il me faut 1 900 points pour entrer à NYU, mais j'aimerais les dépasser pour obtenir une bourse. Enfin, j'espère.

– Je suis sûr que tu t'en sortiras à l'aise. J'en suis même absolument certain.

– Un peu d'aide en plus ne peut pas faire de mal, dit-elle avec un sourire.

Elle esquissa un mouvement vers l'avant comme pour m'embrasser et j'eus envie de lui sauter dessus, mais quelque chose en moi m'en empêcha. Quelque chose d'autre que les avertissements d'Adam. Était-il possible de tromper Holly avec Holly ? Est-ce qu'elle n'était pas trop jeune pour embrasser quelqu'un de mon âge ? Est-ce que ce serait pareil qu'embrasser ma Holly ?

Pour m'épargner de devoir prendre une décision, je me mis debout et lui tendis la main pour l'aider à se relever.

– Allons faire une balade. Ça te réveillera peut-être un peu.

Elle se leva et rangea la couverture dans son sac.

– Où va-t-on, alors ? demanda-t-elle.

Elle ne lâchait pas ma main et je souris. En fait, elle s'y accrochait de plus en plus tandis que nous nous dirigions vers le trottoir.

– Tu es déjà allée au jardin Shakespeare ?

– Jamais.

– C'est tout près d'ici.

Une fois sur place, Holly s'approcha du premier panneau d'information pour le lire et, alors que je m'apprêtais à la rejoindre, un homme petit et roux passa près de moi en me frôlant.

– Salut Jackson, ça fait plaisir de te revoir, dit-il à voix basse.

Je m'arrêtai de respirer et tentai de me concentrer malgré le sang qui me battait dans les tempes. L'homme me fit face. C'était lui, exactement tel qu'il serait deux ans plus tard quand il déboulerait dans la chambre de Holly. Il reprit son chemin, allongeant le pas. Sans réfléchir, je me lançai à sa poursuite.

Instinctivement, je plongeai la main dans ma poche et enserrai le manche de mon canif. Sa marche rapide se transforma en course et je suivis son rythme en silence. Il m'entraînait à l'écart du chemin, vers une partie du parc où les arbres étaient plus denses. Mon pouls allait aussi vite que mes jambes. Soudain, sans laisser paraître qu'il savait que j'étais derrière lui, il s'immobilisa devant un arbre et mit les mains en l'air comme s'il abandonnait.

– J'espérais bien que tu allais me suivre.

J'avançai encore d'un pas. C'était peut-être un piège et il avait peut-être une arme plus sérieuse qu'un vieux canif, mais j'écumais trop de colère pour m'en préoccuper. J'observai son visage attentivement quand il se retourna et j'eus un coup au cœur en repérant l'estafilade au-dessus de son œil gauche qui saignait encore. Et une empreinte rouge, celle d'un talon de chaussure. De la chaussure de Holly.

L'empreinte de la chaussure de Holly 009.

Ce ne pouvait être fortuit. Si ?

– Comment avez-vous… je ne…

Ma voix s'éteignit face à l'homme qui soutenait mon regard avec une expression bien trop calme par rapport aux émotions bouillonnantes qui m'agitaient.

– Jackson… Qu'est-ce que… tu fais ? haleta Holly dans mon dos, essoufflée sans doute de m'avoir suivi en courant.

Je jetai un coup d'œil rapide derrière moi, puis de nouveau vers l'homme, tout en essayant de trouver un moyen de formuler ma question.

– Comment êtes-vous… arrivé ici ? Depuis là-bas ?

Ses sourcils se soulevèrent et un rictus s'épanouit lente-ment sur son visage.

– Intéressant. Et si c'était toi qui me disais comment tu as fait ?

J'avais envie de lui mettre mon poing dans la figure, mais soudain j'entendis Holly hoqueter. Je me retournai et vis une grande blonde qui entourait fermement de son bras le cou de ma copine.

Je fus pris de nausée. *Merde, ça ne va pas recommencer…* Elle sortait d'où, cette bonne femme ?

– Rena, je t'attendais plus tôt, dit l'homme, comme il lui aurait reproché d'être en retard pour le dîner ou un rendez-vous chez le dentiste.

– Les choses ne se sont pas exactement déroulées comme nous le pensions, répondit-elle.

Mon regard alla de l'un à l'autre, puis s'arrêta sur le visage de Holly. Des larmes roulaient sur ses joues, mais la panique que je lus dans ses yeux, tandis qu'elle se tortillait pour se dégager de l'étreinte de Rena, me fit sortir de mes gonds. Elle essayait de se libérer. Je devais agir.

Au moment où je brandis mon canif, l'homme cria :

– Rena, attention !

Mais ce n'était pas moi qui l'inquiétais. Dans un brouillard, je vis un homme jaillir des fourrés et s'abattre de toutes ses forces sur le dos de Rena, passant le bras autour de son cou de la même manière qu'elle l'avait fait avec Holly. Soudain, les yeux de Rena devinrent blancs et elle s'effondra au sol, entraînant sa victime et son assaillant dans sa chute. Holly se dégagea et se mit debout. Avec un soupir de soulagement, elle se pencha en avant, les mains sur les genoux.

– Pas de petits jeux avec moi, dit une voix féminine derrière nous.

Je me retournai en même temps que Holly. Les bras m'en tombèrent : c'était la secrétaire de mon père, Mlle Stewart, en train d'exécuter un coup de pied circulaire parfait. Sa haute botte de cuir entra en contact avec la figure du rouquin, lequel partit valdinguer dans les buissons. Chaussures de femme à la mode : 2, rouquin : 0.

Puis elle se lança à sa poursuite.

Holly se précipita vers moi et mes bras l'enlacèrent aussitôt. Elle semblait tout aussi choquée et abasourdie que moi. Mon père était en train de se relever. Mes pensées reprirent leur cours et je me rendis compte que c'était lui qui venait de sauver Holly, mais avec une telle promptitude qu'à aucun moment je n'avais vu son visage.

– C'est quoi ce bor...

Je m'interrompis en apercevant mon père en train de marmonner, au creux de son poignet, quelque chose dans une langue étrangère.

– Vous allez bien ? demanda-t-il ensuite à Holly en lui posant une main sur l'épaule.

Les yeux remplis d'effroi, elle se recula, une main sur la poitrine, l'autre dans sa poche pour en sortir une bombe de gaz lacrymogène dont elle ne se séparait jamais.

– Je ne vous veux aucun mal, dit mon père en levant les mains en l'air.

Je ne savais qui croire et j'eus un instant la tentation de m'emparer de la bombe que tenait Holly et d'en asperger mon père, au cas où.

– Ça va, Jackson ? s'enquit-il.

Je regardai la femme inerte gisant au sol puis Holly. Apparemment elle remettait de l'ordre dans ses pensées, parvenant à la conclusion que je connaissais tous ces gens, et donc que j'étais impliqué là-dedans. Elle leva sa bombe et la pointa dans ma direction.

– Doucement, Holly. Je n'en sais pas plus que toi, dis-je.

Elle rabaissa son bras. Mlle Stewart revint alors, suivie d'un homme qui devait avoir le même âge que mon père.

– La cible s'est échappée, dit ce dernier.

– Il ne courait pas vraiment plus vite que nous, mais qu'est-ce qu'on est censé faire si…

Mon père la fit taire d'un geste, puis mit son index dans le creux de son oreille et demeura parfaitement immobile pendant une dizaine de secondes.

– Occupez-vous de notre belle endormie, ordonna-t-il à un autre type qui venait d'apparaître.

Celui-ci hissa la femme sur son épaule puis s'éloigna.

– On ne bouge pas, jeune fille, dit mon père d'un ton ferme à Holly, qui était en train de reculer dans l'intention de s'enfuir.

De nouvelles larmes se mirent à ruisseler sur son visage ; je ne l'avais jamais vue aussi effrayée. Elle fit courir ses doigts sur le clavier de son téléphone portable.

– Stewart, sécurisez la zone. On se retrouve au point de rendez-vous, dit mon père à sa secrétaire.

Dès qu'elle eut disparu, il arracha le téléphone et la bombe des mains de Holly.

– Je suis certain que vous avez beaucoup de questions à propos de ce que vous venez de voir, mais nous ne pouvons pas en parler ici.

Il posa les mains sur les épaules de Holly et la fit pivoter en direction d'un chemin qui menait vers la rue.

– Qu'est-ce que tu fais ?

Je ne voulais pas qu'il mette ses pattes sur elle.

– Je m'assure juste qu'elle rentre chez elle saine et sauve, répondit-il en continuant de la pousser jusqu'au trottoir. Nous venons de nous donner en spectacle et je préférerais éviter un autre cafouillage.

D'abord, Holly coopéra, puis soudain, elle lui sauta sur le pied et lui donna un coup de coude dans l'aine. Papa ne broncha même pas sous cette attaque dérisoire. Il resserra sa prise sur les épaules de Holly et l'orienta vers une voiture garée dans la rue.

– Je vous en supplie, laissez-moi partir et je… je ne dirai rien à personne… pitié ! implora-t-elle d'une voix sourde.

– Je vous promets que personne ne vous fera de mal, l'assura mon père.

Il sortit alors son portefeuille, l'ouvrit d'un coup de poignet et exhiba un insigne où figuraient en haut son portrait et, alignées verticalement sur un des côtés, les trois lettres C, I et A.

– Je vais tout vous expliquer dans un instant.

Nous étions arrivés près d'une longue voiture noire et j'hésitai à attraper Holly par le bras pour m'enfuir avec elle. Mais il s'agissait de notre voiture. Au volant se trouvait Cal, notre chauffeur, celui-là même qui m'avait conduit au Met ce matin.

– Oh mon Dieu ! murmura Holly lorsque mon père ouvrit la portière. Laissez-moi partir, s'il vous plaît.

– Vous nous faciliteriez les choses si vous montiez de votre plein gré. Vous pouvez me croire sur parole.

– Et pourquoi elle devrait monter ? demandai-je d'une voix désespérée.

En guise de réponse, je reçus un regard peu amène qui signifiait en gros : « La ferme ! » Je me le tins pour dit, car je ne voyais aucune autre solution pour le moment.

La lèvre inférieure de Holly tremblait légèrement, mais elle essuya ses larmes d'un geste discret et se glissa dans la voiture. À l'arrière, deux rangs de sièges en vis-à-vis. Mon père s'installa face à Holly et moi à côté d'elle. J'entendais mon cœur battre deux fois plus fort, dans cet espace confiné.

– Qui... qui êtes-vous, tous ? parvint-elle à dire.

Elle n'était visiblement pas convaincue par cette histoire de CIA et paraissait penser que mon père et moi étions de mèche dans quelque trafic douteux.

– C'est mon père, expliquai-je à Holly.

– Ah oui ?

– Et je travaille vraiment pour la CIA, déclara celui-ci après un instant d'hésitation passé à me dévisager.

Holly secoua la tête et se renfonça dans son siège, laissant échapper un soupir de capitulation.

– Vous me faites trop flipper. Vous ne me relâcherez jamais, c'est ça ? Je vais mourir, ou disparaître comme ces filles dont on parle dans les faits divers ?

– Stop, dit mon père en montrant la vitre du doigt. Regardez où nous sommes.

Je jetai un coup d'œil dans la rue en même temps que Holly : nous étions garés juste derrière un gros bus scolaire jaune, face à l'entrée du musée que nous avions quitté quelques heures plus tôt.

– Vous voyez ? Je vous l'avais promis. Nous vous avons ramenée saine et sauve.

– Mais... et ces gens ? Et...

– Ce sont des terroristes que nous pourchassons.

– Des terroristes ? répéta Holly.

– Écoutez, je crois préférable que nous nous entretenions avec vos parents pour les informer de ce qui s'est passé aujourd'hui, déclara mon père de cette voix suave qui calmerait quiconque, même sur un champ de bataille.

– Je ne vous le conseille pas, dit Holly en secouant la tête vigoureusement. Ma mère est complètement parano sur ce genre de trucs... Elle va paniquer grave. Et je n'aurai plus jamais l'autorisation de quitter la maison.

– C'est vous qui voyez.

J'eus l'impression que c'était exactement ce que mon père souhaitait, qu'il avait anticipé la réaction de Holly. Il semblait en savoir déjà beaucoup sur elle.

– Oui, faisons comme ça, confirma-t-elle, avant de lorgner avec impatience vers la rue. Je peux y aller ?

Mon père acquiesça, puis posa la main sur la poignée comme pour l'ouvrir.

– Holly, les agents secrets ne révèlent presque jamais leur identité. Que ce soit clair : quand nous sommes obligés de le faire, tout est soigneusement noté et s'il y a une fuite, nous savons précisément d'où elle provient.

– J'ai compris, murmura-t-elle d'une voix à peine audible.

– Tant mieux.

Je n'aimais pas du tout la façon dont elle me regardait. Comme si elle ne me connaissait plus.

– Je t'accompagne, Hol.

– Non, pas la peine, je préfère... rentrer seule.

– Bon, alors on se voit au boulot ?

– C'est ça... au boulot.

Et elle claqua la portière.

Assis dans la voiture, je la suivis des yeux jusqu'à ce que la voiture reparte.

– S'il lui arrive quoi que ce soit... commençai-je.

– Il ne lui arrivera rien, tu as ma parole. Mais dis-moi, au fait, quel âge as-tu, Jackson ?

Il sait. À cause de mes allusions ? De la prise de sang ?

Mon cœur battait à tout rompre, mais je parvins à garder mon sang-froid car je savais que toute information que je pourrais lui donner risquait d'être utilisée contre moi.

– Est-ce que tu as connu mes vrais parents ? ripostai-je en changeant de sujet pour tenter de le déstabiliser.

– Non, pas exactement.

– Avec qui Courtney et moi avons passé les onze premiers mois de notre vie ? Je tiens l'info du docteur Melvin.

Son regard se fixa sur la vitre, mais son visage demeura impénétrable.

– Une personne qui ne pouvait plus s'occuper seule de deux enfants. Je n'en sais pas plus.

Il était clair qu'il ne me donnerait aucun détail à ce sujet.

– Pourquoi suis-je comme je suis ? demandai-je.

Il tourna son regard vers moi. Il affichait une expression très sérieuse.

– Je ne peux pas te répondre sans te poser d'abord quelques questions moi aussi. Ces capacités, j'imagine que tu peux les utiliser quand bon te semble ?

Je l'aurais volontiers giflé. L'autre jour, avec Melvin, il avait menti comme un arracheur de dents. Comment pourrais-je croire à présent une seule de ses paroles ? Je me renfonçai dans mon siège. Un plan était en train de se former dans mon esprit.

– Papa, ne compte pas sur moi pour te balancer tous les secrets que tu convoites, sans aucune compensation.

– Et tu voudrais quoi en échange ? Tu as déjà tout.

– Premièrement, lâche-moi avec le lycée. Et pas question que je quitte mon job.

Il secoua la tête et me contempla un très long moment. Puis il reprit.

– Le boulot, c'est pour Holly ? Parce que cela me paraît un peu exagéré pour quelqu'un de ton âge.

– Et c'est quoi, mon âge ? soupirai-je, conscient qu'il me fallait faire quelques révélations. Dans deux ans, quelque chose va arriver à Holly, qui sera alors ma copine. Mais moi je suis coincé ici et il est hors de question que cela se reproduise. Le problème, c'est que je ne sais pas comment l'empêcher, contrairement à toi sans doute. Alors je veux apprendre ce que connaissent les agents comme toi. C'est ma deuxième exigence : que tu m'enseignes des trucs d'agent secret.

– Jackson, que s'est-il passé ? Tu peux me le dire.

Une partie de moi voyait toujours en lui mon père et non quelqu'un à qui je devais cacher des choses. Je voulais surtout savoir comment le rouquin avait pu se trouver à la fois dans le futur et ici, en 2007, avec la même entaille au-dessus de l'œil. Et la fameuse empreinte de chaussure. Toute fraîche.

– Pas maintenant.

– D'accord, soupira-t-il. J'ai plein d'idées pour les débutants et des manuels que tu pourras consulter. Je suis justement en train de former un groupe d'agents.

– Ta secrétaire, par exemple ?

Je ne pus réprimer un petit rire malgré la tension ambiante.

– Elle en fait partie, oui, dit mon père en souriant.

– Quel âge a-t-elle ?

Je mourais d'envie de le savoir depuis qu'elle m'avait demandé de l'appeler Mlle Stewart.

– Dix-neuf ans.

– La CIA fait la sortie des lycées, maintenant ?

– Dans certains cas très particuliers, oui, répondit-il en pesant ses mots. Jenni Stewart est une nouvelle. Si tu la recroises, ne lui dis pas ton âge véritable ni comment tu as fait pour te retrouver là.

Cela me fit rire parce que je savais qu'elle tenait à ce que j'ignore son prénom.

– Je n'ai pas l'intention de le dire à qui que ce soit, je ne suis pas idiot.

– Tu ne l'as même pas dit à Holly ?

– Qu'est-ce que tu crois ? rétorquai-je en roulant des yeux. Elle pense que je viens du New Jersey et que j'ai abandonné le lycée.

Pour la première fois, l'inquiétude se lut sur le visage de mon père.

– Ce n'est plus ce qu'elle pense, dorénavant. J'ai déjà demandé à l'agent Stewart d'aller voir comment elle allait et... de l'inviter à une soirée à la maison avec les gens du bureau.

– Génial ! grognai-je en me passant la main sur les yeux. Non seulement elle est paniquée, mais en plus elle va me détester parce que je lui ai menti. Sans déconner... une soirée bureau ? Ça risque de valoir son pesant de cacahuètes, ça !

– Je suis désolé, je me disais que si elle se rendait compte que nous étions des gens normaux, cela permettrait d'aplanir les choses, soupira-t-il de nouveau.

– Même sans cette histoire de CIA, elle ne nous prendra jamais pour des gens normaux.

Je changeai alors de sujet pour éviter de lui hurler dessus.

– Et ton bureau de P-DG où je suis allé des centaines de fois ?

– C'est une entreprise d'État qui a l'air d'une société normale. J'interviens très peu dans les opérations quotidiennes.

Le simple fait qu'il puisse dire cela aussi négligemment me mit en rogne.

– Bien, on résume : et d'une, tu n'es pas vraiment mon père, et de deux, tu bosses pour la CIA, donc tout ce que je sais sur ton boulot est faux, c'est une mascarade intégrale. Alors dis-moi : qu'est-ce que je connais effectivement de toi ?

– C'est compliqué, Jackson. Il y a des gens qui pourraient mourir si des agents comme moi ne prenaient pas toutes les précautions possibles pour dissimuler leurs activités.

Je m'adossai à mon siège, bras croisés, et le regardai droit dans les yeux.

– Explique-moi précisément ce que tu fais. Tu combats des méchants qui peuvent se trouver dans le présent et dans deux ans, habillés pareil et avec une même balafre sur la figure, c'est bien ça ?

– Je crois qu'on devrait aller discuter avec le docteur Melvin.

– Pas tout de suite. Enfin, on peut toujours y aller, mais je ne te dirai rien de plus.

Dehors, de grosses gouttes de pluie tombaient de plus en plus dru sur les trottoirs.

– Il faudra que je retourne travailler tout à l'heure et que je voie à quel point Holly me déteste.

Sans doute au point que je ne pourrais jamais rattraper ça.

À cette idée, je me sentis plus seul que jamais.

CHAPITRE VINGT-DEUX

En arrivant au club un peu plus tard, j'avais en tête plusieurs scénarios de conversation possibles pour désamorcer la colère de Holly. Mais Mike avait d'autres projets pour moi.

– Il faudrait repeindre le panneau de l'autre côté du praticable. Comme il n'y a pas trop de monde le vendredi, je me suis dit qu'on pourrait faire ça maintenant.

Au fond du gymnase, il pointait du doigt le mot « Twisters » écrit en rouge sur le mur blanc, dont la peinture commençait à s'écailler.

J'avais juste fini d'étaler les bâches plastifiées sur le sol et d'installer l'échelle et les bacs de peinture quand Jana et Holly arrivèrent pour leur cours. Dès que je vis Holly, je sautai à terre pour aller à sa rencontre.

– Salut Jackson, ça va ? lança Jana avec un sourire amical.

C'était bon signe : Holly ne lui avait rien dit.

– Ça va. Et toi ? Contente que ce soit vendredi ? demandai-je, l'air de rien.

– Et comment !

Elle donna un coup de coude à Holly, qui finit par me regarder.

– Euh ouais, c'est vendredi, super, lâcha celle-ci en se rongeant l'ongle du pouce et en se balançant d'un pied sur l'autre.

Jana nous dévisagea l'un et l'autre avant de s'en aller en secouant la tête, comme si elle sentait que nous avions besoin d'un peu d'intimité. Holly la regarda partir et fut sur le point de la suivre, mais je la retins en tendant le bras devant elle.

– Je suis désolé pour ce matin. Je ne me doutais pas qu'un truc pareil allait arriver.

Elle fixait mes doigts, doucement enroulés autour de son biceps. Son corps se raidit.

– Tout va bien. Vraiment, il n'y a pas de souci. Je n'en parlerai à personne, promis.

Elle passa sous mon bras et s'éloigna avant que je puisse réagir. À cet instant, Mike sortit de son bureau et se mit à frapper dans ses mains.

– Allez, au boulot, Jackson ! J'ai hâte de voir le résultat.

Je n'avais pas le choix, il fallait que je m'y mette. J'observai Holly pendant toute la durée de son cours : elle avait les nerfs à vif, c'était clair. Je ne voulais rien tant que retourner m'allonger dans l'herbe à côté d'elle et ressentir cette impression de bien-être si rare. Quand elle eut fini, je ne quittai plus le mur des yeux.

– Hé Holly, tu veux venir à la fête chez mes parents, ce soir ? cria Jana depuis l'autre bout du club, où elle rangeait des tapis. Tu es invité aussi, Jackson.

Je descendis quelques barreaux pour pouvoir répondre.

– Ce sera sans moi, j'en ai encore pour un bon moment et je suis vanné. Je vais rentrer me pieuter. Mais merci pour l'invitation.

– Je vais peut-être venir, dit Holly à Jana, qui s'était rappro-
chée d'elle.

– Génial !

Jana fouilla dans son sac pour en sortir ses clés.

– Tu viens quand tu veux dès que tu as fini.

– Tu pars maintenant ? demanda Holly d'une voix qui
trahissait une certaine panique. Il faut encore que je remplisse
mes fiches d'évaluation, j'ai promis à Mike de les laisser sur
son bureau ce soir.

– Alors, termine vite et ramène-toi, répliqua Jana en se
dirigeant vers la sortie, le portable collé à l'oreille. Il faut que
je file, ma mère est furax que je ne sois pas encore rentrée.

À la seconde où Jana franchit la porte, Holly traversa
le gymnase en courant, s'assit sous une poutre et se mit à
remplir frénétiquement la première fiche d'une épaisse liasse.

Avec un soupir, je remontai au sommet de l'échelle. Il
serait difficile de réintégrer le cercle rapproché de Holly. Le
fait est que je lui avais menti pratiquement sur toute la ligne.

Je tendis le bras pour atteindre le grand pot de peinture
accroché à un des montants et lançai un bref coup d'œil à
Holly par-dessus mon épaule. Mon poids fit alors basculer l'échelle sur un côté et je chutai sur le dos, tandis que
l'échelle me tombait sur le ventre et que le pot de peinture
s'écrasait à mes pieds, éclaboussant tout alentour.

– Oh mon Dieu ! entendis-je Holly crier.

Elle se précipita vers moi pour relever l'échelle.

– Ça va ?

Je fis oui de la tête, mais j'étais à moitié assommé et je
n'arrivais plus à parler.

Elle se pencha au-dessus de moi pour examiner mon visage.

– Tu peux t'asseoir ?

Je me redressai lentement et m'efforçai de prendre quelques inspirations saccadées.

– On savait tous que je finirais par tomber d'une échelle, non ?

Elle sourit, puis jeta un regard circulaire inquiet, les sourcils froncés.

– Mike va nous faire une attaque.

J'ôtai la peinture sur mon visage avec le bas de ma chemise afin d'évaluer les dégâts. C'était un vrai carnage.

– La vache, t'as raison. Heureusement que j'ai mis des bâches sur le praticable.

– Je vais chercher des serviettes en papier dans la réserve, dit-elle en se levant. Un très gros paquet.

Elle s'activa en silence à mes côtés pendant au moins une demi-heure, frottant les murs, enroulant les bâches salies et en installant d'autres. Au moins, elle était disposée à s'approcher à moins de deux mètres de moi. Il y avait un léger mieux.

– Merci du coup de main, Holly.

– Ce n'est pas de ta faute si tu es nul pour ce job.

Elle essuya d'un revers de manche la sueur qu'elle avait sur le front, y laissant une traînée rouge.

– Comment ça, nul ?

– Tu sais, la nana qui a balancé son pied dans la tronche du gars… elle m'a parlé, après que ton père m'avait raccompagnée. Elle m'a parlé de tes travaux d'intérêt général. Après ton arrestation ou… je ne sais quoi. C'était pour quelle raison, d'ailleurs ?

Ainsi, Jenni Stewart m'avait concocté une couverture. Très aimable de sa part. Sauf que désormais, j'avais l'étiquette « gosse de riche qui fait des conneries », ce qui était pire qu'un simple « gosse de riche ».

– Pour ça, dis-je en riant.

Je pris le petit pinceau et, sans lui laisser le temps de réagir, le passai sur sa joue. Surprise, elle ferma les yeux.

– Tu ne m'as pas mis de la peinture sur la figure, là ?

– Si, et alors ? Tu vas faire quoi ? la taquinai-je.

Elle rouvrit les yeux et se précipita sur le gros rouleau resté dans le bac, qu'elle brandit, prête à l'attaque.

– Approche-toi si tu l'oses, Jackson.

– C'est bon, c'est bon, je me rends ! m'écriai-je en levant les mains en l'air.

– Très bien, fit-elle en abaissant son arme.

À peine m'étais-je retourné pour m'emparer d'une poignée de serviettes que je sentis le contact humide et collant du rouleau sur mon dos. Le petit pinceau toujours en main, je me redressai lentement et, tout sourire, affrontai son air satisfait. D'un geste vif, je lui mis un coup de pinceau du front jusqu'au bout du nez. À son tour, elle plongea sous mon bras et appliqua le rouleau sur mes cheveux à l'arrière de ma tête.

Ce petit jeu continua un bon moment, jusqu'à ce que nous soyons recouverts de peinture. Je finis par m'effondrer sur les bâches.

– Pouce !

Holly éclata de rire.

– On demande grâce ?

– Oui, grâce !

Après quelques secondes de silence, elle fut reprise par la nervosité, ramena les genoux contre sa poitrine et recommença à se ronger les ongles. Histoire de tâter le terrain, je jouai avec la chaîne qu'elle portait à la cheville. Voyant qu'elle n'avait pas de mouvement de recul ou de peur, je me jetai à l'eau.

– Je voulais te dire que je n'avais jamais eu de problème avec la police avant cette stupide histoire de carte de crédit et de fausse pièce d'identité.

– Alors, tu habites vraiment à Manhattan ? demanda-t-elle en posant la joue sur ses genoux.

– Oui.

– Montre-moi ton permis, ordonna-t-elle, l'œil sévère.

Je la fis se rapprocher en la tirant doucement par le bras, puis lui tendis mon portefeuille. Elle le fouilla et en sortit mon permis.

– Tu es né en 1990, comme moi. Tu serais en terminale, enfin si tu n'avais pas abandonné, c'est bien ça ?

– Oui, je suis né en été. Je suis entré à l'école un peu en avance.

– C'était où ?

– Dans un bahut privé super snob de l'Upper East Side, répondis-je avec un soupir.

– Beurk, fit-elle en fronçant le nez.

– Ça, tu peux le dire. Ça me plaît de bosser ici. D'échapper à ce lycée à la con. Et je te jure que je ne me doutais absolument pas de ce qui allait se passer aujourd'hui. Ça m'a fichu la trouille.

– Mais tu baignes là-dedans depuis toujours, non ?

– En fait, je viens juste de découvrir ce que mon père fait réellement dans la vie, avouai-je en essuyant un peu de peinture sous son œil gauche. Enfin, je l'ai découvert il y a deux mois. Et je commence à peine à m'habituer à cette idée.

– C'est incroyable de se dire qu'il fait ce genre de trucs tous les jours. Je n'avais jamais eu aussi peur de toute ma vie, dit-elle, me plongeant dans les affres de la culpabilité.

– Je suis sincèrement désolé. Si ça peut t'aider, j'en ai les jambes qui tremblent encore. C'est sans doute à cause de ça que je suis tombé de l'échelle.

Elle se redressa avec un petit sourire.

– On finit de nettoyer ? proposa-t-elle.

Je me levai à regret et l'aidai à rapporter bacs et pinceaux jusqu'au vestiaire des hommes.

– On devrait peut-être les rincer à l'eau chaude pendant quelques minutes, suggérai-je.

– Oui, c'est sans doute ce qu'il y a de mieux.

Holly ôta ses chaussures de sport et fit des revers à son pantalon avant d'ouvrir le robinet d'une des douches.

– J'espère que ça va partir de mes cheveux.

Elle déposa un bac de peinture sous le jet d'eau chaude.

– Pourquoi ? C'est joli, plaisantai-je.

Son bras était à ma portée et je ne pus résister à la tentation. Je l'attirai dans ma douche en empoignant le pinceau qu'elle tenait à la main. L'eau s'abattit sur sa tête.

– J'y crois pas ! s'écria-t-elle en postillonnant.

– Je me suis dit qu'il vaudrait mieux que tu te rinces les cheveux avant que la peinture ne sèche.

Je me mis sous l'eau avec elle et elle me regarda en souriant, comme si elle avait tout oublié. Je savais pertinemment que non, pourtant, puisqu'elle avait eu la peur de sa vie. Et malgré tout, elle était là. Maintenant.

Avant que je puisse l'en empêcher, Holly se hissa sur la pointe des pieds et déposa un baiser sur ma bouche. Aussitôt, j'oubliai les scrupules moraux qui m'avaient agité jusque-là. La simple pensée de notre proximité fit grimper en flèche mon rythme cardiaque et me ressuscita. À peine ses lèvres avaient-elles touché les miennes que nos corps se rapprochèrent, que nos mains se tendirent pour attraper une partie de l'autre, n'importe laquelle. Mes mains caressaient son visage, sa bouche bougeait au rythme de la mienne, ses doigts s'agrippaient à ma nuque, l'eau de la douche cascadait sur nous.

C'était comme la toute première fois… dans deux ans.

Soudain, l'eau brûlante devint glacée, ce qui nous fit reculer tous deux d'un bond. Je fermai le robinet. Holly, ruisselante, frissonnait. Je pris quelques serviettes sur l'étagère au-dessus du lavabo et en enroulai une autour de ses épaules.

– Tu as toujours de la peinture dans les cheveux.

Elle se remit à rire, mais nerveusement. Puis elle me contourna et alla s'asseoir sur un banc.

– Peut-être que Toby a un T-shirt propre dans son casier, dit-elle.

Je reposai le bac de peinture sur le sol de la douche, tout en regardant Holly s'escrimer avec le cadenas.

– Zut, il est fermé.

J'eus alors un flash : Toby, un peu plus tôt dans la journée, ouvrant son casier pendant que je me lavais les mains au lavabo.

– 22, 16, 5, énonçai-je sans réfléchir.

Illumination subite : le docteur Melvin avait fait allusion à la mémoire photographique, l'autre jour... Depuis quand étais-je capable de me rappeler des choses comme ça, et qu'est-ce que cela voulait dire ?

Holly entra la combinaison et le cadenas s'ouvrit.

– J'espère qu'il n'y a rien de compromettant là-dedans, fit-elle.

Elle n'avait pas du tout paru surprise que je connaisse la combinaison, mais ce n'était pas non plus celle d'un coffre-fort débordant de billets. Il n'y avait sans doute là-dedans que des chaussettes sales et peut-être du déodorant. Je rajoutai cette question à la liste que je réservais à Adam pour quand j'aurais enfin l'occasion de le mettre au parfum.

– Tu... tu gardes tout ça pour toi, hein ? dit Holly, la tête à moitié rentrée dans le casier.

Par « tout ça », je supposais qu'elle entendait notre baiser, et non la bataille de peinture. Ou peut-être les deux.

– Si c'est ce que tu veux, bien sûr.

Elle soupira et se laissa tomber sur le banc, le long du mur.

– C'est juste que j'imagine déjà comment Toby et David vont me charrier à mort.

– À cause d'une bataille de peinture ?

– Non, pas à cause de ça, dit-elle en rosissant.

– Tes copains te mettent en boîte à cause de moi ?

– C'est un doux euphémisme. Ça remonte à la partie de poker...

Je me penchai vers elle et l'embrassai sur le côté du cou, juste sous l'oreille. Je sentis la chair de poule sur sa peau.

– Tu n'as pas besoin de leur raconter quoi que ce soit. Ce sera notre secret.

– Alors, il ne nous reste plus qu'à trouver un endroit discret pour nous voir à l'abri des regards, dit-elle avec un sourire, entrelaçant ses doigts dans les miens.

Je la contemplai, savourant son expression juvénile et rêveuse. Holly 007 était vraiment différente. La fille que j'avais rencontrée en 2009 était tout aussi profonde et rationnelle, mais beaucoup plus sérieuse et réaliste. Elle ne passait pas son temps libre à grimper sur des trucs et à se mettre la tête en bas. Elle ne prenait pas autant de risques, loin de là. C'était presque comme si nous avions échangé nos places.

Je l'embrassai de nouveau et l'enlaçai.

– Voyons voir... Ah oui, je connais un endroit super pour s'embrasser et se peloter dans mon lycée, sous l'escalier du troisième étage. Il y a eu un paquet d'histoires là-bas.

– Jackson ? lança une voix à l'extérieur qui nous fit sursauter.

En retournant avec Holly dans le gymnase, je découvris mon père qui déambulait, constatant les dégâts que nous avions causés.

– Qu'est-ce que tu fais là ? m'étonnai-je.

Holly se raidit et vint se placer derrière moi.

– Il s'est passé quoi, ici ?

– Je suis tombé d'une échelle.

– On doit discuter de... trucs familiaux, c'est urgent, annonça mon père en composant un numéro sur le téléphone qu'il tenait à la main.

– Urgent ? Mais le gymnase ?

– Je peux le nettoyer, fit Holly d'une voix presque inaudible.

– Je fais venir quelqu'un, l'interrompit mon père. D'ici deux heures, ce sera comme neuf.

– Bon, eh bien, je vais y aller, alors, dit Holly en repartant vers les vestiaires, où je la suivis pour récupérer mes affaires.

– Merci d'être restée. Tu n'étais pas obligée.

Elle jeta un regard en biais vers mon père par la porte, puis se retourna vers moi et me donna un baiser rapide sur la bouche.

– Au fait, Jackson, il n'y a pas d'escalier adéquat dans mon lycée et en plus il est interdit d'y entrer sans sa carte de l'établissement. Alors je vais devoir dire la vérité à mes copains.

– Tu fais comme tu le sens, répondis-je en souriant.

Sauf erreur, elle vient de se déclarer officiellement ma petite amie. Pour la deuxième fois.

– Je t'attends dehors, me lança mon père avant de se diriger vers la sortie.

– Il est un peu flippant, il faut bien l'admettre, commenta Holly.

Elle me souriait toujours, une épaule appuyée contre le mur.

– Et moi ?

– Tu me fais aussi des émotions, mais en bien, dit-elle en s'approchant pour me prendre la main.

Je l'embrassai sur le front, descendis vers sa joue, puis vers sa bouche. À cet instant, le téléphone que je tenais à la main se mit à vibrer. D'un coup de poignet, je l'ouvris en pestant et lus le SMS lapidaire de mon père : *Arrive !*

– Faut que j'y aille. On se voit demain ?

Je lui enveloppai les épaules de mon blouson afin qu'elle ne prenne pas froid en rentrant chez elle et me précipitai dehors.

– Monte ! ordonna mon père en désignant une voiture noire garée dans la rue.

Je m'étais à peine glissé sur le siège arrière que je découvris un homme imposant, se confondant avec l'obscurité. La peur que j'avais ressentie un peu plus tôt réapparut immédiatement. C'était l'homme au complet bleu qui ouvrait les portes avec son lecteur secret d'empreintes digitales, celui qui entraînait les gens jusqu'à son repaire souterrain de l'hôpital. Je tendis la main vers la poignée afin de m'échapper, mais mon père roulait déjà à vive allure.

– Qu'est-ce qu'il fout ici, lui ? dis-je, tassé contre la portière et m'agrippant à la poignée.

– Tu connais le chef Marshall ? demanda mon père.

– Oui, on s'est déjà vus.

J'avais tout juste fini ma phrase que le barjot en question m'appliquait un linge sur le visage.

Me voilà bien.

Je m'abattis contre la vitre froide du véhicule, puis ce fut le trou noir.

CHAPITRE VINGT-TROIS

La première chose que je vis en ouvrant les paupières à grand-peine, c'était un homme âgé penché au-dessus de moi, qui agitait un petit faisceau lumineux devant mes yeux. L'odeur du produit chimique qu'ils avaient utilisé pour m'assommer semblait avoir imprégné pour l'éternité l'intérieur de mes narines. J'étais allongé sur un canapé, dans ce qui ressemblait à un salon des plus banals. Je levai la main pour me protéger de la petite lumière.

– Docteur Melvin ? Mais qu'est-ce que vous faites ici ? Où suis-je ?

Mon père, qui se trouvait derrière moi, alluma la lampe posée sur la tablette au bout du canapé.

– Cet endroit doit demeurer secret. C'est pour cela que nous avons dû t'endormir.

– Secret au point que personne ne retrouve jamais mon cadavre en décomposition ? Éteignez ça, dis-je en écartant la main de Melvin, qui recommençait son petit manège avec la lampe.

– Il vérifie tes constantes, expliqua une voix profonde et puissante depuis l'autre bout de la pièce.

Il était ici. Je ne l'aurais jamais cru. Et c'était quoi exactement ce titre, « chef » ? Mon père n'était que l'agent Meyer, donc le chef Marshall devait bien diriger... quelque chose. À ce stade, je ne savais plus que croire. Il me fallait un plan, ainsi peut-être qu'un sérieux coup de main de la part d'Adam. Je me ramassai soudain sur moi-même en me tenant le ventre à deux mains et en gémissant.

– Les toilettes ! Vite !

– Deuxième porte à droite, me dit mon père en indiquant le couloir sur ma gauche.

Juste avant de quitter la pièce, je jetai un coup d'œil rapide au chef Marshall. Il avait l'air calme et plein de sang-froid, comme ce jour de 1996.

Après avoir tourné le verrou des toilettes, je tentai de me rappeler ce que je faisais deux jours plus tôt et, surtout, ce que faisait Adam. Je fermai les yeux et remontai dans le temps d'environ quarante-huit heures. Tel était le plan que nous avions élaboré : trouver un moyen de communication pendant un saut temporel afin que personne n'en ait connaissance dans ma *home base*.

CHAPITRE VINGT-QUATRE

J'atterris sur le parking du club de gym. Je m'étais mal concentré sur l'endroit visé, mais ma précision avait quand même sacrément progressé depuis que j'avais quitté 2009. Adam n'habitait pas trop loin d'ici, et je partis en courant vers chez lui. J'étais un peu essoufflé en sonnant à la porte, que Mme Silverman vint ouvrir quelques instants plus tard.

– Bonjour Jackson. Comment vas-tu ?

– Euh, ça va, ça va. Adam est là ?

– Oui, entre, il est dans sa chambre.

Je pris le couloir et frappai à la porte.

– Maman, j'ai pas faim, je te l'ai déjà dit ! cria Adam.

– Adam, c'est Jackson.

La porte s'ouvrit d'un coup. Adam détailla mes fringues couvertes de peinture et encore humides.

– Qu'est-ce qui s'est passé ?

– Tu te souviens de m'avoir demandé de te parler du truc en latin ?

– Je t'écoute, fit Adam en m'attirant dans sa chambre, dont il claqua la porte.

– Il faut que je te remontre le message ?

– Je sais ce qu'il y a dedans. Ce n'était valable que si tu remontais avant que je l'aie écrit.

Je me mis à arpenter la pièce en lui racontant tout depuis l'incident dans Central Park.

– C'est vraiment étrange, murmura-t-il. Tu arrives du futur. Or, ici, ce n'est pas ta *home base*, ce qui veut dire que je n'aurai aucun souvenir de cette discussion. C'est peut-être déjà arrivé plein de fois... Sauf que je ne pourrais pas le savoir et toi non plus, si c'est ton futur toi qui revient me voir ! dit-il, rivant ses yeux exorbités dans les miens. Je me demande combien de fois exactement on a déjà eu cette même conversation !

– Adam, concentre-toi ! Il y a des tarés de la CIA qui sont en train d'attendre que je ressorte de toilettes verrouillées... dans deux jours !

Il s'ébroua tel un nageur sortant de la piscine.

– Désolé. Le message est un code, c'est tout. Je l'ai inventé il y a très longtemps et personne n'arrivera à le déchiffrer. Je peux te l'apprendre.

Je hochai lentement la tête.

– Comme ça, dans mon présent, je pourrai te raconter ce qui se passe sans que mon père et ses collègues en sachent rien.

– Tout juste ! Je n'en ai jamais parlé à personne, Jackson, et je n'ai écrit que deux messages avec ce code. La première fois, c'était dans deux ans, et donc ce n'est pas encore arrivé. Et la deuxième, c'était il y a quelques semaines. J'ai inventé ce système dans ma tête. Ils vont avoir du mal à le craquer.

– Sauf que la vraie question, c'est : est-ce que moi je vais y arriver et à quelle vitesse ?

– Je pense que oui.

Il m'entraîna alors dans une intense séance de bachotage. Et il avait raison, son langage ésotérique n'était pas si compliqué que cela à maîtriser.

– Bon, et maintenant ? dis-je en me remettant à faire les cent pas. Je ne sais pas si je dois avoir plus peur de la CIA ou de la bande qu'ils ont cherché à choper aujourd'hui. Tu sais, le rouquin de 2009. Il ne m'a pas paru animé des meilleures intentions cet après-midi, pas plus qu'à l'époque d'ailleurs. Donc si mon père et son équipe lui ont couru après, ça veut dire que la CIA fait partie des gentils ?

– Ils t'ont quand même endormi sans te demander ton avis, objecta Adam en fronçant le nez. J'appelle pas ça être gentil.

– Tu crois qu'ils veulent me tuer ?

Son silence momentané me rappela la longue réflexion qui m'avait moi-même agité. Il atteignit la même conclusion que moi.

– Ils l'auraient déjà fait. En revanche, si tu leur donnes ce qu'ils veulent, là...

– OK, mais qu'est-ce que je fais, une fois là-bas ? Mon père sait déjà que je viens de deux ans dans le futur. C'est probablement un secret de polichinelle maintenant.

Adam se cala dans son fauteuil.

– Voyons voir... Tu vas leur dire que tu as sauté une seule fois, proposa-t-il avant de se raviser. Non, attends, une seule fois, ça leur signalera tout de suite que tu mens... Tiens, tu leur expliques que c'est ton troisième saut et que, pendant le dernier, tu as atterri ici, et depuis tu ne peux plus repartir.

– Ce qui n'est pas totalement faux, vu que je n'arrive pas à retourner en 2009.

– Tout à fait. Et puisque ton paternel sait que quelque chose est arrivé à Holly 009, il se doute bien que tu n'es pas en train de te balader deux ans en arrière pour le fun et que tu es bel et bien coincé ici.

Je fus soulagé de l'entendre dire cela. Je craignais en effet d'avoir commis une erreur en avouant cette information à mon père par simple réflexe.

– Pour une fois que je fais un truc bien !

– Oui, ça devrait servir, approuva Adam. J'ai lu des milliers de documents officiels pour m'amuser : moins tu mens, mieux c'est pour toi. Les agents de la CIA sont surentraînés pour repérer les menteurs. Donne-leur de vraies informations et essaie de forcer le docteur Melvin à se trahir, comme avec l'histoire du patrimoine génétique. Ça nous aidera peut-être à compléter le puzzle.

– Sans faire exprès, j'ai dit que je connaissais déjà le chef Marshall.

– Pas grave, ils ne savent ni où ni comment. Attention : ne leur parle pas du saut où tu t'es retrouvé dans les souterrains de l'hôpital. Mais si tu en dis trop peu ou si tu leur montres que te méfies beaucoup, ils sauront que tu caches quelque chose. Je suis persuadé que ton père et ses potes de la CIA s'attendent à te voir flipper parce que tu as découvert ton pouvoir de voyager dans le temps et cette activité cérébrale étrange. Tu as vraiment bien joué le coup avec ton père et le médecin, l'autre jour.

Je poussai un profond soupir.

– Peut-être, mais ça ne va pas être de la tarte pour les rouler.

– Bonne chance, en tout cas.

Je ne m'attardai pas plus et repartis aussitôt dans l'autre sens en espérant réussir mon petit numéro, car le chef Marshall était un redoutable personnage.

CHAPITRE VINGT-CINQ

Je m'appuyai sur le lavabo, ouvris le robinet et me passai un peu d'eau sur le visage. J'attendis encore deux minutes avant de sortir des toilettes et de retourner dans le salon.

– Ça va ? demanda mon père.

– Oui, fausse alerte, dis-je en m'affalant sur le canapé.

– Tu m'as reconnu hier soir, dans la voiture, attaqua le chef Marshall, assis dans un fauteuil à l'autre bout de la pièce.

Avant de répondre, je jetai un coup d'œil rapide à mon père et au docteur Melvin adossés au mur. Soudain, cela fit tilt : comme pour la combinaison du casier de Toby, une image était apparue dans mon esprit.

– Vous étiez dans les toilettes d'un restaurant, et vous m'avez tendu une serviette en papier, c'est ça ?

Comment était-il possible que je puisse me souvenir de ça aujourd'hui et pas quand j'étais retourné en 1996 ?

– Exact. Je m'assurais que tu allais bien après avoir disparu d'Espagne. C'est la seule fois que tu m'as vu ? demanda-t-il, vrillant ses yeux dans les miens comme s'il pouvait lire dans mes pensées.

– Ben, euh, pas vraiment.

Trouve quelque chose !
– Vous êtes venu à la maison, une fois. Dans le futur. Je rentrais et vous étiez attablé avec Papa. Je me souviens de m'être fait la réflexion que votre tête me disait quelque chose, mais je me suis abstenu de tout commentaire.

– Jackson, à quand remonte ton premier voyage temporel ? Te souviens-tu de la date précise ? s'enquit le docteur Melvin.

Je me tournai vers lui. C'était là une bonne occasion de dire la vérité.

– Le 12 novembre 2008. J'avais dix-huit ans. Ça s'est passé comme ça, en plein cours de poésie française. Je me suis endormi sur ma table et l'instant d'après, j'étais devant ma cité U. Il m'a fallu un moment avant de comprendre ce qui m'était arrivé.

Et que je n'étais pas devenu complètement dingo !

– Extraordinaire ! s'exclama Melvin.

– Vous trouvez ça extraordinaire, vous, de se retrouver coincé deux ans en arrière dans le passé ? rétorquai-je.

– Pas ça, non. Je parle de tes capacités. Tu n'es même pas…

– Allons-y doucement avec lui, ce soir, l'interrompit mon père en lui donnant un coup de coude dans les côtes.

– Comment ça se fait que vous sachiez ce dont je suis capable ? Pour les voyages dans le temps ?

Mon père échangea un long regard avec Melvin, qui finit par répondre à sa place.

– Tu possèdes un gène récessif que nous appelons le gène Tempus et dont on a observé qu'il se signale par certains symptômes et capacités.

– Comment ça « on a observé » ? Il n'y a pas que moi ? *L'homme de Central Park tout à l'heure ? L'une des dernières personnes que j'ai vues en 2009.*

– On trouve trace de voyageurs temporels dans des écrits depuis des siècles. Mais c'est demeuré secret, intervint Marshall.

Ils attendaient que je réagisse, croyant sans doute que j'étais sous le choc. Et c'était bien le cas, je vous le garantis, mais il me fallait prendre le temps de choisir mes mots soigneusement.

– Donc, ce type dans le parc, et cette femme... ce sont aussi des voyageurs temporels ? Ils peuvent le faire quand ils le décident ?

– Cela dépend des individus, dit le docteur Melvin. D'après les informations dont nous disposons, cette capacité est variable. Toi, par exemple, est-ce que tu la contrôles ?

– Plus maintenant... Les deux fois où j'en ai été capable étaient très différentes du saut actuel.

Melvin se redressa et vint rapidement s'asseoir sur la table basse, juste devant moi.

– Tu affirmes être coincé deux ans en arrière, n'est-ce pas ? Mais alors, pourquoi n'es-tu pas resté coincé lors des deux autres sauts ?

Je lui détaillai les sauts avant mon arrivée ici, en essayant d'inclure le maximum d'éléments réels.

– T'est-il arrivé de te voir durant un de tes sauts dans le passé ? demanda Melvin, le visage plus tendu que jamais.

– Oui, une fois. Pendant le deuxième saut... Je me suis croisé au travail...

Cette remarque décontenança mon père et Marshall, qui vint prendre place à côté de Melvin.

– C'était peut-être une hallucination, sa vraie mémoire a pu entrer en collision avec son saut dans le passé, avança mon père.

– Possible, mais dans ce cas, pourquoi n'y a-t-il pas un autre moi dans ce présent-ci ? demandai-je. Il s'est volatilisé en Espagne.

– Je sais ! s'écria Melvin, le visage empreint de la même expression surexcitée que celle de l'homme appelé Edwards, en 1996. Il ne fait pas des sauts complets ! Quelle ironie ! Cet hybride fait des demi-sauts, des sauts hybrides...

– Melvin ! l'arrêta mon père.

– Hybride ? Des demi-sauts ? répétai-je.

Un silence de plomb tomba sur la pièce. Puis mon père et Melvin se remirent à parler en même temps.

– Eh bien... Ce gène Tempus est différent des autres, marmonna Melvin.

– Différent ?

Ça devenait franchement trop bizarre.

– Selon les sources historiques. Melvin connaît un petit... commença mon père.

– Ça suffit ! rugit Marshall avant de me regarder bien en face. Le docteur Melvin est un spécialiste de ce gène récessif. Personne d'autre au monde n'en sait autant que lui sur le sujet. La CIA n'a d'autre choix que de surveiller quiconque est porteur du gène Tempus. Selon moi, ce à quoi nous avons affaire est un simple effet de l'évolution et c'est pour ça que tu es différent des autres cas recensés. Les choses évoluent au fil du temps.

Et allez donc, encore des énigmes. Melvin qui parlait d'« hybride », et puis mon père qui avait lâché en sortant du cabinet : *Il est complètement différent d'eux.* Il voulait peut-être dire que je n'utiliserais jamais mes pouvoirs pour détruire le monde. Contrairement à d'autres ? Tous les autres, sauf moi ?

– Techniquement, il a réussi un saut complet une fois, dit Melvin en jetant un œil au-dessus de mon épaule. Il pourrait sans doute…

– Docteur Melvin, je crois que Jackson en a assez entendu pour aujourd'hui, l'interrompit mon père, qui semblait l'implorer du regard. C'est encore un enfant. Vous l'avez entendu : il a dit qu'il n'y arrivait plus.

Je n'affichai aucune réaction à ce que Melvin venait de dire, comme si je n'avais pas compris. Or, j'avais parfaitement compris. Il parlait de ce que j'avais fait quand j'avais abandonné Holly. Un saut complet. J'avais changé de *home base*. Voilà pourquoi tout était différent.

– Alors comme ça, la CIA surveille tous les voyageurs temporels ? Et à part moi, ce sont tous des méchants ? Du genre à faire sauter la planète ?

– C'est compliqué, répondit mon père. Ceux que nous connaissons travaillent tous contre nous. Nous les appelons des EDT.

– EDT ?

– Ennemis du temps.

Les méchants ont donc un surnom.

– Et pourquoi ce nom ?

– C'est difficile à expliquer en quelques mots, mais, pour résumer, il s'agit d'une lutte constante pour le pouvoir, dit Marshall. Une lutte qu'un citoyen lambda comme toi ignorerait complètement et dont il ne pourrait jamais comprendre les effets si des événements passés venaient à être modifiés. Ou si des événements futurs venaient à être révélés.

Ils peuvent aller dans le futur ? Ils peuvent changer certaines choses ?

– Il me semble qu'on a clairement établi que je ne suis pas un citoyen lambda.

– Pas plus que tu n'es un agent de la CIA surentraîné, répliqua Marshall.

S'il avait l'intention de me convaincre que la CIA était du côté des gentils, ce n'était pas une réussite.

– Parfait. Si vous refusez de m'en expliquer plus sur mon statut de monstruosité de la nature, je rentre chez moi.

– Il n'y a pas grand-chose d'autre à raconter, dit mon père en essayant de prendre le ton du flic sympa. Peut-être que si nous en savions plus sur toi et si le docteur Melvin pouvait…

Adam l'avait prévu : ils tentaient de me soutirer un maximum d'informations. Mais je me savais doué à ce petit jeu-là. J'avais passé près d'un an à inventer des histoires destinées à dissimuler mes voyages temporels. Il allait de soi qu'il était plus facile de tromper Holly 009 que ces types, mais j'avais bien réussi avec mon père en 2009.

– Je n'ai plus rien à vous dire, annonçai-je.

– Très bien, répliqua Marshall d'un ton sec.

– Tiens, ça va te faire dormir, me dit Melvin en me tendant une pilule rouge et un verre d'eau, comme à un enfant auquel on va arracher une dent.

– Ah bon, pas de chiffon au chloroforme cette fois-ci ? ironisai-je.

– Cet endroit n'est connu que de l'agent Meyer et de moi. Le docteur Melvin lui-même préfère l'ignorer pour sa propre sécurité, répondit Marshall.

C'est ça, parce que c'est un bon vieux docteur avec un tiroir plein de sucettes. Pas franchement le profil du type qui étranglerait quelqu'un de sang-froid.

– J'oubliais : pour quiconque en dehors de cette pièce, tu es Jackson Meyer, tu as dix-sept ans et ton père est un grand P-DG, compris ? ajouta Marshall.

– Oui, oui, j'ai compris.

Je contemplai la pilule rouge et me rappelai que s'ils voulaient me tuer, ils l'auraient déjà fait et auraient choisi une méthode un peu plus raffinée qu'une simple pilule.

Trente secondes plus tard, je n'étais plus là. Mon esprit entra dans un état de noir complet. Pour la première fois depuis des semaines, j'avais envie de retourner à ma *home base* originelle. 2009. Mon vrai présent. Faire semblant d'être cet autre moi, peut-être à tout jamais, ça me gavait vraiment.

CHAPITRE VINGT-SIX

Le samedi matin, je me réveillai dans mon lit sain et sauf, avec pour seule séquelle de la veille un énorme mal de tête. Une fois douché et habillé, j'attrapai mon journal de bord et entrepris de consigner tout ce que je me rappelais de cette journée. J'avais quelque peu négligé cette tâche ces derniers temps, mais les choses avaient changé.

Apparemment, je suis une aberration de la nature. Non seulement j'ai le gène zarbi du voyage temporel, mais il a évolué d'une telle manière que mon mode de saut est devenu très étrange, au point de faire flipper même le docteur Melvin. Pour faire simple : les demi-sauts ne changent rien, les sauts complets changent le passé ou t'envoient dans un univers parallèle dans le passé. À supposer que la théorie d'Adam soit correcte. Ou alors dans le futur, à supposer que les affirmations de Marshall et du docteur Melvin soient correctes. Génial.

Si Papa et Melvin savaient que mon cerveau et mes gènes étaient si spéciaux, pourquoi ne m'ont-ils pas simplement informé de ce qui risquait de se produire pour que je puisse m'y préparer ? Mon père savait-il déjà en 2009 et s'est-il abstenu de m'en parler ? Ceux qu'ils appellent les Ennemis du temps, eux, savaient en 2009 puisqu'ils ont débarqué dans la chambre de Holly. Du reste, je trouve très intéressant que, comme par hasard, mon père travaille pour des gens qui combattent des méchants qui voyagent dans le temps et qu'il ait adopté un enfant qui en fait autant. Coïncidence ? Franchement, ça m'étonnerait.

Si je peux soutirer des infos au docteur Melvin, j'aurai peut-être une chance de retourner en 2009 et de vraiment changer les choses.

Je sortis de ma chambre et me rendis dans la cuisine. Au passage, j'aperçus Jenni Stewart assise sur le canapé du salon, un ordinateur portable et des papiers éparpillés posés sur la table basse devant elle.

– C'est votre nouveau bureau ? demandai-je.

– J'ai pour mission de te surveiller et de m'assurer que le machin qu'ils t'ont donné pour t'endormir hier soir n'aura pas d'effets secondaires, répondit-elle, les yeux fixés sur l'écran.

Aujourd'hui, elle parlait avec un accent du Sud très marqué. Je n'y avais pas fait attention auparavant.

– C'est quoi cet accent ? Aurais-je la véritable Mlle Stewart en face de moi ?

– Il faut très bien me connaître pour savoir quand on a la véritable Mlle Stewart en face de soi. Je suis spécialiste des opérations clandestines.

J'étais parfaitement disposé à la croire, l'ayant déjà vue opérer des changements de personnalité avec une telle promptitude que j'avais eu du mal à suivre.

– Mon père n'est pas là ?

– Il va revenir tout à l'heure, je crois.

Je m'assis près d'elle pour voir son écran.

– Vous travaillez sur un truc mégatopsecret ?

Elle soupira.

– Mais non, c'est un devoir d'une dizaine de pages sur les maladies en Afrique. C'est pour mon cours de première année d'anthropologie.

– Vous êtes étudiante ?

– Ça dépend, fit-elle avec un haussement d'épaules. C'est une couverture que je maîtrise assez bien.

– Mais sans doute moins bien que le rôle de la secrétaire dure à cuire, répliquai-je, lui arrachant un sourire. Il y a des voyageurs temporels qui suivent ce cours ?

C'était l'angle d'attaque que j'avais choisi pour lancer la conversation, l'air de rien, et me permettre de la questionner. Mais ses doigts s'immobilisèrent sur le clavier et elle se pencha en arrière contre le dossier du canapé.

– Ne me dis pas qu'ils t'ont parlé de Tempest !

– C'est quoi, Tempest ?

– C'est... la cellule de la CIA où je travaille, répondit-elle, prise de court. Comme ton père. On est plus secrets que secret. À l'Agence, tout le monde nous connaît et a entendu parler de Tempest, mais à moins d'en faire partie, personne ne sait ce qui s'y passe. Pas même les agents possédant les plus hauts niveaux d'accréditation.

Je n'avais peut-être pas le droit de lui raconter ce que je savais. Le chef Marshall et mon père n'avaient eu d'autre choix que de m'en parler, puisqu'il était évident que je connaissais les voyages temporels. Mais Jenni ? Comment pouvais-je justifier cela auprès d'elle sans lui en dire plus sur moi ?

– J'en ai vu un... un Ennemi du temps, comme vous dites... Je l'ai vu disparaître, dis-je.

– Ça alors ! Je n'en reviens pas qu'ils ne t'aient pas donné un produit pour modifier la mémoire. Ils sont hyper stricts sur la sécurité dans ce service.

Les questions se bousculaient. Jenni Stewart étant beaucoup moins impressionnante que le chef Marshall, je parvins à me concentrer sur ce que j'avais encore besoin de découvrir.

– Le rouquin que vous avez décalqué, il s'est volatilisé, n'est-ce pas ?

– Oui. Il s'appelle Raymond et c'est un sacré emmerdeur.

– Et la blondasse qui est tombée dans les pommes, vous en avez fait quoi ?

– Aucune idée. Je suppose qu'ils ont dû la cuisiner pour obtenir des informations pour la Liste.

– La Liste ?

– La Liste de Marshall, précisa-t-elle en se calant un coussin dans le dos avant d'étendre les jambes sur le canapé. Marshall leur soutire des renseignements sur l'avenir, sur des gens qui risquent de se faire assassiner par l'opposition, afin que cela ne se réalise pas. Ce sont surtout des hommes politiques et des scientifiques. Parfois, c'est autre chose qu'il faut empêcher.

– C'est incroyable qu'ils aient la capacité de voyager dans l'avenir.

Plus j'y réfléchissais, plus cette question me semblait vague. C'était quoi, l'avenir exactement ? Pour moi, il commençait au lendemain du 30 octobre 2009. Mais si l'un de ces voyageurs temporels était né avant moi, ou bien après... J'avais la tête qui tournait en essayant de réfléchir au temps sous cet angle.

– Marshall et le docteur Melvin croient que certains d'entre eux ont la capacité de voyager hors des limites de leur propre vie, mais évidemment...

– ... on ne peut pas savoir où ça commence et où ça s'arrête, complétai-je.

L'expression qu'elle avait choisie, « les limites de leur propre vie », était beaucoup plus simple à appréhender que passé, présent, futur.

– Si les voyageurs temporels existent depuis des siècles, comme Marshall l'a suggéré, ils viennent peut-être d'un passé très ancien ? enchaînai-je.

– C'est difficile à savoir. On va où on nous dit d'aller. Enfin, c'est ce qui se passe pour moi, mais je suis nouvelle dans le service.

– Alors, c'est ça, la mission de Tempest : compléter la Liste de Marshall, dis-je, perdu dans mes pensées et m'enfonçant un peu plus dans le canapé. Mais comment faites-vous pour combattre des gens qui apparaissent et disparaissent à tout bout de champ ?

– J'ai lu la totalité des articles du docteur Melvin, me confia-t-elle à mi-voix. C'est un pur délire. Mais, en gros, les voyages dans le temps ne fonctionnent pas comme tu le crois.

Allait-elle me fournir de nouvelles informations ? Rien n'était moins sûr.

– Je ne comprends pas. Vous pensez que les voyageurs changent des choses à chaque fois ?

– C'est peu probable.

– Pourquoi ?

– Eh bien, avant leur premier saut...

– Leur tout premier saut ? Ils le font à quel âge ?

– Selon les données de Melvin, vers sept ou huit ans pour la plupart, mais pendant un moment ils ne contrôlent rien, c'est-à-dire qu'ils ne savent pas ce qu'ils font ni où ils vont. Ça varie selon les individus. Certains sont très doués, d'autres moins. C'est comme dans tous les domaines.

Eh ben, mon vieux ! Sept ou huit ans. Impossible pour moi de même imaginer vivre comme un monstre pendant si longtemps. *Y avait-il des mini EDT qui se baladaient dans le temps et se pointaient sans crier gare comme ça, n'importe où ?*

– Bref, reprit Jenni, il faut concevoir leur vie avant leur premier saut comme une grosse branche d'arbre. Quand ils sautent, la branche se scinde et se met à pousser dans une autre direction.

– Et ils peuvent rester sur cette nouvelle partie de la branche, ils peuvent y vivre, n'est-ce pas ?

C'est ce que j'ai fait. C'est ce que je suis en train de faire. Le saut que j'avais effectué entre 2009 et 2007 avait divisé ma branche en deux. Les autres sauts n'avaient eu, semble-t-il, aucune conséquence.

– C'est exact, dit Jenni. C'est comme un univers parallèle.

Ah non, ça ne va pas recommencer ! Adam ne démordait pas de cette hypothèse qui, sans trop que je sache pourquoi, m'énervait prodigieusement. Elle paraissait rendre le monde moins précieux, plus solitaire.

– Est-ce qu'ils peuvent repartir vers une autre ligne temporelle après avoir créé une nouvelle branche ?

– Certains d'entre eux y arrivent. C'est le cas de la plupart de ceux que nous croisons. En revanche, rares sont ceux qui sont capables d'aller et venir entre passé et futur sur la même branche.

– Ce qui explique pourquoi ils ne peuvent pas trop modifier les choses dans notre monde. Mais s'ils peuvent sauter vers une autre branche puis revenir dans notre monde, pourquoi ne pourraient-ils rien changer ?

– Nous n'en sommes pas certains, mais il semble qu'un trop grand nombre de sauts a des conséquences physiologiques.

Ça, c'est rien de le dire.

– Ah oui ? Je ne savais pas...

– Et nous pensons qu'ils ne cherchent pas à créer ces nouvelles branches, mais qu'elles apparaissent quand ils essaient de sauter sur la même.

– Mais pourquoi s'en priveraient-ils ? dis-je d'un ton sarcastique. Quel luxe de choix ! C'est comme avoir un chalet à Aspen, une maison en multipropriété en Floride et un appartement à Manhattan.

– Tu veux connaître l'hypothèse la plus délirante de Melvin ? Je la connais uniquement parce que j'ai un peu... piraté son ordinateur.

– Ah bravo !

– Il croit que si les EDT continuent à fabriquer de nouvelles lignes temporelles à partir de la branche principale, elles risquent de finir par se percuter, ce qui pourrait entraîner la fin du monde... ou leur faire exploser le cerveau.

– Ben dites donc, c'est du lourd, ça… Un peu trop pour moi, dis-je, mi-figue mi-raisin.

– N'est-ce pas ? Pour ma part, je préfère l'hypothèse des cerveaux qui explosent.

– Donc, s'ils ont tous des niveaux différents de maîtrise de leurs pouvoirs, il est virtuellement impossible de prévoir quoi que ce soit ou de s'y préparer ?

– Leçon numéro 1 du manuel de l'agent secret : ne jamais préjuger de qui que ce soit. Les mêmes règles fondamentales s'appliquent aux méchants voyageurs temporels.

– Il est donc possible que l'un d'entre eux, encore enfant, saute par erreur sur une branche secondaire et s'y retrouve définitivement coincé ?

– Oui.

Je mis un terme à mon flot de questions. La dernière réponse avait été difficile à encaisser et il me fallait un peu de temps pour la digérer. Voilà peut-être pourquoi 2009 comptait tant pour moi. Ou alors mon envie de retour était dictée par la culpabilité, culpabilité d'être parti ou d'avoir passé de bons moments ici.

Et puis, surtout, je voulais me retrouver en face de ces types dans la chambre de Holly. Savoir qui ils étaient. Je visualisais très bien le rouquin tailladé, mais son acolyte, le grand, impossible de m'en souvenir.

– Alors, on papote ?

Je levai les yeux en même temps que Jenni pour découvrir mon père appuyé sur la cheminée. Il la fixait droit dans les yeux, sourcils levés. Elle remit le coussin en place, puis retourna à son écran.

– Agent Stewart, puis-je vous dire un mot en privé ?

– Oui, monsieur, répondit Jenni, dont le visage exprima soudain la peur.

Si elle ne m'avait pas tant pris la tête lors de notre première rencontre, j'aurais presque eu pitié d'elle.

Je regardai son ordinateur, qui gisait abandonné sur la table basse. La tentation fut trop forte, mais j'avais à peine mis le doigt sur une touche pour faire apparaître la dernière image à l'écran que Jenni surgit dans mon dos à la manière d'un spectre.

– Si j'étais toi, je ne ferais pas ça.

– Désolé, dis-je en retirant vivement la main.

Elle se tenait devant moi, bras croisés, avec son expression de battante.

– Je te propose un marché : tu m'écris ma dissertation d'espagnol et en échange je t'apprends à démonter la tronche des méchants comme un véritable agent secret.

– C'est mon père qui a suggéré ça ?

– Oui.

– Elle doit faire combien de pages, cette dissert ?

– Dix.

Je supposai que mon père voulait tenir sa promesse de m'enseigner quelques trucs.

– Quel espacement ? Simple ou double ?

– Double, dit-elle en souriant.

– Ça marche.

Elle se rassit devant son ordinateur.

– Ton père veut que je commence par te montrer des schémas qui décomposent la défense silencieuse.

– La défense silencieuse ?

Je m'approchai d'elle pour mieux voir l'écran. À présent que j'en avais l'occasion, je me rendais compte que je brûlais d'en savoir plus sur le sujet, d'apprendre à me débrouiller seul, sans tous ces gens qui m'aidaient actuellement et m'expliquaient quel camp je devais choisir.

– Le principe est le suivant : développer une force maximale à partir d'une réaction minimale. Pas de bruit, mouvements limités.

J'examinais avec attention les schémas d'attaques de base qu'elle faisait défiler.

– On va se contenter de regarder des images ?

– J'exécute les ordres, dit-elle en haussant les épaules. Ton père a l'air de penser que ces schémas pourraient t'être utiles. En ce qui me concerne, je préfère une approche plus directe.

– Il croit peut-être que je ne suis pas encore prêt pour ça, dis-je en gloussant.

Ou bien il savait que je serais capable de mémoriser toute la série de schémas, comme la combinaison de Toby. N'était-ce pas le sens de la question de Melvin, l'autre jour dans son cabinet ?

As-tu une mémoire photographique ? Es-tu capable de retenir des pages de livres au mot près, des itinéraires ou des cartes détaillées, peut-être ?

Ça m'énervait que Melvin et mon père en sachent plus que moi sur ce qui se passait à l'intérieur de mon propre cerveau. Mais si je pouvais utiliser cette mémoire photo-graphique pour rester en vie et protéger Holly, je n'avais aucune raison de me plaindre de cette nouvelle capacité monstrueuse.

– Vu son job et tout ce qui s'ensuit, je suis franchement surprise qu'il ne t'ait pas enseigné au moins les bases de la self-défense. Je pense que les incidents d'hier ont agi comme un coup de semonce pour lui. On aurait pu prévoir qu'ils te prendraient pour cible. Comme moyen d'atteindre le père.

Depuis quand suis-je une cible ? Est-ce pour cela que les EDT me traquaient ? Jusque dans la chambre de Holly ?

– En tout cas, ça a été un coup de semonce pour moi, dis-je avec un rire nerveux. Sans leur petit somnifère, je pense que je n'aurais pas fermé l'œil de la nuit.

– Mauviette, marmonna-t-elle. Au fait, comment comptais-tu te servir de ton canif ?

– Aucune idée. C'est bien pour ça qu'on devrait s'y mettre maintenant.

Elle acquiesça et se remit à commenter minutieusement chaque schéma. Je buvais ses paroles comme si c'était une question de vie ou de mort. D'ailleurs, c'était bien une question de vie ou de mort.

– Il faut garder en tête que ce n'est pas une question de force, dit mon père en arrivant dans notre dos. L'agent Stewart, par exemple, a battu tout le monde lors des derniers tests. Elle se déplace avec légèreté et fait beaucoup moins de bruit que les autres. En mission, la capacité à se mouvoir en silence est un énorme avantage. Sans compter que ses attaques sont d'une précision diabolique. Quand on est capable d'être précis au centimètre près, la force n'a aucune importance.

Jenni Stewart parut transportée de joie par le compliment de mon père, même si elle tentait de le cacher.

– Regarde attentivement l'image, et ensuite on essaie.

J'observai l'écran. Un homme assenait à sa victime un coup derrière le genou tout en l'étranglant. Le poids de l'assaillant s'abattait alors sur le pied de la cible, ce qui limitait le bruit de la chute, tandis que l'étranglement empêchait la victime d'émettre le moindre son.

Une fois la table basse déplacée, j'exécutai le mouvement à la perfection dès la seconde tentative.

– On dirait que junior dissimule au fond de lui un talent d'agent secret, remarqua Jenni.

– Ce sont des compétences essentielles dans la vie, dit mon père. Des choses que tout ado devrait connaître, n'est-ce pas ?

– Absolument, répondit-elle.

– Essaie donc le même mouvement avec moi, me suggéra mon père.

Devant ma longue hésitation, Jenni se mit à rire, ce qui me motiva pour réussir à battre mon père.

– Allons-y.

Je me focalisai sur son visage, imaginai Holly ou Courtney derrière lui, puis m'emplis de la frustration que me causaient ses secrets, ses mensonges, ses faux-semblants. Cette accumulation de sentiments me mit en ébullition et il y eut un genre de déclic en moi. Quelques instants plus tard, mon père suffoquait, le nez dans le tapis.

–Pas mal, Jackson, pas mal du tout.

Il était à l'évidence impressionné, mais, l'espace d'une seconde, je vis la douleur qui passait dans ses yeux. Je lui tendis la main pour l'aider à se relever.

– On recommence ? proposai-je.

Mon père acquiesça. Cette fois-ci, c'est lui qui me fit tomber avant que je puisse esquisser le moindre geste. Ces exercices durèrent encore une heure. Toutes les attaques sans exception furent expérimentées à plusieurs reprises, chacun de nous deux l'emportant à tour de rôle.

– Qu'est-ce qu'il y a d'autre au programme ? demandai-je.

Mon père, enfin, esquissa un petit sourire.

– Je peux te montrer comment on repère des micros dans une pièce.

– D'accord, dis-je en le suivant jusqu'à la cuisine.

– N'oubliez pas la fête de ce soir, lança Jenni. Ta copine a confirmé.

– Holly sera là ?

– C'est ce qui est prévu.

– Je croyais que c'était une blague, Papa.

– Voir des agents de la CIA discuter et dîner comme des gens normaux devrait calmer ses inquiétudes, dit-il en farfouillant dans un tiroir de la cuisine. Pour l'instant, tout ce qu'elle en connaît, c'est une attaque terroriste, une voiture où on l'a forcée à monter et l'ordre de n'en parler à personne.

Soudain me revint à l'esprit l'épisode du chiffon chloroformé qu'on m'avait mis sur le visage.

– Je suis surpris que tu n'aies pas cherché à modifier sa mémoire, ou un truc du genre, déclarai-je d'un ton aigre.

– Je me suis dit que cela ne te plairait pas.

– Effectivement, cela ne me plaît pas, confirmai-je pour que ce soit bien clair.

– D'accord. On fichera aussi la paix à Adam Silverman tant qu'il se tiendra à carreau.

Mon estomac se retourna. Ils connaissaient Adam.

– Mais, euh… il est complètement inoffensif. C'est la vérité, ce n'est pas sa faute si je lui ai raconté toutes ces conneries…

– Je viens de te dire qu'on lui ficherait la paix, coupa mon père. En revanche, il pourrait te fournir une aide précieuse au cas où tu souhaiterais acquérir de nouvelles compétences. Mais bon, je te dis ça comme ça.

Il avait raison : Adam pouvait m'enseigner plein de trucs scientifiques de geek. J'avais juste besoin d'être une minute seul avec lui pour pouvoir lui raconter tout ce qui s'était passé depuis hier.

Mon père déposa une petite lampe torche dans ma main et ouvrit le placard sous l'évier.

– La CIA possède des instruments de toutes sortes pour détecter les micros, mais je préfère commencer à l'ancienne. Fais comme si tu te trouvais coincé quelque part avec rien d'autre que le contenu des poches d'une personne lambda.

– Et ?

Il passa la tête sous l'évier et j'en fis autant.

– Ta toute nouvelle expérience en matière de plomberie devrait t'être utile. Une fois, j'ai eu pour mission de protéger le Président et j'ai trouvé des explosifs dans un tuyau de sa chambre au Plaza Hotel. De deux choses l'une : soit un membre des services secrets les avait posés, soit ils les avaient ratés pendant leur inspection.

Alors là, rien à dire, mon père était vachement plus cool que je l'imaginais. Même si c'était aussi un menteur de première.

CHAPITRE VINGT-SEPT

Non seulement Holly se montra à cette fête, mais en plus elle arriva accompagnée d'Adam.

– Je ne pensais vraiment pas que tu viendrais, lui chuchotai-je à l'oreille en prenant son manteau. Je croyais que tu avais peur de mon père ?

– La curiosité peut faire bon ménage avec la peur, dit-elle d'un air inquiet malgré son sourire.

– Je suis bien placé pour le savoir, marmonna Adam dans sa barbe.

Pendant l'après-midi, j'avais trouvé un peu de temps pour expédier par mail à Adam des scans de messages manuscrits codés, où je lui expliquais comment j'avais appris à maîtriser sa méthode de communication ultrasécurisée. Il m'avait fallu pas mal de temps pour lui envoyer l'intégralité des derniers événements sans me tromper et risquer de lui transmettre des choses complètement fausses. Maintenant qu'il avait connaissance de détails que je ne pouvais donner à Holly, il avait peut-être encore plus peur qu'elle.

– Tu habites vraiment ici ? dit Holly en admirant l'entrée. Tu me fais visiter ?

– Avec plaisir, répondis-je en la prenant par la main.

Je l'entraînai vers le salon, où une bonne vingtaine de personnes déambulaient en buvant du vin ou des cocktails. Je n'en connaissais aucune hormis le docteur Melvin, le chef Marshall et Jenni Stewart. J'ignorais même tout des autres invités.

– Merde alors, ce sont tous des agents secrets ? demanda Adam à voix basse pour ne pas attirer l'attention.

Je haussai les épaules et continuai de guider Holly à travers l'appartement, tandis qu'Adam entamait une discussion avec le docteur Melvin. Je gardais ma chambre pour la fin, sans trop savoir si elle serait prête à y entrer.

– Tu veux voir ma chambre ? dis-je sans conviction.

– Oh oui ! s'exclama-t-elle en souriant. J'ai une envie folle de jeter un œil à la chambre d'un riche délinquant juvénile.

J'ouvris la porte en riant.

– Je croyais t'avoir déjà expliqué que je ne suis pas un criminel.

Juste un type qui t'a déjà vue toute nue dans l'avenir. C'est pas tordu, ça ?

– Je sais, je te taquine, dit-elle en contemplant la pièce. Il n'y a rien de très passionnant, ici.

– Ben non, qu'est-ce que tu crois ? Je range tout mon matos de psychopathe dans une autre pièce.

Je lui pris la main et entrelaçai mes doigts dans les siens. Elle rougit et recula d'un pas.

– C'était pour rire… ajoutai-je.

– Je sais. Ce n'est pas le problème. C'est… autre chose.

– Quoi donc ?

– Bon, écoute, fit-elle en détournant le regard. Jana a une théorie : d'après elle, les deuxièmes baisers sont plus bizarres que les premiers... parce qu'on s'y attend, mais en même temps on n'est pas encore à l'aise avec l'autre.

Je voulus éviter de rire, mais impossible. C'était ça qui la gênait ? Elle me donna une petite tape, ce qui me fit rire encore plus.

– Excuse-moi, Hol. Je pensais qu'il y avait quelque chose de plus grave. Mais ça, c'est facile à régler.

– Pour toi, peut-être, dit-elle d'un ton légèrement amusé.

– Je vais te faciliter la tâche, Holly. Je n'attends rien. Fais ce que toi, tu as envie de faire. C'est la seule chose qui compte.

– Tu pourrais juste m'embrasser tout de suite, comme ça ce serait réglé, dit-elle d'une voix douce et hésitante.

– Non, désolé. L'intimidation, ce n'est pas mon genre. Tu as le choix des armes, cow-boy, dis-je en imitant l'accent sudiste de Jenni Stewart, lequel était devenu britannique ce soir.

Les joues de Holly passèrent du rose au rouge vif, puis elle me prit la main et m'entraîna vers la porte.

– Allons voir ce que fabrique Adam.

– Alors comme ça, tu n'as pas peur de te promener sur une barre à trois mètres du sol mais tu as peur de m'embrasser ? me moquai-je.

Cette idée m'amusait beaucoup, et je me rendis compte du chemin que Holly allait parcourir d'ici à 2009.

– Plus tard, sourit-elle.

– Je répète, c'est uniquement si tu en as envie.

– J'en ai envie, dit-elle en me tournant le dos pour s'engager dans le couloir.

***

– Tu dois rentrer pour quelle heure ? demandai-je à Holly, une fois le dernier invité parti.

Nous étions seuls dans le salon télé. Comme Adam avait un peu abusé du champagne, Holly et moi l'avions transporté jusque dans ma chambre et allongé sur mon lit.

– Euh, j'ai plus ou moins dit à ma mère que... je passais la nuit chez Jana, répondit Holly en piquant un fard. Je me disais, puisque Adam est déjà dans le potage...

– Donc, tu veux... rester ici ce soir ? m'étonnai-je.

– Désolée, je m'emballe. Je peux rentrer si tu préfères, dit-elle en commençant à se lever, mais je la retins sur le canapé.

– Sinon... tu peux rester.

– Tu es sûr ?

Elle posa la main sur ma joue. Je n'eus que le temps d'approuver d'un signe de tête, et elle m'embrassa avec une telle fougue que je fus contraint de m'allonger.

Je perdis toute capacité de penser pendant quelques minutes, jusqu'à ce que je demande grâce. Holly était étendue sur moi, les doigts dans mes cheveux, les lèvres sur mon cou, tandis que ma main s'égarait sous sa robe. Je m'obligeai alors à me souvenir qu'il s'agissait de Holly 007. Ce n'était pas la fille de dix-neuf ans bien trop responsable pour pouvoir agir impulsivement, et donc impossible à convaincre de faire quelque chose qu'elle ne souhaitait pas elle-même à cent pour cent. Avec Holly 007, ce pourrait être une autre histoire.

Ce que je fis ensuite exigea de moi plus d'efforts que toutes les techniques d'autodéfense que mon père m'avait inculquées aujourd'hui. Je me dégageai d'elle et me levai.

– Je vais me chercher à boire. Tu veux quelque chose ?

– Je veux bien de l'eau.

Elle se rassit alors sur le canapé puis fit redescendre sa robe juste au-dessus du genou.

Mon père se tenait devant le réfrigérateur, dont il examinait le contenu.

– Tu t'amuses bien ?

– Ça va, répondis-je en attrapant deux petites bouteilles d'eau minérale. Tu peux me rendre un service ?

– Lequel ?

– Trouve une excuse pour venir nous déranger d'ici cinq minutes, articulai-je à contrecœur.

Mon père finit par prendre la bouteille de lait avant de refermer la porte du frigo.

– Pourquoi ? dit-il.

– Parce qu'il faut croire que je suis devenu quelqu'un de bien qui culpabilise à l'idée d'aller trop loin avec une fille de dix-sept ans.

– Mais elle n'était pas si jeune quand tu es sorti avec elle en 2009, dit-il avec un léger sourire.

– Effectivement. Ce n'est pas comme avant... dans l'avenir... enfin, tu vois ce que je veux dire.

Alors que je m'apprêtais à repartir dans le salon, je me tournai de nouveau vers lui.

– Disons, peut-être dans dix minutes, d'accord ?

– Pas de problème, acquiesça-t-il en riant.

À mon retour dans le salon télé, Holly se tenait devant la bibliothèque et lisait les titres des DVD. Elle rajusta les bretelles et le haut de sa robe.

– Tu veux des vêtements pour la nuit ?

J'étais en quête de la moindre excuse pour quitter de nouveau l'intimité de cette pièce et couvrir au maximum la surface apparente de sa peau.

– J'aurais dû prendre un sac avec des affaires, mais j'ai fait tellement vite en sortant du boulot…

Après lui avoir donné sa bouteille d'eau, je lui indiquai la porte d'un signe de tête et elle me suivit dans le couloir. Ma main trembla un peu au moment de tourner la poignée de la chambre de Courtney. Holly me suivit d'un pas encore plus lent que le mien, tandis que je me dirigeais vers le placard. Mon père n'avait rien jeté. La pièce était impeccable, pas de poussière, rien. Tous les jours, la femme de ménage passait l'aspirateur, secouait le dessus-de-lit couleur lavande et soulevait les bibelots sur la commode pour les épousseter.

Holly passa le doigt sur le dessus de la coiffeuse blanche. Elle semblait hésitante, comme si elle avait peur de casser quelque chose, ou peut-être se rendait-elle compte qu'elle était entourée d'objets que leur propriétaire ne toucherait plus jamais.

J'entrai dans le dressing et passai tranquillement en revue les vêtements de Courtney rangés sur les étagères. Je vis les tennis rose et vert qu'elle portait en 2004, la première fois où je lui avais parlé lors d'un saut et où j'avais reçu une bonne leçon d'autodéfense.

Quand je finis par ressortir avec un jogging et un T-shirt à manches longues, Holly regardait fixement une des cartes de prompt rétablissement posées sur la coiffeuse. J'eus un coup au cœur en comprenant laquelle avait attiré son attention.

En décembre 2008, mon père avait réussi à rassembler assez de courage pour se débarrasser des affaires de Courtney, un acte nécessaire pour lui. Lorsque j'étais revenu à la maison pour les vacances de Noël, la chambre avait été vidée. Tout avait disparu, y compris cette carte que je voulais par-dessus tout conserver. Et pas simplement dans la maison, mais expressément dans sa chambre. Depuis que j'étais en 2007, je n'avais même pas pensé à venir vérifier si elle s'y trouvait encore.

À la vue de mon écriture, je sentis le chagrin grandir en moi. Non pas à cause des mots eux-mêmes, mais parce que Courtney n'avait jamais eu la chance de les lire.

Courtney,
Pour ma sœur préférée, qui est mille fois plus cool que ce que je veux faire croire. Voici une liste de quelques secrets que je ne t'ai pas révélés. Si tu la montres à qui que ce soit, je sors les photos de toi bébé toute nue et je les apporte au lycée.

TOUT CE QUE JE N'AI JAMAIS AVOUÉ À MA SŒUR (enfin, tout ou presque…)
Par Jackson Meyer

1. Tu ne sens pas mauvais, en vrai.
2. C'est moi qui t'ai mis du chewing-gum dans les cheveux, l'an dernier (il a fallu t'en couper quinze centimètres pour l'enlever).

3. Je n'ai jamais montré à mes copains cette photo où tu portes un chapeau bizarre. J'ai dit que je l'avais fait pour me venger, parce que toi tu avais parlé à Papa des DVD que je cachais sous mon lit (qui ne sont pas à moi et que je n'ai jamais regardés).

4. J'ai trouvé génial que tu aides Mme Ramsey à apprendre des chansons en espagnol aux enfants de l'hôpital.

5. Je suis SUPER ÉNERVÉ quand des mecs me disent que ma sœur est « canon ». Mais malgré tout ce que j'ai pu te dire, tu n'es pas moche.

6. Je me moque de toi à tous les coups, mais en fait je trouve ça mignon que tu pleures à la fin de *Titanic*. (À chaque fois !!)

7. Parfois, je ne sors pas le week-end sous prétexte que mes potes sont occupés, même si c'est faux, juste parce que je préfère passer du temps avec ma bêtasse de sœur.

8. J'ai peur de devenir différent si tu disparais. De ne plus être aussi bon.

9. Certains soirs, je n'arrive pas à m'endormir parce que j'ai peur que tu ne sois plus là à mon réveil. J'ai l'impression que si je continue à avancer, tu en feras autant.

10. Je ne peux pas m'empêcher de penser que je devrais être à ta place et... que tu penses peut-être la même chose. Et Papa aussi, qui sait ? Est-ce que tout le monde me regarde en se disant « t'es un veinard » ou « c'est ta sœur la meilleure » ?

11. Ma plus grande peur, c'est de dire... je t'aime. Même si c'est vrai. J'ai peur de dire ça, parce que c'est incroyablement définitif. C'est comme adieu. Mais je ne dis pas adieu. Jamais.

Si tu pouvais essayer de rester un peu plus longtemps, pour moi. Parce que je ne sais pas si je peux être moi-même sans toi.

Bisous,

Jackson

Je passai à côté de Holly et saisis la carte. Elle sursauta comme si je lui avais fais peur, et s'essuya les yeux du revers de la main.

– Pardon, je ne voulais pas...

– Pas grave.

Je repliai la carte et la gardai dans ma main.

– Que se passe-t-il ? demanda mon père, qui se tenait à l'entrée de la chambre, un petit sourire aux lèvres. Holly, prends ce que tu veux dans cette chambre. Il y a longtemps que j'envisage de donner une partie de ces affaires, mais... je ne... je n'arrive pas à m'y résoudre.

Les yeux de Holly allaient de mon père à moi.

– Tiens, ça devrait t'aller, dis-je en lui mettant les vêtements dans les bras.

– Je suis vraiment désolée, s'excusa-t-elle de nouveau en plongeant les yeux dans les miens. Je n'aurais pas dû regarder...

– Ne t'en fais pas pour ça.

Je me penchai vers elle et l'embrassai sur le sommet du crâne. Elle m'accorda un dernier regard rapide, puis partit vers la salle de bains au bout du couloir. Je voulus sortir à mon tour, mais mon père me prit délicatement la carte des mains et l'ouvrit.

– J'avais l'habitude de la lire tous les soirs après ton coucher.

– C'est vrai ?

– Est-ce que je parviens à me débarrasser de tout ça... dans l'avenir ?

C'était l'une des premières questions personnelles qu'il me posait sur 2009.

– Oui, de tout, y compris de cette carte.

– Alors, tu peux la garder, dit-il en me la tendant avec un sourire.

– Je ne la lui ai jamais donnée, remarquai-je en la faisant tourner entre mes doigts. Pourtant, j'en avais envie...

Mon père me posa la main sur l'épaule.

– Je suis certain qu'elle le savait.

J'en étais moins sûr que lui. Mes yeux cherchèrent les siens.

– Je l'ai vue, Papa. Je ne voulais pas te le dire, mais...

– Quand ça ? demanda-t-il, le visage empreint de tristesse et de fascination. Je veux dire, en quelle année ?

– Quand elle avait quatorze ans, puis quand elle en avait douze. Elle a séché l'école et on a passé la journée ensemble.

Et merde ! Je venais juste de me contredire sur les salades que j'avais servies à mon père et au chef Marshall, hier : je leur avais dit que je n'avais effectué que deux sauts, aussi brefs l'un que l'autre. Et jamais en 2003. C'était trop tard pour revenir là-dessus. J'attendis la réaction de mon père, qui me regardait bouche bée.

– Tu lui as parlé ? finit-il par dire. Est-ce qu'elle était au courant de...

Aurais-je réussi à détourner son attention en évoquant Courtney ? *Rêve toujours, oui !*

– Je lui ai tout expliqué et elle m'a cru. Elle a flippé au début et puis... elle l'a accepté.

Mon père appuya sa tête contre le chambranle de la porte et ferma les yeux.

– Elle me manque énormément.

– Je sais.

Il rouvrit les yeux et mit son bras en travers de mon chemin.

– C'est faux, Jackson... ce que tu as écrit. Je n'ai jamais souhaité que tu sois à sa place. Je n'aurais jamais pu choisir entre vous deux. Tu le sais, ça, n'est-ce pas ?

– Maintenant, oui, je le sais, répondis-je.

En retournant dans le salon télé, je ne pouvais m'empêcher de penser que je venais peut-être d'assister au plus beau numéro d'enfumage de l'histoire de la CIA. À moins que, peut-être, mon père n'ait enfin, pour la toute première fois depuis des années, révélé sa vraie nature, enfouie sous la carapace soigneusement élaborée de l'agent secret.

Holly tressaillit quand j'ouvris la porte. Elle était de dos face aux étagères, encore une fois, mais je la vis s'essuyer les yeux d'un geste rapide et discret avec la manche du T-shirt de Courtney. Je me précipitai vers elle et la fis pivoter.

– Hol, je ne t'en veux pas du tout, je te le jure.

J'entourai son visage de mes mains. Elle ferma les yeux et hocha la tête.

– Je sais. C'est juste que... c'était une très belle lettre.

Je lui séchai les joues du bout des doigts tout en me rappelant l'effet que ses larmes avaient eu sur moi après notre dernière grosse dispute en 2009. J'avais tellement l'habitude de la Holly 009 solide comme un roc que voir

Holly 007 s'effondrer de la sorte me semblait... totalement surréaliste.

– Je ne voulais pas te faire de peine, lui dis-je.

Elle me prit la main et m'entraîna vers le canapé, où elle se blottit contre moi. Elle posa ses lèvres sur les miennes. Je fermai les yeux et soupirai. Son corps se serrait contre le mien.

– Je suis prête à entendre tes secrets, même les plus tristes, murmura-t-elle.

Je l'embrassai et lui caressai le dos sous son T-shirt, espérant que mon père se souviendrait de sa promesse avant que je me perde dans l'exaltation du moment et que j'oublie à quelle Holly j'avais affaire. J'étais en train de l'embrasser dans le cou lorsque mon père entra dans la pièce.

– Oh, pardon, j'avais oublié que vous étiez ici.

Comme prévu, Holly devint rouge comme une pivoine. Elle accepta de regarder un DVD avec moi et s'endormit au bout d'un quart d'heure, les pieds posés sur mes genoux. Je la recouvris d'un plaid et sortis. Le poids de la soirée me comprimait la poitrine et je savais que j'aurais du mal à dormir sans rien prendre.

Je me dirigeai vers le bar. À l'instant où je me versais un verre de Crown Royal, mon père apparut. Je planquai vivement la bouteille sous le comptoir, mais je savais qu'il m'avait vu.

– C'est juste parce que...

– Verse-m'en un aussi, dit-il avant que j'aie fini ma phrase.

Je remplis un autre verre en silence. Mon père se posa sur l'un des tabourets de bar et engloutit son whisky cul sec.

– Papa, je peux te poser une question ?

– Bien sûr.

Je bus une longue gorgée dans l'espoir que l'alcool me donnerait du courage.

– Comment t'es-tu retrouvé avec un enfant comme moi ? Dans la mesure où tu travailles pour une équipe des services secrets qui s'occupe de monstres dans mon genre ?

– Je me doutais que tu finirais par me poser la question, un jour ou l'autre.

– C'était juste une coïncidence ?

– Non. Ta sœur et toi étiez une mission pour moi.

– Comment ça, une mission ?

– Une mission à durée indéterminée pour laquelle je me suis porté volontaire avec enthousiasme.

– Donc, tu ne voulais pas d'enfants au départ, enfin, tu ne l'avais pas prévu ?

– Non, pas vraiment, mais tu devines sans doute pourquoi. Dans mon travail, il n'y a pas de place pour une vie personnelle. Sauf quand elle se confond avec le travail, ou plutôt quand ils se confondent avec le travail, dit-il dans un sourire en se levant.

Alors qu'il s'apprêtait à sortir de la pièce, je l'interpellai.

– Et l'agent Edwards ? Il était chargé de nous protéger ?

– D'où connais-tu l'agent Edwards ? dit-il sans se retourner.

Ce changement de ton me poussa à dire la vérité.

– Je l'ai croisé... dans le passé.

– Tu es remonté aussi loin que ça ?

Autrement dit, Edwards n'est plus de ce monde.

– Qu'est-ce qu'il lui est arrivé ?

– Il a été assassiné, il y a dix ans, répondit mon père en revenant vers moi.

– Par qui ? demandai-je, sous le choc.

– Par les autres. Les EDT.

Il s'éloigna en secouant la tête avant que je puisse poursuivre mes questions. M'en avait-il dit plus qu'il n'aurait dû ? Ou avait-il réintégré la peau de l'agent Bourre-moi-le-mou ? J'avais tellement envie de faire confiance à mon père que je risquais d'ignorer les signes qui auraient dû m'en dissuader.

CHAPITRE VINGT-HUIT

Je m'éveillai en sursaut sans autre raison qu'un mauvais pressentiment. Peut-être avais-je fait un rêve dont je ne me souvenais pas. J'avais manqué de faire basculer mon fauteuil en me redressant si brusquement, et je jetai des regards inquiets dans toute la pièce. Holly dormait toujours en chien de fusil sur le canapé, dans la position où je l'avais laissée plusieurs heures auparavant. Je remontai la couverture sur ses épaules et me dirigeai vers ma chambre au bout du couloir. Adam était étendu en travers de mon lit et devait commencer à ressentir les effets de la gueule de bois.

À peine avais-je refermé la porte de ma chambre que j'entendis des voix provenant de la cuisine.

– Je ne vois aucune raison de le pousser, disait mon père.

Je m'approchai aussi discrètement que possible et me glissai derrière la porte du placard de l'entrée, qui était restée ouverte.

– Il nous ment. S'il n'avait pas été recruté par l'opposition, quelle raison aurait-il de mentir ? répondit le chef Marshall, dont la voix grave et autoritaire était parfaitement identifiable. Ça fait des années qu'on vous laisse jouer le rôle du père afin de gagner sa confiance, et pour quel résultat ? Il vous

311

accorde si peu de confiance qu'il ne vous a rien dit quand il a découvert ses capacités.

Mon père leur avait-il révélé ma gaffe de la veille, lorsque j'avais évoqué mes rencontres avec Courtney lors de différents sauts ? Pourquoi n'aurait-il rien dit à Marshall alors qu'il ne lui cachait jamais rien ? J'étais paralysé, attendant de voir si les choses allaient s'aggraver.

– Il appartient à une ligne temporelle parallèle, indiqua mon père. Je ne suis pas responsable des temporalités parallèles ou des événements à venir.

– Nous sommes tous responsables des événements à venir, tonna Marshall.

– Il a peut-être simplement peur, intervint le docteur Melvin. Il appartenait à un monde tout petit et insignifiant, qui, d'un seul coup, est devenu gigantesque.

Au fait, ils ne craignaient pas que j'entende leur conversation ?

– Melvin, vous, votre boulot consiste à trouver le hic et à y remédier, rétorqua Marshall. Il n'est pas question que l'Agence perde son temps à s'occuper des sentiments de ce pauvre petit alors qu'il pourrait déjà nous être utile.

Leur être utile ? J'en avais l'estomac tout retourné.

– Attendez un peu, chef, dit mon père. Aucune mission particulière n'a encore été définie.

– Et pourquoi ça ? Tout simplement à cause d'une expérience foireuse que le docteur Melvin a passé la moitié de sa vie à mettre au point. Or la situation a un peu changé, répliqua Marshall.

Une expérience foireuse. Ça empirait de minute en minute.

– Donnez-lui un peu de temps… Vous auriez dû voir sa vitesse de réaction pendant la stimulation organisée, dit mon père. Pas question de commencer aujourd'hui.

Aujourd'hui ? Je ressentais un véritable malaise physique à force d'essayer d'absorber tout ce qu'ils étaient en train de dire. Et bientôt ce fut le trop-plein. Mes jambes avancèrent toutes seules vers la cuisine. Là, je trouvai les trois hommes assis devant des tasses de café.

– C'est quoi, cette expérience ? demandai-je d'emblée.

Ils me dévisagèrent sans mot dire. Ce fut mon père qui brisa le silence.

– On discute d'un projet ultrasecret. Ne t'inquiète pas.

C'est tout ? Ils me prenaient pour un môme de cinq ans ou pour un abruti congénital ?

– Vous devriez peut-être avoir vos conversations d'adultes dans un autre endroit si vous ne voulez pas que j'entende.

– Tu as entendu quoi exactement ? s'enquit Marshall.

– Tout, répondis-je en serrant les poings. Alors, vous m'expliquez cette histoire d'expérience. Et tout de suite !

Melvin se leva d'un bond et s'approcha de moi en examinant mes yeux comme si j'avais été victime d'une commotion.

– Tu comprends ce que je suis en train de te dire ?

– Vous êtes sûr qu'il va bien ? dis-je en regardant mon père et Marshall par-dessus l'épaule du médecin.

– Oui, fit Marshall. Mais il est un peu surpris que tu aies pu comprendre notre conversation étant donné que nous parlions tous les trois en farsi.

– Pardon ? m'exclamai-je en m'éloignant de Melvin. En farsi ?

– Ça a marché en une seule nuit ! s'écria celui-ci. C'est incroyable !

Marshall se tourna vers mon père.

– Ah, quand même ! Après des millions de dollars investis, nous allons peut-être enfin pouvoir tirer profit d'Axelle.

Axelle ?

Cette fois-ci, j'entendis la différence : il ne parlait pas anglais. Je frottai mes mains moites sur le pantalon chic que j'avais gardé d'hier soir.

– Mais qu'est-ce que vous m'avez fait, putain ? Vous m'avez bombardé le cerveau de micro-ondes dans une saloperie électromagnétique ?

Le docteur Melvin fourragea dans un tiroir, en sortit une petite pince, puis s'approcha de moi, en la pointant vers mon œil.

– Ne bouge pas.

Je restai figé tandis qu'il insérait la pince dans mon oreille. Il en retira un minuscule objet métallique que je regardai comme s'il s'agissait d'un cafard. Je me sentais sali, souillé.

– Cet appareil émet des sons pendant ton sommeil. Je l'ai programmé pour qu'il diffuse des leçons de langues. Simple enregistrement, expliqua le docteur Melvin de la voix calme que je lui connaissais si bien depuis l'enfance. Cela fonctionne comme pour les schémas que tu as étudiés hier, avec la mémoire photographique. Sauf qu'ici il s'agit de mémoire auditive.

– Mais comment puis-je comprendre une langue que personne ne m'a jamais enseignée ? Je suis incapable de dire le moindre mot en farsi. Et pourtant je n'ai pas entendu la moindre différence avant que vous ne me le fassiez remarquer.

Je me passai la main dans les cheveux. Il fallait que j'en sache plus. *Enregistre maintenant, tu analyseras plus tard. Tu paniqueras plus tard.*

– Tu ne peux pas parler la langue parce que la parole est une faculté mécanique. Il faut s'entraîner à former les mots, tout comme on s'entraîne à lancer une balle ou à faire du vélo, comme toi à six ans, dit Melvin.

– Cela signifie simplement que tu peux absorber les informations comme une éponge, précisa mon père. Tu ne peux pas savoir des choses qu'on ne t'a pas enseignées. Ton intelligence est supérieure à la moyenne, mais ton QI reste très inférieur à celui des génies. Il y a une différence entre les deux.

– Voilà qui est rassurant, murmurai-je. Alors c'est ça, l'expérience ? C'est ça, Axelle ? Vous me faites écouter des trucs ?

Du regard, Melvin consulta mon père, qui consulta Marshall, qui consulta sa montre, avant de déclarer :

– Nous n'avons pas le temps de tout expliquer. Attendons de voir s'il parvient à se sortir tout seul de la situation.

– Qui ça ? Moi ? Quelle situation ?

Mon père sursauta.

– J'ai entendu du bruit dans le couloir, dit-il.

Je voulus déguerpir avant qu'ils ne puissent réagir, mais j'entendis des pas dans mon dos. C'était Holly qui sortait du salon télé en titubant et en se frottant les yeux. Elle s'immobilisa en nous voyant.

– Oh, pardon. Je voulais juste voir où tu étais passé, me dit-elle.

Elle n'avait pas l'air dans son assiette. Elle tendit la main devant elle et tâtonna pour l'appuyer sur le mur, avant d'y poser le front.

Je m'approchai et mis mes mains sur ses épaules.

– Holly, tu te sens bien ?

– Hein ?

– C'est les médicaments, ça, constata Melvin.

– Quels médicaments ?

Je tentai en vain de me retourner tout en maintenant Holly, qui ne tenait pas debout.

– C'est le protocole à suivre pour sa protection, expliqua Marshall.

– Rien à foutre de votre protocole ! Et toi, tu les as laissés faire ? criai-je en fusillant mon père du regard.

Je relevai Holly qui était tombée par terre. Elle avait les yeux mi-clos et ses mains tâtonnaient toujours dans le vide. Quand elle toucha mon visage, elle les laissa posées sur mes joues. Je la portai alors dans mes bras jusque dans le salon.

– C'est le nom suivant, Jackson, dit mon père si doucement que je l'entendis à peine. Le nom suivant sur la Liste de Marshall.

Ce fut comme si on m'avait assommé. Je leur fis face, lentement.

– Holly est en danger ? Pourquoi ?

– Nous venons de le découvrir. C'est ce dont nous étions en train de discuter quand tu es arrivé, indiqua mon père.

– La fille n'est qu'un moyen pour t'atteindre, enchaîna Marshall. Enfin, l'un des moyens, car je suis sûr qu'il y en aura d'autres. Selon moi, tu les as fait entrer en piste avec ton saut de 2009, qui leur a révélé tes pouvoirs. Jusque-là, nous avions réussi à les convaincre que tu étais sans danger… normal.

Je sentis mes jambes se dérober sous moi et j'eus du mal à déposer Holly sur le canapé. Elle marmonna quelque chose puis se remit en chien de fusil, le visage contre les coussins.

Je m'assis par terre, du côté de sa tête. C'était ma faute si j'étais coincé ici. Et pareil pour tout ce qui était arrivé à Holly. Rien à voir avec un mauvais karma, juste une raison très concrète. Si seulement je ne m'étais pas lancé dans ces expériences à la noix avec Adam, si j'en avais parlé à quelqu'un… Malgré ma gorge serrée, je réussis à articuler quelques mots.

– Pourquoi ces types m'ont-ils demandé de venir avec eux ? Et pourquoi voulaient-ils savoir si j'avais été contacté par les services secrets ?

Je m'interrompis et regardai Marshall, toujours très calme, qui hochait la tête comme si je venais de répondre à ma propre question.

– Les Ennemis du temps. Ils veulent me faire passer de leur côté, devinai-je d'une voix rauque.

– Oui, confirma mon père. Mais nous allons tout mettre en œuvre pour qu'il ne t'arrive rien, Jackson. À toi ou à Holly, car nous savons désormais ce qui se trame.

Soudain, les yeux du docteur Melvin s'écarquillèrent, tandis que mon père et Marshall dégainaient et pointaient leurs pistolets vers l'arrière du canapé. Je me levai d'un bond et me trouvai nez à nez avec une femme. Je remarquai aussitôt ses cheveux.

D'un roux flamboyant. Comme ceux de Courtney. On aurait dit une version adulte de ma sœur. Pendant un instant, tout flotta autour de moi, j'oubliai le danger et faillis prononcer son prénom tout haut. Et si elle était capable de voyager dans le temps, elle aussi ?

Puis je me souvins que Courtney n'avait jamais fêté son quinzième anniversaire.

Chassant cette pensée de mon esprit, je reconnus l'homme qui se tenait à sa droite : le rouquin tailladé par la chaussure de Holly. Il y avait aussi un grand type brun à côté de la femme. Aucun d'entre eux n'était armé.

– On ne cherche pas la bagarre, dit la femme, les mains en l'air. On a un message de Thomas.

Le docteur Melvin tira sur mon T-shirt pour me rapprocher de lui et m'éloigner des cinq personnes qui se faisaient face. Marshall et mon père contournèrent le canapé, obligeant les trois intrus à reculer vers le fond de la pièce.

– Tu as cinq secondes, Cassidy, prévint Marshall.

Cassidy. Je gravai ce nom et ce visage dans ma mémoire.

– On vient récupérer le môme pour le ramener d'où il vient, dit le taillladé.

– Hors de question, rétorqua mon père.

– Il est sorti de son chemin principal et Thomas pense que cela comporte des risques, autant pour vous que pour nous, ajouta Cassidy.

C'était qui, ce Thomas ? Le P-DG des Ennemis du temps ?

Pour la toute première fois, je vis le visage de Marshall commencer à se décomposer. Il avait peur, car il croyait ce que les intrus venaient de dire. L'hypothèse évoquée par Jenni, les lignes temporelles qui se percutent, la fin du monde, les cerveaux qui explosent, me revint en mémoire.

Je doutais fort que Marshall se fasse trop de souci pour mon cerveau, mais l'autre possibilité me donna un coup au cœur.

Pouvaient-ils effectivement me ramener là-bas, en 2009 ? Sans réfléchir une seconde à ce que je faisais, je pointai du doigt le tailladé.

– Qu'est-ce que vous foutiez là-bas... dans la chambre de Holly ? Qu'est-ce que vous... enfin, qu'est-ce que l'autre type...

Il m'était impossible de verbaliser ce qui était arrivé à Holly. Le tailladé hocha la tête.

– Nous étions tous persuadés que tu constituais une menace. Il est clair aujourd'hui que sa mort était une erreur et que tu ne savais pas que nous existions.

Dans le profond silence qui s'abattit sur la pièce, j'entendis nettement le léger cliquetis de la détente quand mon père posa le doigt dessus.

– Agent Meyer, vous n'agirez que quand je vous en donnerai l'ordre, dit Marshall d'une voix posée mais ferme.

Sans me quitter des yeux, le tailladé sortit très lentement quelque chose de sa poche. Je m'approchai et vis une photo de Holly et moi en maillot de bain, assis au bord de la piscine du centre aéré.

Holly 009 et moi.

– Où avez-vous eu ça ?

– C'est moi qui l'ai prise. Je me suis dit qu'un petit rappel ne pourrait pas te faire de mal. Ton monde, c'est celui-là.

Il voulait la même chose que moi et ça me terrifiait. À croire que j'étais déjà de leur bord, alors que je n'avais pas vraiment envie d'être d'un bord ou d'un autre. Ce n'était peut-être pas les bons contre les méchants, ils avaient peut-être tous un peu de bon et de méchant. Comme les gangs qui s'affrontent.

– Mais...

– Ne crois pas tout ce qu'ils disent sur nous, m'interrompit-il. On n'est pas si affreux. Je me disais que tu pourrais venir vérifier par toi-même, mais j'ai l'impression que le petit Frankenstein du docteur Melvin est incapable de sortir de la programmation qu'on lui a imposée.

Je m'avançai encore et plongeai pour m'emparer de la photo. Sans savoir pourquoi, je ne supportais pas l'idée qu'il puisse la posséder. Il para mon attaque si promptement que je n'eus pas le temps de comprendre ce qui se passait.

– Ils ne veulent pas que tu saches comment on saute pour de vrai, car cela ferait de toi une menace. Moi, je peux te montrer comment t'en aller à ta guise. Je peux te dire où et quand tu peux te retrouver avec elle, en sécurité, conclut-il en me collant la photo sous le nez.

Il était sans doute aussi capable, sinon plus, que mon père et Marshall de tuer quelqu'un rapidement et sans effort. Mais en l'occurrence, il ne cherchait pas à me supprimer : il se contentait de me faire une offre.

– Étant donné les circonstances, je crois avoir mon mot à dire concernant son bien-être, fit Cassidy en regardant mon père. Beaucoup plus que vous, en tout cas.

Mon père écumait de rage. Alors, le brun qui n'avait pas encore ouvert la bouche bondit sur lui et lui arracha le pistolet de la main en le projetant au sol. Je sautai aussitôt par-dessus le canapé pour protéger Holly en faisant rempart de mon corps. Lorsque je levai la tête, je vis disparaître Cassidy et le tailladé.

Pendant quelques instants, réalisant ce qui venait de se passer, je fus incapable de respirer ou de réfléchir. Marshall ouvrit le feu en direction de l'endroit où s'étaient trouvés les assaillants, mais sa balle ne trouva que le mur. J'écrasai un peu plus le corps de Holly et entendis alors un autre coup de feu, suivi d'un cri de douleur.

– Merde ! hurla Marshall.

Je m'écartai de Holly sans trop savoir si je pourrais me mettre debout. Je ne connaissais que trop bien ce bruit de détonation. Le docteur Melvin se releva lentement tandis que mon père, debout devant le brun, lui pointait son revolver sur la poitrine. L'homme mystère avait été touché à la jambe. Du sang imprégnait son pantalon, il avait le visage tout pâle et laissait échapper des râles.

Une question occupait tout mon esprit : *Pourquoi ne saute-t-il pas ?* Je me souvins alors de 1996 : la peur m'avait empêché de me concentrer pour m'enfuir. La douleur devait agir de la même manière sur lui.

Plein d'angoisse, je m'approchai du blessé. Marshall fit un signe de tête.

– Agent Meyer, interrogez le témoin, je vous prie.

D'un coup de pied dans le ventre, mon père retourna l'homme sur le dos. Je regardais la scène, les bras ballants.

– De quelle année arrivez-vous ? cria mon père en se penchant au-dessus de lui.

Aucune réaction.

– Votre nom ? demanda-t-il encore.

– Il s'appelle Harold, indiqua Marshall. C'est l'un des rejetons du docteur Ludwig.

Le docteur Ludwig ? C'est qui, celui-là ?

– Alors, Harold, de quelle ligne temporelle es-tu parti ? Cite-nous un événement important.

– Vous êtes morts, tous autant que vous êtes, mais je ne vous dirai pas quand ! rétorqua-t-il avec un ricanement dément et menaçant. Tous, sauf toi, Jackson, ajouta-t-il en relevant la tête pour me regarder. Toi, tu ne meurs pas. Réfléchis bien. Ne les écoute pas.

J'étais incapable de bouger. *Qu'est-ce qu'il veut dire exactement ?*

– Il ne nous servira à rien, déclara Marshall avec un soupir exaspéré. J'en ai fini avec lui. Agent Meyer ?

Mon père pointa son pistolet et logea deux balles dans la poitrine de l'homme. Je levai le bras pour me protéger le visage du sang qui nous éclaboussa tous. Mon instinct de survie se réveilla lorsque je vis que la poitrine du blessé se soulevait encore et je m'agenouillai près de lui.

Il n'était même pas armé. Il n'avait rien fait de répréhensible, à part essayer de désarmer mon père, ou peut-être l'empêcher de tirer sur quelqu'un. Et il était en train de mourir, là, sous nos yeux.

J'ôtai mon sweat-shirt et m'en servis pour comprimer sa poitrine. Je cherchai sa jugulaire du bout des doigts et sentis un pouls très faible.

– Docteur Melvin, faites quelque chose ! Il respire encore !

– Je ne sais pas si on doit... commença Melvin sans bouger.

– Qu'est-ce qui vous prend ? Vous êtes médecin, il n'est pas encore mort.

Je pressai un peu plus encore sur mon sweat-shirt déjà trempé de sang. Cette scène fit remonter en moi les images de Holly en 2009.

– Écarte-toi, Jackson, dit mon père. Tout de suite.

Il m'était impossible de le regarder. Comment avait-il pu faire ça ? Et avec un tel détachement ? Il m'attrapa par le bras, mais je me dégageai aussitôt.

– Je t'interdis de me toucher !

Quelques secondes plus tard, Marshall m'avait coincé contre le mur. Il me dominait, le visage sombre, fulminant de rage.

– J'ai voulu te laisser une chance de prouver à ton père ce dont toi et moi savons que tu es capable. Non seulement je n'ai pas pu démontrer que j'avais raison, mais nous avons manqué l'occasion d'abattre deux Ennemis clés.

J'entendis mon père dire quelque chose à Marshall, mais je fus incapable de savoir quoi en raison du sang qui me battait dans les oreilles. Les schémas observés sur l'ordinateur défilèrent dans mon esprit et en deux temps trois mouvements, j'avais cloué Marshall au sol, sur le dos, à côté du mourant.

– C'est quoi, Axelle ? hurlai-je.

Marshall se releva en un éclair et enserra ma gorge de ses mains.

– Si je mets ta vie en danger, tu finiras peut-être par avouer que tu mens sur ce que tu es capable de faire ou non.

Du coin de l'œil, j'aperçus mon père qui s'approchait de Marshall. Mais je ne pouvais pas le regarder. Je regardai

Holly, allongée sur le canapé, sans défense, puis revins sur Marshall, dont le visage très calme et décidé se trouvait à quelques centimètres du mien. De ses mains il empêchait l'air de sortir de mes poumons. Je tentai en vain de me dégager de son étreinte. Mon regard rencontra celui du docteur Melvin, l'homme qui détenait toutes les réponses, le cerveau du mystérieux projet Axelle, et sans doute le seul ici à être incapable de me casser la figure. Si seulement je pouvais me retrouver seul avec lui...

Un plan se forma alors dans mon esprit, à condition que je sois en mesure de le réaliser : réussir un saut entier pour retourner en 2009, vers la ligne temporelle que j'avais abandonnée. Au moins, je pourrais protéger Holly et obtenir d'un docteur Melvin qui ne se méfierait pas toutes les infos dont j'avais besoin.

Une chose était très claire, en tout cas : pas question de servir d'arme à qui que ce soit. Mais au moment où je tentai de sauter, les cris du docteur Melvin et de mon père me déconcentrèrent. Je me sentis coupé en deux : ce n'était qu'un demi-saut. Et si Marshall continuait à m'étrangler pendant que je devenais un légume dans ma *home base* ?

De toute façon, il était trop tard.

CHAPITRE VINGT-NEUF

Je m'ébrouai, soulagé d'avoir échappé à l'étreinte de Marshall, puis regardai autour de moi. C'était mon appartement. La maison. J'étais réapparu comme par magie à l'endroit exact que j'avais quitté, mais il était différent. Les meubles du salon avaient complètement changé. Je n'avais effectué qu'un demi-saut, mais en plus, je n'étais pas revenu en 2009. Je pris ce constat en pleine figure. À cet instant précis, Holly 007 était évanouie dans une pièce pleine de gens suspects où je me trouvais tel un légume, sans doute sur le point de mourir étranglé ou abattu d'un coup de pistolet. Néanmoins, comme le temps s'écoulait plus lentement là-bas, si je pouvais élaborer un plan avant d'y retourner… *Un truc un peu mieux qu'un énième retour en 2009 raté.*

Je consultai l'horloge du décodeur numérique de la télé. 7 h 05.

Aucune lumière ne provenait de l'extérieur par la fenêtre : c'était donc le soir. Mais quel jour étions-nous ? En quelle année ? Je perçus un bruit de pas sur le parquet du couloir et me collai contre le mur. Puis, je passai la tête pour regarder : c'était moi. Un moi plus jeune qui se dirigeait vers la chambre de Courtney.

En voyant ce qu'il tenait à la main, je sus instantanément de quel jour il s'agissait. Mon cœur s'accéléra et je fus pris de nausées. J'avais évité cette date à chacun de mes sauts. Quand j'étais arrivé pour la première fois en 2007 et que j'avais essayé en vain de retourner en 2009, j'avais toujours ressenti une terrible appréhension à l'idée de me retrouver un jour ici. Maintenant.

Le Jackson de quatorze ans entra dans la chambre et je m'approchai discrètement de la porte.

C'était le jour de la mort de ma sœur.

Je ne voyais pas toute la chambre, mais je me vis prendre la carte et la mettre debout sur la commode. Je n'avais pas besoin de voir, d'ailleurs, tant le souvenir demeurait vivace, même après toutes ces années. Je savais exactement ce qui allait se passer ensuite.

Pour être sincère, j'avais oublié une partie de cet épisode, jusqu'à ma rencontre avec Holly 009. Une conversation que nous avions eue m'envahit l'esprit.

– *C'est à croire que tu n'as rien à raconter de normal sur ta vie familiale. Genre la tante un peu barge avec un coup dans le nez qu'il faut se farcir, ou le plat qu'il faudra apporter au prochain repas de famille*, avait déclaré Holly pour me taquiner.

– *Ne pas être de la classe moyenne comme toi ne veut pas dire que je n'ai pas de problèmes de famille ordinaires auxquels l'argent ne peut rien*, dis-je en riant.

– *Très bien*, fit-elle avec une moue dubitative. *Alors révèle-moi un secret de famille ras des pâquerettes, que l'argent ne peut pas résoudre, et je te promets de ne plus jamais te relancer là-dessus.*

Je cherchai l'histoire adéquate pour lui rabattre le caquet.

– *Ça y est, je sais. Courtney avait une peur bleue du tonnerre. Dès qu'elle voyait des éclairs, elle traversait le couloir en courant*

pour me sortir de force de mon lit et elle m'obligeait à venir dormir
par terre dans sa chambre.

– *Et tu la laissais faire ?*

– *C'était le seul moyen de l'empêcher de hurler.*

– *C'est bien une réaction de frère. Désolée d'avoir mis ta parole*
en doute.

Le jour de la mort de Courtney, ce jour où je me trouvais,
j'avais eu la sensation que c'était en train d'arriver. Comme
si quelque chose en moi s'éteignait. Sans même y penser, je
m'étais rendu dans sa chambre pour m'allonger par terre. Je me
souviens d'avoir mis le nez dans le tapis pour en sentir l'odeur
et m'être dit que jamais plus elle ne me demanderait de rester à
côté d'elle. Jamais plus elle ne me réveillerait à 2 heures du matin
pour me sortir de mon lit douillet et me faire dormir sur le sol
froid et dur de sa chambre. Je crois bien avoir décidé ce jour-là,
à quatorze ans, que je ne voulais plus jamais me retrouver seul
comme ça, le nez enfoncé dans le tapis de quelqu'un d'autre.

Je tâtai la poche gauche de ma chemise. Mon exemplaire
de la carte était là, plié dans une petite poche de mon portefeuille. Et cet exemplaire-là comme l'autre n'avaient pas atteint
leur destinataire.

Mon cœur manqua de bondir hors de ma poitrine quand retentit la chanson des Beatles qui me servait à l'époque de sonnerie de
téléphone. Le jeune Jackson sursauta également, puis soupira en
consultant le numéro qui s'affichait. Il éteignit son portable et le
jeta dans le couloir, puis il ferma la porte d'un coup de pied.

C'était un appel de mon père, et la chambre de Courtney
était le dernier endroit où il aurait eu l'idée de venir me
chercher. Je voulais l'éviter. Lui comme tout le monde.

Je m'appuyai contre le mur et fermai les yeux de toutes mes forces, réprimant l'envie de repartir. Mon arrivée ici n'était pas fortuite, et j'avais l'occasion de faire les choses correctement, même si cela n'avait aucune importance. Même si cela ne devait pas modifier l'avenir.

Par chance, les portiers m'ignorèrent quand je sortis de l'immeuble. Je hélai un taxi pour l'hôpital. Pendant le trajet, je sortis une petite coupure de presse, froissée et jaunie après cinq années passées dans mon portefeuille, car j'avais oublié un détail.

À la mémoire de Courtney Lynn Meyer

Ce 15 avril 2005, à 22 h 05, Courtney Meyer, âgée de quatorze ans, domiciliée à Manhattan, a perdu son combat contre le cancer, entamé il y a trois mois.

22 h 05. C'était dans moins de trois heures. Je me souvenais de l'étage et du numéro de chambre. J'étais venu lui rendre visite bien des fois, surtout au début. Je ne savais pas comment elle allait réagir en me voyant plus vieux de cinq ans, ni même si elle serait consciente.

Je me faufilai devant le poste des infirmières dès qu'elles eurent le dos tourné. La voix de mon père m'arrêta net. Je me cachai derrière une grande poubelle et vis ses pieds arriver vers moi. Il avait le téléphone collé à l'oreille. Il s'arrêta juste devant ma cachette, m'obligeant à retenir mon souffle

– Jackson, où es-tu, bon sang ? dit-il d'un ton irrité. Excuse-moi, je ne voulais pas te crier dessus. Rappelle-moi, s'il te plaît, au moins pour me dire si ça va.

Et il partit en courant vers la sortie. C'est alors que je me rendis compte que lui non plus n'avait peut-être pas été présent jusqu'à la fin. Courtney était seule. Je me remis debout et, sans me faire voir du personnel, me glissai dans sa chambre, la plus grande de l'hôpital, toujours remplie de fleurs, de cartes et de cadeaux. Je refermai la porte et fus pris aussitôt de l'envie de repartir. Je savais ce qui allait se passer et c'était un fardeau trop lourd, comme si j'avais un semi-remorque garé sur la poitrine.

Courtney était toute pâle, couchée sur le côté. Sans ses cheveux roux, on n'aurait pu la distinguer des draps blancs stériles. Le moniteur au-dessus de sa tête cliquetait comme une horloge égrenant les minutes.

Sans trop savoir comment, je réussis à mettre un pied devant l'autre et à m'approcher du fauteuil que mon père venait sans doute d'abandonner à l'instant pour aller me chercher. Courtney ouvrit lentement les yeux, puis les plissa comme pour faire le point sur mon visage.

– Jackson ?

Je ne pus que répondre d'un signe de tête en retenant mes larmes.

– Tu as l'air très différent... Ça doit être la morphine, dit-elle.

Le son de sa voix, le constat que la vie s'accrochait encore à son corps... c'en était trop. Je voulus me lever, mais elle coula ses doigts froids entre les miens.

– Ne t'en va pas. Je ne t'ai pas vu depuis une éternité.

– Je ne m'en vais pas, promis-je en rapprochant le fauteuil.

Et je lui étreignis la main.

Elle sourit et ses paupières papillotèrent, mais elle se força à garder les yeux ouverts.

– Moi aussi, je déteste cet endroit. Pas étonnant que tu n'aies jamais envie de venir.

Ce fut à ce moment que je craquai. Je me penchai pour presser mon front sur les draps gelés et vis les larmes couler le long de mon nez et tomber sur le lit.

– Pardon, Courtney, pardon, pardon, pardon.

– Ce n'était pas du tout un reproche, fit-elle en me caressant la tête de ses doigts froids, avant de tapoter l'espace libre sur le lit à côté d'elle. Viens donc t'asseoir près de moi, je gèle.

Je m'essuyai les yeux du revers de ma manche et posai la tête sur son oreiller. Courtney se rapprocha et mon cœur battit plus fort. J'avais l'impression de voir un fantôme.

– Tu es tout chaud ! constata-t-elle en mettant ma main sur sa joue. Ça te fait peur d'être ici, hein ?

– Oui, mais je ne partirai pas, c'est promis, l'assurai-je en plongeant mon regard dans ses yeux verts, qui brillaient plus que jamais.

– Ferme les paupières, murmura-t-elle. Moi, ça m'aide quand je veux m'évader. Et maintenant, raconte-moi quelque chose de génial, qui n'a rien à voir avec l'hosto, la maladie ou la médecine.

Je fermai les yeux et me contraignis à parler d'une voix égale. Je lui racontai la même chose qu'en 2004.

– J'ai une copine.

– C'est pas vrai ! dit-elle dans un souffle. C'est qui ?

– Elle est dans un autre lycée, dis-je en lui passant la main dans le dos pour la masser doucement.

– Comment tu l'as rencontrée ?

– C'est une très belle histoire. Tu veux que je te la raconte ?

– S'il te plaît !

– Tu vois les grandes portes du YMCA ? Le petit escalier qui se trouve devant ? Eh bien, j'étais presque en haut du perron quand cette fille me rentre dedans. Elle lisait en marchant, apparemment.

– Elle lisait quoi ?

Je repoussai une mèche de cheveux de son front.

– Je savais que tu allais me demander ça. Un John Grisham. Bref, elle me fonce dedans et me renverse son smoothie rose géant sur les chaussures. Nous voilà à patauger dans les fraises congelées, et c'est là que je remarque ses yeux bleu pâle.

– Trop romantique ! pouffa Courtney. Mais ça m'étonnerait que ce soient ses yeux que tu aies regardés en premier.

– Parole d'honneur. Je te jure que c'est vrai. Bon, je ramasse son livre et je lis le nom inscrit à l'intérieur : *Holly Flynn*, avec une grande boucle pour faire le H. J'ai trouvé ça trop craquant, mais je ne pouvais pas le lui dire. C'est vrai, personne n'écrit plus son nom sur un livre.

– Moi si, murmura Courtney. Et ensuite ?

– Eh bien, je lui ai tendu son livre et elle m'a souri. Je ne pensais qu'à une seule chose : l'embrasser. Juste pour voir ce que ça ferait. Je savais que ce serait différent avec Holly, que tout serait différent.

– Mon frère est amoureux… Je n'aurais jamais cru entendre ça un jour, chuchota-t-elle en souriant.

Je déposai un baiser sur son front.

– Comme tu as froid, dis-je.

– Jackson, je veux que tu me promettes quelque chose.

– Tout ce que tu veux.

– Épouse la fille au smoothie et fais-lui plein d'enfants. Au moins six. Tu en appelleras une Courtney et une autre Lily. J'ai toujours adoré ce prénom.

– Je sais, tu l'as donné à cinq ou six de tes poupées. Mais je n'ai que dix-neuf ans, c'est un peu jeune pour le mariage...

Elle ouvrit grand les yeux et je compris que son cerveau brassait les hypothèses les plus folles, puis que la panique s'emparait d'elle. Elle manqua de s'étouffer.

– Tu n'es pas vraiment Jackson, n'est-ce pas ?

– Chut, tout va bien, fis-je en la prenant dans mes bras. C'est bien moi, un peu plus âgé, c'est tout.

– Mais d'habitude, on ne se croise pas ici. C'est moi qui viens te voir.

– Oui, je sais, dis-je même si je ne comprenais pas ce qu'elle disait.

Malgré ma révélation impromptue, elle demeurait très calme et ça me mit hors de moi. L'absence de coups de poing ou de hurlements ne pouvait s'expliquer que par les grosses quantités de morphine qu'on lui administrait parce que sa vie ne tenait plus qu'à un fil.

– Je suis très fatiguée, dit-elle dans un bâillement, alors que son corps se détendait.

Je jetai un coup d'œil à l'horloge au mur. Il n'était que 20 h 45. Conscient qu'elle allait bientôt disparaître, j'eus soudain peur quand elle ferma les yeux de nouveau. Je savais à quoi m'attendre puisque je l'avais déjà vue dans un cercueil, mais qu'importe, je voulais empêcher que cela ne se produise. En tout cas, retarder ce moment. Lui offrir un peu de temps.

– Courtney ! Reste avec moi, je t'en prie. S'il te plaît... la suppliai-je en la secouant doucement par les épaules. Encore un tout petit peu.

Je posai ma tête sur ses cheveux. Elle essuya les larmes sur mes joues d'un revers de main.

– Tu as des poils sur la figure. Ça pique !

– Je t'aime, répondis-je en riant. Tu le sais, n'est-ce pas ?

– Moi aussi, je t'aime, dit-elle alors que sa main glissait sur mon cou, comme si elle n'avait plus la force de la tenir. Tu ne m'as toujours pas promis d'épouser la fille au smoothie et de lui faire six enfants. Et de prendre un chien.

– Je te le promets, murmurai-je à son oreille pour qu'elle entende bien, ce qui lui arracha un grand sourire. Qu'est-ce qu'on choisit comme chanson pour le mariage ?

– Voyons...

– Je sais ce que tu vas dire, la taquinai-je avant d'entonner sa chanson favorite : *I see the bad moon arising.*

– Exactement. Mais ce n'est pas terrible pour un mariage...

Je sentais déjà sa respiration s'affaiblir. Je voulais faire bonne figure, continuer à parler et maîtriser mes émotions, mais c'était trop dur. Courtney s'apprêtait à partir pour un endroit très lointain et je me sentais plus seul que jamais.

Je m'essuyai le nez du revers de la manche et soulevai son menton pour m'assurer que ses yeux étaient toujours ouverts.

– Courtney, tu as mal quelque part ?

– Non, ça va, assura-t-elle malgré la douleur qui se lisait sur son visage.

– Courtney, dis-moi la vérité.

Ses yeux étaient remplis de larmes.

– Oui, j'ai mal... J'ai mal partout... Et ce qui fait le plus mal... c'est de s'accrocher. Comme si mes doigts étaient au bord d'une falaise et qu'ils n'arrêtaient pas de glisser.

Voilà pourquoi elle avait tenu pendant encore deux heures, la première fois. Elle attendait que nous venions. Que quelqu'un vienne. Je la serrai encore plus fort dans mes bras et sentis les larmes couler deux fois plus vite.

– Pardon. Je devrais être à ta place. C'est moi qui devrais être à ta place.

– Non, Jackson. Ne dis pas ça, jamais ! protesta-t-elle d'une voix plus vigoureuse.

Je pris une profonde inspiration pour m'obliger à ne plus pleurer.

– Tout va bien, Courtney. Endors-toi. Tout va bien. Tu n'as plus mal.

– Merci, chuchota-t-elle.

Alors, je vis la mort arriver. L'image était très nette : les articulations des doigts toutes blanches, les doigts agrippés à un rocher, et puis le soulagement immédiat après avoir lâché prise. Cette chute libre pendant laquelle on ne sent plus rien, sinon l'air. Plus de pesanteur. Plus de douleur.

Je caressai ses cheveux et, à travers mes larmes silencieuses, surveillai sa respiration qui se fit hachée, puis s'arrêta.

Les bips de la machine firent place à un son continu. Je perçus des pas lourds heurtant le sol carrelé du couloir.

Je murmurai un dernier au revoir et fermai les yeux, me concentrant exclusivement sur Holly, allongée par terre dans sa chambre, blessée et seule. C'était l'endroit où je devais être.

Juste avant de sauter, j'entendis la voix du docteur Melvin qui s'exclamait d'un ton surpris :

– Jackson ?!

***

Je n'ouvris même pas les yeux en retournant à ma *home base* de 2007. Je me sentis de nouveau en un seul morceau. Le chef Marshall avait lâché ma gorge. La pièce était vide, mais je sentais qu'ils étaient tout proches, prêts à me sauter dessus. J'entendis la voix de mon père juste avant de tenter le saut complet vers le 30 octobre 2009, une fois de plus. *Pourvu que ça marche, ce coup-ci.*

CHAPITRE TRENTE

De l'eau glacée éclaboussa mon visage. Je me mis à tousser et à hoqueter dans une odeur de chlore. La moiteur de l'air me fit oublier l'impression de froid que je ramenais de l'hôpital.

Quant à ce saut... Je n'avais rien ressenti. Pas de déchirement. Un saut complet. J'en avais enfin réussi un autre. Mais à quelle date ? Il faisait beaucoup trop chaud pour un 30 octobre.

– Il est peut-être soûl, dit une voix.

– Non, c'est la fièvre porcine, sûr et certain, fit une autre.

J'ouvris un œil et fus presque aveuglé par le soleil. Une douzaine de petits yeux s'approchèrent alors de moi.

– Pourquoi tu es habillé comme en hiver ?

Je me redressai brusquement et les enfants bondirent en arrière.

– Oh, non ! m'écriai-je.

– Tu vas bien, Jackson ? s'inquiéta une petite fille.

Je me levai de ma chaise et partis à reculons, manquant de tomber dans la piscine.

– Euh... on est en quelle année ? demandai-je, ce qui fit glousser les enfants.

– En 2009. Ça se confirme : il est soûl, déclara l'un d'entre eux.

2009. J'avais réussi, j'y étais revenu. J'espérais en tout cas qu'il s'agissait de la même ligne temporelle.

– Hunter, personne n'est soûl, dit une voix bien connue dans mon dos.

Je me tournai et tombai nez à nez avec Holly. Je la pris par les épaules.

– On est en quelle année ?

– C'est quoi ces vêtements ? dit-elle, les sourcils froncés, en m'examinant des pieds à la tête. Tu t'es changé quand ?

– Je n'en sais rien, répondis-je lentement.

Toujours vêtu du gros pull et du pantalon chic que j'avais mis pour la soirée chez mon père en 2007, je sentais déjà la sueur me dégouliner dans le dos. Il devait faire au moins 30 °C. Adam arriva derrière Holly, les yeux tout ronds.

– Aïe, aïe, aïe ! lâcha-t-il.

– Adam, ouf ! On est en quelle année ? Depuis combien de temps est-ce que tu me connais ?

– Il va bien ? dit Holly en riant, mais on sentait la nervosité la gagner.

– Euh… c'est sans doute la chaleur, dit-il avant de me prendre par le bras. Viens donc te mettre à l'ombre. On est en août 2009 et on se connaît depuis… mars dernier.

OK, je suis sur la bonne ligne temporelle. Il ne se souvient pas de notre rencontre en 2007. L'année était également la bonne, en revanche j'avais raté le bon mois… et le bon jour. Mais si cela fonctionnait comme lorsque j'avais sauté vers 2007, mon avatar un peu plus jeune devrait avoir disparu. Ce qui signifiait que j'aurais peut-être le temps de réparer les choses. Ou, mieux encore, d'empêcher qu'elles n'aient lieu.

Je le suivis à l'écart de la piscine. À l'ombre d'un arbre, je me laissai tomber sur l'herbe puis m'allongeai, le regard perdu dans les branches qui se balançaient. Holly vint s'agenouiller près de moi et posa la main sur mon front.

– Tu veux un peu d'eau ?

Sans lui répondre, j'empoignai le T-shirt d'Adam.

– Je ne sais pas si je suis véritablement ici, enfin tu vois... dans ma *home base*.

– Mais tu transpires... tu es affecté par la chaleur... donc tu y es forcément ! s'étrangla-t-il.

– Je sais, oui.

– Il faut demander de l'aide, dit Holly, qui commençait à paniquer.

– Pas la peine ! s'exclama Adam. C'est juste à cause... des vitamines que j'ai fabriquées avec des plantes de la serre. Jackson s'est proposé comme cobaye. Je crois qu'il a des hallucinations.

– Oui, plein. J'hallucine à fond.

– Merde, marmonna Adam dans sa barbe.

– Mais t'es malade, ou quoi ? s'écria Holly en le poussant. Tu ne peux pas fabriquer des trucs comme ça et les faire avaler aux gens ! Et si tu l'avais empoisonné ?

– Ça va aller, dit Adam en m'aidant à me relever. C'est 100 % naturel. Mais on devrait peut-être aller à l'hôpital, au cas où.

Il était en train de m'éloigner de Holly. Or je ne pouvais supporter l'idée de la quitter des yeux.

– Attends ! Il faut que je...

– Ce qu'il faut, c'est que tu me suives, immédiatement ! dit Adam.

Je le repoussai et tombai à genoux devant Holly, toujours assise dans l'herbe, pour la serrer fort dans mes bras.

– Tu m'as tellement manqué.

– Sans déconner, Adam, tu lui as donné quoi ? Il est complètement à côté de ses pompes.

Je la relâchai, mais pris son visage entre mes mains et déposai un baiser sur ses lèvres.

– Pardon d'être parti.

Elle ôta doucement mes mains et se releva, les yeux fixés sur Adam.

– Je rassemble les gamins, dit-elle. Occupe-toi de lui, tu veux ? Prends la voiture de M. Wellborn.

Je retournai m'asseoir dans l'herbe et fermai les yeux. Quelques instants plus tard, je sentis Adam me secouer par les épaules.

– Elle est partie.

– Je ne me doutais pas que tu étais aussi malingre à seize ans…

Je sursautai comme si un tremblement de terre venait de se produire. Mon plan… l'expérience du docteur Melvin.

– Il faut faire quelque chose. Aller quelque part.

À cet instant, dans cette ligne temporelle, personne à la CIA n'avait connaissance de mes capacités. Ils n'avaient aucun soupçon. Il me fallait donc agir vite avant qu'ils ne s'en rendent compte.

Je mis rapidement Adam au courant de ce que Marshall avait dit sur l'expérience. J'étais persuadé que ça allait l'emballer, mais il restait bloqué sur l'implication de la CIA et mon purgatoire en 2007, au point de ne pas me poser les questions vraiment importantes.

– Incroyable ! Ton avatar a disparu en 2007 ? C'est trop zarbi ! Je fais des recherches sur les voyages temporels depuis longtemps, mais je ne m'attendais pas à ça.

– Le plus délirant, c'est qu'ils ont totalement pété les plombs quand je leur ai dit que je m'étais vu plus jeune, pendant le demi-saut. Comme s'ils n'avaient encore jamais entendu parler d'un truc pareil, alors que le docteur Melvin est censé être un spécialiste de ce gène mutant.

Adam secouait la tête, incrédule, jusqu'à ce qu'il pousse enfin l'énorme soupir qu'il retenait depuis un long moment.

– Il faut qu'on y aille, lui rappelai-je.

– J'ai un short et un T-shirt de rechange pour toi. Tu vas mourir d'un coup de chaleur avec ces vêtements, dit-il en se dirigeant vers le bureau du centre aéré.

– Attends ! Où était l'autre moi avant que j'atterrisse ici ? Il faut s'assurer qu'il est bien parti. Imagine qu'un saut vers le futur ou une autre ligne temporelle ça ne fonctionne pas comme d'habitude ? On ne peut pas laisser deux versions de moi se balader dans la nature.

– Tu étais près de la piscine, répondit Adam en se retournant vers moi. Tu surveillais ton groupe pendant une leçon de natation.

Pour plus de sécurité, Adam demanda par radio à tous les employés du centre s'ils n'avaient pas vu mon avatar, celui qui était habillé pour le travail... et le mois d'août. On ne pouvait pas se permettre de prendre le moindre risque. Cela dit, je n'avais jamais laissé mon groupe sans surveillance pendant un cours de natation et le sac de mon double, avec le portefeuille à l'intérieur, avait été abandonné près du bassin. Ça non plus, je ne l'aurais jamais fait.

Une fois convaincu que mon état de santé nécessitait des soins, certes, mais pas forcément une ambulance, le directeur du centre nous prêta sa voiture pour que nous puissions nous rendre à l'hôpital voir le docteur Melvin. Sur le trajet, j'eus enfin le temps d'expliquer les choses plus en détail à Adam.

Il prit mon histoire beaucoup plus sereinement que la plupart des gens ne l'auraient fait. Mais bon, c'était Adam, aussi…

– Voilà où j'en suis, dis-je, à mesure que le plan se formait dans ma tête. On sait que le docteur Melvin dirige une espèce d'expérience démente dont je fais partie. Si on imagine que les données sont stockées dans son ordinateur, est-ce que tu penses pouvoir les récupérer ? Les copier, enfin bref, ce que font les superhackers dans ton genre ? Si ça te semble faisable, ça m'éviterait un nouveau saut temporel. Je ne veux pas risquer de révéler mes pouvoirs.

Si ce n'est déjà fait.

– Si les données s'y trouvent, je peux les pirater. Il y a peu de réseaux qui m'ont résisté jusqu'à présent.

– La vache ! Tu sais que la CIA se damnerait pour t'embaucher, fis-je en souriant, puis je me souvins de l'essentiel : Le projet s'appelle Axelle. Je ne sais pas si le fichier aura ce nom-là, mais le docteur Melvin a forcément fait plus d'une expérience dans sa vie.

– Compris. La vraie question, c'est : est-ce que je peux réussir cette opération sans me faire tuer ?

– Et sans mes superpouvoirs.

Je marquai une pause pour réfléchir.

– Je vais faire semblant d'être blessé, repris-je.

– Tu pourrais foncer dans un poteau pour avoir une belle bosse sur le front.

– Sûrement pas. Rien qui puisse nécessiter un scanner de la tête.

– Exact, j'avais oublié. Ta dernière IRMf, c'était quand ?

– En juin, fis-je en soupirant. Juste avant mon anniversaire.

– Alors, tu crois… qu'il sait ?

Je regardai par la vitre. J'y avais beaucoup pensé en 2007.

– Il sait quelque chose. C'est obligé. Il n'a pas forcément exploité l'info d'une mauvaise manière, mais tout laisse à croire qu'il l'a.

– Bref, tu ne sais pas qui veut te protéger et qui veut te dézinguer.

– C'est ça. À partir de maintenant, je suis d'un seul côté : le mien.

Adam acquiesça d'un air compréhensif.

– Je crois que tu y es depuis le début, de ton côté.

Je savais bien que ce n'était pas dit méchamment, mais cela ne fit que remuer le couteau dans la plaie : j'étais tout seul dans mon univers. Dans ma ligne temporelle.

La montée en ascenseur jusqu'à l'étage du docteur Melvin me rappela celle que j'avais effectuée en 2007 avec mon père. Je décidai de simuler un mal de dos, parce que beaucoup de gens en souffrent sans qu'un médecin puisse voir quoi que ce soit à l'examen.

Melvin sortit de son bureau et vint à ma rencontre.

– Jackson ? Qu'est-ce qui t'est arrivé ?

– Il est tombé euh… d'un plongeoir, inventa Adam.

– Enfin, disons que je suis plutôt tombé dessus.

– Tu marches, c'est déjà bon signe, affirma le docteur Melvin en me faisant entrer dans une salle d'examen vide.

– Ça vous dérange si mon copain attend dans votre bureau ?

– Non, pas du tout, répondit Melvin.

Je fis un signe de tête à Adam, qui partit s'enfermer dans le cabinet.

***

– Mais comment tu as su lequel c'était ? demandai-je.

Le simple fait de penser à la suite de ma question me serra la gorge.

– À moins que tu n'aies eu le temps de le lire ?

Nous étions en train de rentrer chez moi dans la voiture de M. Wellborn et Adam jubilait que nous ayons réussi notre grand coup de bluff. Avant de quitter 2009, j'aurais trouvé cela énorme, moi aussi, mais après avoir risqué ma vie autant de fois en 2007, duper le docteur Melvin avait ressemblé à une promenade de santé.

– J'ai réussi à entrer dans son ordi. J'ai trouvé des fichiers codés dont l'historique indiquait qu'ils n'avaient pas été ouverts depuis un mois. Je les ai copiés sur une clé USB et j'arriverai peut-être à les déchiffrer à la maison.

Il s'arrêta devant mon immeuble et se tourna vers moi, le visage soudain grave.

– Je sais que tu veux aller voir ton père pour obtenir des réponses, mais je crois qu'il faut que tu sois prudent. Laisse-moi le temps de décrypter les fichiers. De ton côté, emmène Holly loin d'ici, où tu veux, et restez-y jusqu'à ce qu'on en sache plus. Quand je pense que cet EDT de 2007 avait une photo de Holly prise en 2009, ça m'angoisse.

– Il ne me reste plus qu'à la convaincre, soupirai-je.

– Elle viendra, c'est sûr, dit-il avant de consulter sa montre. Tu as environ dix minutes avant que le car n'arrive au YMCA. Ensuite, elle rentrera chez elle. Tu as tout intérêt à lui parler maintenant.

Je sortis de la voiture avec mon sac de cette année, qui n'avait pas encore fait le voyage en 2007. Au moins, j'avais un téléphone et des cartes de crédit en bonne et due forme. Je n'avais aucune envie de me faire arrêter comme en 2007. Dans le portefeuille que j'avais ramené avec moi, j'avais aussi deux fausses cartes officielles fabriquées par Adam 007, l'une du FBI, l'autre de la CIA, qui me semblaient tout à fait authentiques. Assez en tout cas pour tromper le premier venu ou des flics de base.

Adam parti, le portier me salua.

– Vous auriez la deuxième clé de ma voiture ? lui demandai-je. J'ai besoin d'aller faire une course.

– Bien sûr, monsieur, répondit-il en insérant sa propre clé dans un boîtier sécurisé.

Holly s'apprêtait à descendre du car quand je me garai devant le YMCA. Sans éteindre le moteur, je sortis de la voiture et m'approchai. Dès qu'elle fut devant moi, je l'enlaçai.

– Pardonne-moi.

– Tu es sûr que ça va ? fit-elle.

– Oui, je crois. Écoute, Hol… Allons autre part, tu veux ?

Elle regarda le cortège des enfants sortant du car pour entrer dans le bâtiment.

– Il faut qu'on attende que les parents viennent les chercher.

– Adam s'en occupe. Il est en train de garer la voiture de M. Wellborn. S'il te plaît, suppliai-je dans un sourire en lui caressant les joues du bout des doigts.

Elle acquiesça, mais d'un air dubitatif. Je la pris par la main et lui ouvris la portière.

– Tu es venu en voiture ?

– Je suis allé la chercher pour l'occasion.

– Je ne t'ai jamais vu conduire. Tu sais conduire, au moins ?

Je me mis au volant, claquai la portière et attendis qu'elle se soit installée.

– T'inquiète pas, je vais très bien m'en sortir.

– Tu trouves ça prudent de manipuler un gros engin comme celui-là après t'être fait empoisonner par Adam ?

J'avais oublié que Holly 009 n'avait aucune confiance en mes capacités à me comporter de façon responsable. Je lui pris la main et la posai sur mon genou.

– Tout va bien, je t'assure.

– Où va-t-on ?

– Loin, très loin, répondis-je avec un sourire alors que nous quittions New York. Tu as ton passeport ?

– Tu ne peux pas t'empêcher de blaguer, toi !

– Alors, choisissons un endroit où on peut se rendre en voiture. Disons, à cinq heures d'ici ?

– Et on rentre quand ?

– Eh bien… dimanche soir.

Son visage se fit grave. Elle me croyait à présent.

– Genre petit week-end en amoureux ?

– Oui, rien que toi et moi en tête à tête.

– C'est totalement délirant.

– Voilà justement pourquoi il ne faut pas s'en priver, dis-je en lui lançant un regard aussi intense que possible.

Elle sourit.

– Comme tu voudras, après tout… Je trouverai bien une excuse pour ma mère.

Elle posa la tête sur mon épaule et je serrai sa main dans la mienne.

– Dors un peu. Je te réveillerai quand on sera arrivés.

Elle ne s'endormit pas. Au contraire, elle me pressa de questions sur notre destination.

– Martha's Vineyard ? proposa-t-elle après une vingtaine d'indices.

– Gagné. Comme je sais que tu aimes la plage, on va aller dans cette station balnéaire géniale où mon père m'avait emmené en vacances, il y a quelques années.

***

À l'hôtel, après avoir procédé à l'enregistrement, je tendis à Holly une des deux clés de la chambre. Elle pressa ses mains sur ses tempes et commença à se les masser.

– Je n'arrive pas à croire que je suis en train de faire ça !

– Je ne te ramènerai pas trop tard, si tu veux, lui dis-je en l'entraînant vers notre chambre.

Juste avant d'introduire la carte magnétique dans la fente, elle se tourna vers moi.

– Dis-moi ce qui se passe. Tu es en train de fuir quelque chose ?

C'était l'occasion de dire la vérité... enfin, si on veut. Je pris une profonde inspiration et acquiesçai d'un signe de tête.

– Oui, j'ai eu une engueulade avec mon père et il fallait que je me barre. Et comme je ne voulais pas me barrer tout seul...

Bon, « engueulade » était sans doute un doux euphémisme, sans compter qu'elle avait eu lieu sur une ligne temporelle différente et au cours d'une autre année. Mais je n'avais aucune confiance en mon paternel, ça c'était vrai, et me trouver dans la même pièce que lui me semblait tout sauf une bonne idée, en l'état actuel des choses.

Holly se mit sur la pointe des pieds et m'embrassa sur le front.

– La prochaine fois, explique, ça m'évitera de paniquer. Moi aussi, j'ai déjà fui ma mère. Mais ça s'était limité à un week-end avec Jana, c'était moins chiadé que ça.

– Mais sinon, c'est la même chose, n'est-ce pas ?

Elle acquiesça, puis ouvrit enfin la porte.

– On aurait quand même pu prendre un sac.

– Quand on est un enfant gâté comme moi et qu'on fugue, on fait chauffer la carte de crédit des parents, dis-je en la poussant doucement dans la chambre. Ça fait partie de la rébellion. Ce dont on aura besoin, on l'achètera.

La porte se referma toute seule. Holly fit le tour de la suite des yeux.

– Ça doit coûter bonbon...

Mon téléphone sonna. Constatant qu'il s'agissait d'Adam, je répondis.

– Salut, ça va ?

– Je suis sur le point de rentrer dans les fichiers. Je voulais juste m'assurer que tu allais bien. Tu vas bien, hein ?

– Oui, super, Adam. Je t'appelle s'il se passe quoi que ce soit.

Je raccrochai. Holly fit voler ses chaussures et s'écroula sur le lit.

– Tu as envie de voir la plage ? dis-je. On va se balader, si tu veux.

– Je viens juste d'enlever mes chaussures.

Alors, je la pris par les mains et l'obligeai à se relever, puis la portai dans mes bras.

– Et hop, pas besoin de chaussures !

– Je vais juste faire comme si tout ceci n'était pas un rêve, dit-elle en éclatant de rire, les bras autour de mon cou.

– Moi pareil, confirmai-je avant de lui embrasser le bras. Parfois, j'ai du mal à séparer la réalité de… du reste.

Je ne la reposai par terre qu'une fois sur le sable. Le paysage était vraiment magnifique. Si j'avais effectivement eu le temps de planifier un week-end romantique avec Holly, j'aurais certainement choisi cet endroit.

– J'adore la plage au crépuscule, dit-elle.

– Moi aussi.

Je ne fis que quelques pas avant de m'asseoir, car je ne tenais pas à trop m'éloigner de notre hôtel bien éclairé et grouillant de monde.

– Merci de m'avoir permis de te suivre dans ton étrange rébellion.

– Je t'ai énervée tout à l'heure, hein ? Quand on était au bord de la piscine.

– Énervée, non...

– Alors explique-moi ce qui te tracassait.

– Tu as dit un truc avant le déjeuner, quand tu étais stone après avoir avalé la drogue d'Adam ou je ne sais quoi... mais peu importe.

Je ne savais plus ce que je lui avais raconté avant de revenir dans cette année, mais c'était vers cette époque que j'avais commencé à l'éviter à cause des expériences temporelles qui se multipliaient.

Je levai ses mains et les posai sur mes joues, puis pris une profonde inspiration.

– Je ne sais pas comment te dire ça sans te faire paniquer...

– Trop tard, me dit-elle d'une voix déjà inquiète. Tu ne peux pas lâcher un truc pareil et croire que je ne vais pas paniquer.

– Je t'aime, laissai-je échapper à la seconde où elle eut fini sa phrase.

Je demeurai immobile. Sur son visage, l'inquiétude céda la place à la stupéfaction. Ses yeux s'emplirent de larmes et elle se détourna vers l'océan.

– Tu n'es pas obligé de dire ça... Je suis juste heureuse d'être ici avec toi.

– Holly, regarde-moi.

Comme elle ne bougeait pas, je lui tournai doucement la tête. Des larmes roulaient sur ses joues. Elle les essuya d'un geste vif, puis ferma les yeux, sans doute pour ne pas avoir à me regarder.

– Pardon, dit-elle.

– Mais pourquoi ?

– Parce que je t'ai donné l'impression que tu devais me dire ça. J'aimerais me moquer de ce que tu penses, j'aimerais pouvoir... ne pas en vouloir plus.

– Je t'aime, répétai-je en rapprochant mon visage du sien.

– Arrête, s'il te plaît, murmura-t-elle. C'est ma faute si...

Je posai alors un doigt sur ses lèvres pour la faire taire.

– Je t'aime de toute mon âme, mais je ne te l'ai jamais avoué parce que tout est toujours si absolument génial entre nous et je ne sais pas si on peut vraiment en être sûr... tant que les choses vont bien.

Elle rouvrit les yeux et je compris que, cette fois-ci, enfin, elle me croyait peut-être.

– Tu es sérieux ?

– Oh que oui ! dis-je en riant. Je suis sérieusement, complètement, amoureux de toi.

– Moi aussi, dit-elle en mettant ses bras autour de mon cou. Je veux dire, moi aussi, je t'aime.

Je l'attirai sur le sable et me mis à la couvrir de baisers.

– Beurk ! fit une petite voix derrière nous.

Holly s'écarta de moi pour voir deux enfants que leurs parents s'empressaient d'éloigner. Elle se mit à rire et m'embrassa sur la joue.

– Tu m'as fait pleurer, c'est nul !

– Pleure autant que tu veux, du moment que tu es heureuse.

– Je suis heureuse.

Je l'étais aussi. Malgré tout le reste.

***

Je sortis de la douche et nouai une serviette autour de ma taille. Quand je revins dans la chambre, Holly dormait profondément, allongée sur le ventre au milieu du lit. Le peignoir blanc fourni par l'hôtel avait glissé, révélant le caractère japonais tatoué sur son omoplate. Je savais très bien de quelle Holly il s'agissait, mais cette marque était quand même bien commode. Je pourrais peut-être la convaincre de se faire tatouer 009 juste en dessous.

Elle avait sombré pendant les quelques minutes que j'avais passées dans la salle de bains, mais il faut dire qu'il était presque minuit. J'enlevai le sable de mes vêtements, puis me rhabillai avant de me pencher sur Holly.

– Je file faire quelques courses. Tu as besoin de quelque chose ?

Elle ouvrit à moitié les yeux puis les referma.

– Je suis réveillée, je viens avec toi.

– Dors, répondis-je en remontant la couverture sur elle.

– Des sous-vêtements, marmonna-t-elle.

Je jetai un coup d'œil au maillot de bain qui traînait par terre et qu'elle avait dû porter sous sa tenue de travail.

– On est vraiment partis la fleur au fusil. Je verrai ce que je trouve. Au fait...

– Quoi ?

– J'ai ma clé, alors n'ouvre à personne, d'accord ?

Elle fit oui de la tête et je sortis sans un bruit. Dans le hall, il y avait une boutique ouverte 24 heures sur 24 dont la quasi-totalité des articles portait le logo de l'hôtel. Holly et moi allions devenir de vraies publicités ambulantes. La vendeuse, qui s'était assoupie sur sa chaise, derrière la caisse, sursauta quand j'entrai.

– Vous cherchez quelque chose en particulier ?

– Euh, oui. La compagnie aérienne a égaré la valise de mon amie et il lui faut des vêtements, des sous-vêtements, tout ça…

Je prélevai deux T-shirts dans une pile, un small et un medium.

– Quelle taille ? demanda la vendeuse.

Du coin de l'œil, j'aperçus une enfant rousse qui s'emparait d'une carte de l'hôtel sur le comptoir de la réception, en face de la boutique.

– Euh, je ne sais pas trop, répondis-je. Donnez-m'en un de chaque. Excusez-moi, je reviens tout de suite.

En quelques enjambées, je me retrouvai à la réception. L'enfant fit demi-tour et se dirigea vers une autre salle, sur la droite. Soit je devenais fou, soit il s'agissait de la petite fille que j'avais vue au zoo en juin de cette année. Mais celle-ci semblait plus petite, plus jeune d'un ou deux ans. Elle s'avança dans un renfoncement où se trouvaient des distributeurs de nourriture et de boissons. Je m'adossai à un mur en attendant qu'elle réapparaisse. Il était minuit passé. Que faisait donc une enfant à se promener seule à une heure pareille ?

Je patientai encore une minute, puis, n'entendant rien, j'allai jeter un coup d'œil dans le renfoncement. Personne. Elle avait disparu. Or, elle aurait forcément dû passer devant moi.

Je repartis, perplexe. Du sommeil. Il me fallait du sommeil ou, en tout cas, quelque chose de normal. Une journée banale pour mettre un terme à toutes ces pensées délirantes… parce que, visiblement, je commençais à avoir des hallucinations.

L'homme en uniforme de l'hôtel qui patrouillait dans le hall se tourna vers moi lorsque je m'approchais de la boutique.

– Bonsoir, monsieur, dit-il.

Le badge qui ornait sa veste portait le prénom « John ».

– Vous n'avez pas vu une petite fille rousse, dans le hall ?

– Non. Vous cherchez quelqu'un ?

– Non, non, fis-je en essayant d'avoir l'air calme. C'est juste que je trouve étrange de voir des enfants qui se baladent seuls en pleine nuit. Vous êtes le directeur ?

– Son adjoint, répondit-il en souriant. Mais c'est moi qui suis responsable, la nuit.

Je brandis alors rapidement sous son nez la fausse carte du FBI. Une simple journée de formation aux méthodes des agents secrets avec mon père et Jenni Stewart m'avait donné de bonnes idées en matière de protection et, plus important encore, de prévention. À moins que je n'aie toujours été doué pour la dissimulation.

– Écoutez, John, je vais avoir besoin de consulter un plan de tout l'hôtel et une liste des clients, réactualisée heure par heure si possible.

– Il y a un problème ? bégaya-t-il.

– Pas pour l'instant, et nous allons faire en sorte qu'il n'y en ait pas. Apportez-moi les plans à la boutique. Attention, je suis ici incognito, alors cette conversation n'a jamais eu lieu, d'accord ? dis-je en parfaite réplique hollywoodienne de l'agent secret qui en impose.

Il opina et partit à grandes enjambées vers la réception. Je retournai à la boutique, où la vendeuse tenait d'une main plusieurs cintres et, de l'autre, faisait défiler des robes accrochées sur un portant.

– Vous connaissez sa taille de soutien-gorge ?

– Oh là là, il y a des chiffres et des lettres ? constatai-je à la vue d'une étiquette.

– Bon, alors, un de chaque, dit-elle en souriant.

Je pris des brosses à dents, du dentifrice, du fil dentaire, du déodorant et une paire de sandales pour Holly. J'empilai le tout sur le comptoir et ajoutai quelques emplettes personnelles. C'est à cet instant que John apparut, me tendant une pile de documents.

– Voici tous les plans que j'ai pu dénicher. J'ai aussi laissé une note à l'intention de mon collègue qui prendra son poste demain matin, pour qu'il vous prépare une liste des clients remise à jour.

Je me mis à étudier le plan du rez-de-chaussée puis regardai John. Je ne savais pas exactement qui je cherchais, mais il m'avait semblé opportun de demander cette liste.

– Merci, John. Veuillez les glisser sous la porte de ma chambre. La 312, d'accord ?

– Je mets tout ça sur votre note ? demanda la vendeuse.

– Oui, merci. Et je prends aussi ça, dis-je en ajoutant quelques livres de poche à mes nombreux achats.

Je n'avais pas moins de six sacs à porter. Je profitai du trajet jusqu'à la chambre pour tester les limites de ma mémoire photographique. Je suivis les itinéraires réservés au personnel depuis le rez-de-chaussée jusqu'au deuxième étage, repérant déjà douze issues différentes. Il me semblait utile de savoir comment sortir au plus vite.

355

Holly dormait toujours à poings fermés lorsque je m'allongeai près d'elle dans le lit. Je pris un des livres que je venais d'acheter, l'ouvris et lus pendant une demi-heure environ, à la seule lumière de la petite lampe de bureau. Bientôt Holly se retourna et heurta mes jambes.

– Tu m'as trouvé des sous-vêtements ?

– Oui, mais il y a le nom de l'hôtel inscrit sur les fesses.

– Des sous-vêtements, c'est des sous-vêtements.

Elle passa un bras sur mon ventre et posa la tête dans le creux de mon épaule avant de se rendormir.

Je regardai sa respiration régulière et sus aussitôt que je ferais tout, absolument tout, pour qu'elle n'arrête jamais de respirer. C'était mon seul désir. Je me foutais complètement de Tempest et des Ennemis du temps, qui ne pourraient jamais rien m'offrir de plus précieux à défendre coûte que coûte.

Mes yeux restèrent fixés sur Holly jusqu'à ce qu'ils se ferment tout seuls.

CHAPITRE TRENTE ET UN

Le lendemain matin, je fus réveillé par des doigts qui se glissaient dans mes cheveux. En ouvrant les yeux, je vis Holly, tête posée dans une main, coude sur le lit, parfaitement éveillée, la bouche tout près de la mienne. Je levai la tête, juste assez pour l'embrasser.

– Tu pourrais faire ça tous les matins ? lui demandai-je.

L'espace d'un instant, son visage s'assombrit, mais elle se reprit immédiatement et me sourit.

– J'ai regardé dehors, il fait un temps magnifique.

J'essayai de lui rendre son sourire.

– Hol, qu'est-ce que je t'ai dit hier à la piscine, avant d'aller me changer ?

– Rien du tout. C'est idiot, je n'aurais même pas dû t'en parler.

Son expression contredisait ses paroles. Du coup, je commençai à m'inquiéter, mais aussi à en vouloir à mon avatar plus jeune de s'être comporté comme un con.

– Raconte toujours, il n'y a pas de souci, dis-je en lui caressant la nuque.

Elle posa sa main sur ma poitrine et y dessina lentement un cercle du bout de l'index.

– Tu te souviens que je suis allée à la fac, le week-end dernier, pour rencontrer ma future roommate ?

L'insupportable Lydia.

– Oui, et alors ?

– Il y a un ancien élève de mon lycée qui a une chambre à l'étage du dessus, dit-elle, accélérant son débit, dans l'espoir peut-être que je ne comprenne pas tout. Je ne le connais pas très bien, mais comme son roommate a changé de cité U au dernier moment, il risque de se retrouver à devoir payer plus cher, vu qu'il est seul. Alors comme ta résidence est assez éloignée de la mienne, je me suis dit que peut-être…

– Tu veux que je m'installe dans le même bâtiment que toi ?

Je m'attendais à tout sauf à ça, et je ne me souvenais pas du tout qu'elle m'avait posé la question.

– Je disais ça comme ça. De toute façon, pourquoi est-ce que tu déménagerais ? Tu as déjà une chambre, et elle est beaucoup plus grande, alors… conclut-elle en reposant la tête sur mon oreiller.

– Je répète ma question : qu'est-ce que je t'ai dit ?

– Tu as dit que tu n'aimais pas du tout ce bâtiment et que… j'en aurais vite marre de voir ta tête tous les matins.

– Mais toi, tu as compris autre chose ? Tu as cru que j'en aurais marre de toi ?

– Oui, dit-elle d'une voix à peine audible.

Je l'embrassai en souriant.

– Ça, ça n'arrivera pas. Je m'installerai où tu veux. Mais, si je peux me permettre, il faudrait que tu changes de roommate.

– Tu ne la connais même pas.

– Non, mais je vois très bien le genre.

Je déversai le contenu de quelques-uns des sacs sur le lit et me mis en quête de vêtements.

– C'est quoi, ça ? demanda Holly en exhibant une culotte si grande qu'elle lui couvrait toute la tête.

– On pourrait faire de la voile avec, plaisantai-je. Ou sauter d'un avion.

– Sans déconner ! fit-elle, toujours hilare, en brandissant un soutien-gorge. Du 110 D ?

– Va te doucher, j'en cherche un plus petit.

Je lui pris les mains pour l'attirer hors du lit, puis approchai mes lèvres de son oreille.

– Je t'aimerais même si cette culotte géante était à ta taille.

– Je veux bien faire ce qu'il faut pour ça, mais je vais avoir besoin d'un méga petit-déj', dit-elle en riant.

Et elle s'enferma dans la salle de bains.

J'en profitai pour passer un coup de fil à Adam.

– Salut ! T'en es où ?

– Tu fais chier, je me suis couché il y a dix minutes, marmonna-t-il d'une voix pâteuse. Je n'ai rien trouvé pour l'instant.

Je soupirai, puis me mis à parler en français pour que Holly ne comprenne pas au cas où elle m'entendrait.

– Bon, alors, voilà comment je vois les choses : j'ai plusieurs options. Si j'ai en effet réussi à me transporter à un moment où je n'avais pas encore révélé mes capacités, j'arrête les sauts temporels et je cherche des informations.

– Et si quelqu'un est au courant quand même ?

– Alors il faudra que je choisisse mon camp, répondis-je en mettant de côté le rasoir et la crème à raser que je venais de trouver.

– Ben dis donc, ça sonne un peu comme « en être ou mourir ».

Ses paroles ne me firent ni chaud ni froid, sans doute parce que j'avais toujours su confusément qu'on en arriverait là un jour ou l'autre.

– Oui, c'est un peu ça.

J'entendis Adam inspirer, puis il reprit la parole.

– Ce n'est pas parce que tu choisis un camp que tu es forcément dans ce camp-là, si tu vois ce que je veux dire.

Il avait raison. Il y avait des failles dans ce grand jeu, et je pouvais les utiliser à mon avantage.

– Pas faux. Espérons que le plan A va fonctionner. Ma vie serait quand même beaucoup plus simple si je pouvais tout cacher aux agents de Tempest.

– J'en connais un qui est devenu sacrément lucide, fit Adam. Qu'est-ce qui s'est passé ?

– Trop de choses. Beaucoup trop de choses.

La porte de la salle de bains s'ouvrit, et je me remis à parler anglais.

– À plus, Adam !

Je jetai le téléphone sur le lit et me tournai vers Holly, drapée dans une serviette qu'elle tenait d'une main.

– Tu as trouvé quelque chose, ou il faut que je me mette en chasse d'épingles de nourrice ?

– T'es vraiment chouette, comme fille.

Et je lui désignai une pile de vêtements de taille normale dans laquelle elle se mit à fouiller.

– Tu parlais encore de moi en français ? fit-elle en fronçant les sourcils, l'air soupçonneux.

– Peut-être... mais on ne disait que des choses sympas.

John se trouvait toujours dans le hall lorsque je descendis pour le petit déjeuner en compagnie de Holly. Comme celle-ci me précédait en entrant dans la salle, je me tournai pour saluer le directeur adjoint, qui me répondit d'un signe de tête. Je supposai qu'il allait bientôt quitter son poste et qu'il risquait d'être remplacé par quelqu'un d'un peu plus méfiant et de moins facile à manipuler. J'aurais au moins mémorisé les plans.

Après le repas, ce fut le quart d'heure shopping, pour acheter quelques vêtements sans le logo de l'hôtel, puis piscine pour nous tremper les pieds dans l'eau. Quel régal ! Je n'avais rien fait d'aussi relaxant depuis des semaines. Mais je ne relâchai pas ma vigilance pour autant.

– Il n'y a vraiment pas beaucoup de monde, constata Holly.

– On est vendredi. Les gens vont arriver ce soir pour le week-end.

Je me laissai glisser dans la piscine. Elle en fit autant, puis vint s'asseoir près de moi sur les marches du bassin.

– Tu étais sérieux à propos de la cité U ? Tu n'es pas obligé de changer. Ta chambre est beaucoup mieux, j'ai visité ton bâtiment avant de m'inscrire.

Je l'enlaçai par la taille et l'attirai vers moi pour qu'elle s'assoie en travers de mes genoux.

– Oui, j'étais très sérieux. Si c'est ce que tu souhaites.

– Voyons voir... il n'y aura plus de Katherine Flynn pour nous empêcher de nous enfermer dans ma chambre, plus de portiers pour tout noter dans des petits calepins secrets...

Elle enlaça mon cou. Je me penchai et l'embrassai. Alors que j'envisageais de l'attirer dans la chambre, mon regard tomba sur un homme qui ne m'était pas franchement inconnu, qui portait un complet bleu et des lunettes noires, et qui se dirigeait vers nous.

Que sait-il exactement ? Juste que je suis parti sans prévenir ? Ou autre chose de plus... ?

J'émis un léger grognement et glissai ma bouche des lèvres de Holly vers son cou.

– Combien de temps tu tiens, en apnée ?

Sans lui laisser le temps de répondre, je l'entraînai sous l'eau pendant environ cinq secondes. Elle éclata de rire en remontant à la surface. Mon père se tenait au bord de la piscine, bras croisés, lunettes descendues au bout du nez. Les yeux de Holly s'arrondirent. Elle reposa les pieds au fond de la piscine et se dirigea vers l'escalier pour sortir du bassin.

– Euh, je vais... au bar me chercher quelque chose à boire.

– Ça aurait été gentil de me prévenir de ta petite escapade, dit mon père.

Je sortis de l'eau et m'emparai d'une serviette posée sur un fauteuil, tout en gardant un œil sur Holly.

– Désolé, j'ai oublié de t'appeler. Qu'est-ce que tu fais là ?

– Je m'inquiétais... Et toi, qu'est-ce que tu fabriques avec cette fille ?

– Cette fille a un prénom. C'est Holly, rétorquai-je en me séchant les cheveux.

– Je sais...

– Alors tu pourrais peut-être l'employer, suggérai-je du ton agacé de l'ado trop gâté.

C'est alors qu'un homme en costume vint s'asseoir au bar, juste à côté de Holly. Je ne pouvais distinguer son visage, juste ses cheveux noirs et sa carrure. Le barman déposa sur le comptoir deux verres qu'il remplit à ras bord de thé glacé. Attirée par un bruit lointain, Holly jeta un coup d'œil par-dessus son épaule. Ce fut suffisant pour que l'homme verse quelque chose dans son verre. Avant tous les événements ultradangereux que je venais de traverser, jamais je n'aurais remarqué ce genre de détail et cette pensée me terrorisa. Je courus vers le bar, mon père sur les talons. En arrivant derrière Holly, je posai la main sur son verre.

– Viens, on s'en va, lui chuchotai-je à l'oreille. On ira boire un coup ailleurs.

– Euh, bon, si tu veux.

Je réprimai la peur qui croissait en moi. Il allait de soi que leurs intentions étaient tout sauf pures. Je la pris par la main et m'éloignai rapidement.

– Jackson ! Où vas-tu ? me cria mon père.

Holly regarda derrière elle et ralentit le pas.

– Tu devrais peut-être lui parler.

Je secouai la tête et repartis de plus belle vers l'arrière de l'hôtel, loin des clients.

Je ne remarquai personne en passant près des bennes à ordures, mais soudain, un bras s'enroula autour de mon cou par-derrière. Mon cerveau se mit instantanément en mode défense : il n'y eut ni accélération cardiaque, ni hurlement, ni aucun signe de surprise. Rien que la mise en action parfaite de ma défense silencieuse, sagement stockée au fond de mes méninges.

Holly se recula d'un bond et, quelques secondes plus tard, j'avais cloué au sol mon assaillant, sous le nez duquel je pointai le canon de son propre revolver. Enfin, je voyais son visage. Je l'avais croisé l'espace d'un court instant, avant mon saut, ce jour de 2003 où Courtney avait séché les cours pour venir me rejoindre.

Je haletais et tremblais un peu tout en essayant de décider quoi faire ensuite. Mon père arriva derrière moi en courant et découvrit la scène.

– Freeman ? Mais qu'est-ce qui s'est passé, bon sang ?

– On pourrait m'expliquer ce que c'est que ce cirque ? bégaya Holly, les yeux fixés sur notre assaillant, toujours allongé par terre. Jackson, comment as-tu… fait ça ?

Je n'eus pas le temps de répondre. À personne. Le Freeman en question envoya son pied derrière ma jambe dans l'espoir de me faire tomber vers l'avant. Je m'affaissai un peu pour lui permettre de se relever, puis le jetai de nouveau face contre terre en lui bloquant les bras dans le dos. J'avais exécuté la prise plusieurs fois sur mon père en 2007. J'écrasai mon pied sur sa colonne vertébrale pour l'immobiliser complètement, avant de glisser son arme dans mon maillot. Je ne savais pas m'en servir, mais il n'était pas question de la lui rendre.

– Je vais me répéter, mais comment as-tu fait ça, aussi ? demanda Holly.

C'en était officiellement fini du Plan A. Plus d'échappatoire. Seule question : qui était le véritable ennemi ?

– C'est rien, juste de la self-défense élémentaire, dis-je à Holly. Et toi, qu'est-ce que tu nous veux ? lançai-je à mon père.

Celui-ci parvint à se départir de son expression de surprise, mais conserva ses distances tandis que Freeman se tortillait sous mon pied.

– Nous détenons ton ami. Nous savons ce qu'il était en train de faire.

Je jetai un coup d'œil vers l'angle du mur et découvris un Adam Silverman tout pâle, escorté par le docteur Melvin.

Là, c'est sûr : je suis méchamment grillé.

– Adam ? s'étonna Holly. Mais qu'est-ce que tu fais là ?

Adam se tint coi. Son regard alla de Freeman à moi puis à Holly.

– M. Silverman ici présent a dérobé des documents confidentiels appartenant à la CIA et le docteur Melvin pense que tu es son complice, déclara mon père en levant un sourcil inquisiteur. Nous savons ce que tu peux faire, nous savons où tu es allé, nous savons même quand tu es allé. Nous savons tout.

En voyant les traits tirés d'Adam, j'eus la réponse silencieuse à ma question. La pensée même de ce qu'ils avaient pu lui faire subir pour l'amener à parler m'était insupportable. Je n'aurais jamais dû l'entraîner jusqu'au cabinet du docteur Melvin, la veille. Heureusement que je ne lui avais pas tout révélé.

– Hein, quoi ? La... CIA ? répéta Holly.

Je finis par la regarder. Je savais qu'il fallait bien lui raconter quelque chose. Je pensai à l'agent Stewart, qui n'avait que dix-neuf ans en 2007. Holly croirait peut-être au mensonge que je m'apprêtais à lui servir.

– Je suis une formation pour devenir... agent secret. Comme mon père. D'ailleurs, Adam s'est fait embaucher avec moi.

– C'est pour ça que vous êtes toujours fourrés ensemble ? Et que vous vous comportez comme des crétins ?

– On a des projets de recherche différents. On vient juste de commencer la formation. Lui se spécialise dans l'informatique.

– Évidemment, confirma Adam.

– C'est vrai ? demanda Holly à mon père.

Elle préférait se fier à lui plutôt qu'à moi !

– Oui, c'est la vérité, répondit-il sans la moindre hésitation.

Il croyait peut-être faire avancer les choses en entrant dans mon jeu. Quoi qu'il en soit, il était évident qu'il nous fallait maintenant fabriquer une histoire à l'intention de Holly. On ne pouvait pas vraiment lui parler des voyages dans le temps.

Je mis dans ma voix toute l'intensité dont j'étais capable et m'adressai à mon père.

– Puisque vous avez empêché Adam de découvrir ce que nous voulions savoir, c'est toi qui vas me le dire. J'en ai ras-le-bol de tous ces mensonges à la con. Alors vas-y, j'attends.

– Je ne suis pas sûr que cela soit une bonne idée, Jackson.

– Comme tu voudras.

Je relâchai la pression sur Freeman et pris la main de Holly. Elle s'y accrocha aussitôt, ce qui ne laissa pas de me surprendre étant donné ce qu'elle venait d'apprendre. J'entraînai aussi Adam par le bras et commençai à m'éloigner avec eux.

– Je vais faire les choses à ma façon, criai-je par-dessus mon épaule au bout de quelques mètres. Adam ne peut pas vous avoir raconté grand-chose, vu qu'il ne sait pas tout.

En moins de temps qu'il n'en faut pour le dire, mon père me barrait le chemin.

– Calme-toi une seconde… c'est bon, tu as gagné. On peut sans doute t'en révéler un peu plus. Je ne me rendais pas compte que tu en savais déjà autant.

– Parfait. Alors ce sera entre moi et le docteur Melvin. Adam, tu retournes à la piscine avec Holly et tu la briefes… sur les règles.

– Les règles ? fit Adam, interdit.

– Tu sais bien… quand quelqu'un découvre l'identité d'un agent… Ça te revient ?

– Ah oui, les règles ! s'écria-t-il en passant le bras autour de Holly, qui me jeta un coup d'œil par-dessus l'épaule.

– Je reviens tout de suite, c'est promis, lui dis-je.

Une fois qu'ils se furent éloignés, je me tournai vers mon père.

– Tu as intérêt à ce qu'il ne leur arrive rien. Et dis à l'autre gugusse d'arrêter de mettre des petites pilules dans les verres des gens.

– Qu'est-ce que c'est que cette embrouille ? demanda Freeman à mon père.

– Je vous expliquerai, répondit celui-ci.

– Allons-y, docteur Melvin, dis-je en indiquant la plus éloignée des sorties de l'hôtel.

Une fois dans ma suite, sans que nous ayons échangé un mot de tout le trajet, le docteur s'assit sur le canapé et attendit que je lance la conversation.

– Jenni Stewart est-elle toujours en vie ? Travaille-t-elle toujours comme agent ?

– Oui, elle est à New York, indiqua Melvin après un instant de surprise.

Je pris la chaise du bureau et la posai juste devant lui. Puis, je sortis l'arme de Freeman et me mis à la manipuler.

– Parlez-moi d'Axelle.

– Et si tu commençais par me dire ce que tu en sais ? Comme ça, je pourrai remplir les vides, me dit-il, comme s'il s'adressait à un môme de cinq ans.

Je ne pus m'empêcher de rire, ni de lever un peu le revolver dans sa direction, bien que je n'en aie jamais utilisé un de ma vie. Ce que le docteur Melvin ignorait, évidemment.

– Bien tenté. J'ai visité il y a quelque temps un endroit fort intéressant au sous-sol de l'hôpital, et j'aimerais bien savoir ce qui s'y mijote.

Ses yeux s'arrondirent au format balle de golf, puis il acquiesça et s'affaissa au fond du canapé.

– C'est bon, je vais t'expliquer. Axelle est un projet qui a pour but de combiner les résultats de mes recherches sur le gène Tempus et des évolutions technologiques futures obtenues par différentes sources. La mise en application d'Axelle a débuté en 1989. Nous avons réussi à implanter un ovule fécondé dans le ventre d'une mère porteuse. Un ovule prélevé sur une EDT.

– Une minute, vous avez volé des ovules à une EDT ? C'est pour ça qu'ils sont furibards ?

– Ils ne sont pas ravis de l'expérience, si c'est ce que tu veux dire. Effectivement, nous avons pris des ovules, mais nous avons utilisé le sperme d'un homme normal. Un donneur anonyme.

– Vous l'avez tuée, cette EDT ?

– Non, dit Melvin en secouant la tête. Elle s'est enfuie.

– Son nom, c'est Cassidy ? demandai-je, le cœur battant.

– Comment es-tu au courant ?

Heureusement que j'étais assis, sinon je serais tombé par terre. La femme qui avait tenté de me ramener vers cette ligne temporelle était ma mère biologique. Pas étonnant qu'elle ressemble tant à Courtney. Qu'avait-elle dit à mon père, au fait ? *Étant donné les circonstances, je crois avoir mon mot à dire concernant son bien-être. Beaucoup plus que vous, en tout cas.*

C'en était trop déjà et je faillis demander à Melvin d'arrêter, mais je n'avais plus tellement envie de faire l'autruche.

– Il se peut que nous nous soyons croisés, répondis-je. Continuez.

– L'objectif d'Axelle était de mélanger les gènes des voyageurs temporels avec ceux d'êtres humains normaux pour voir si certaines capacités se développaient et, si tel était le cas, si elles différaient.

J'étais abasourdi. Une nouvelle pièce du puzzle venait de se mettre en place.

– Hybride… Frankenstein… balbutiai-je.

Tout était clair à présent.

– Pourquoi vouloir en fabriquer d'autres ?

– Je vais être franc avec toi, Jackson : j'étais loin d'imaginer que tu serais capable de voyager dans le temps. Nous l'espérions, bien sûr, mais nous voulions avant tout créer un être doté de la même activité cérébrale. Leur capacité à emmagasiner les informations est stupéfiante et c'est ça qui m'intéresse, bien plus que les voyages temporels.

Voilà qui me faisait une belle jambe.

– Pourquoi cette expérience d'hybridation ? Pourquoi ne pas prendre deux EDT ?

– C'est l'aspect le plus difficile à comprendre, fit-il en hochant lentement la tête. C'est aussi la raison majeure pour laquelle Tempest passe son temps à livrer cette bataille presque impossible à gagner. Je peux essayer de t'expliquer, mais je crains que tu ne perdes confiance dans notre organisation.

– Il n'est pas un peu trop tard pour se poser la question ? rétorquai-je. Autant me raconter tout ce que vous savez. Je crois que l'image que j'ai de Tempest ne pourra pas être bien pire.

Il eut l'air touché, mais cela ne dura pas.

– Les EDT ne ressentent aucune émotion. Ils sont incapables de concevoir la peur, l'amour ou le chagrin.

– Vous avez raison, elle est nulle votre explication ! lançai-je d'un ton ironique. En gros, vous êtes en train de me dire que les Ennemis du temps sont une bande de psychopathes démoniaques et que les agents de Tempest sont des clones de Mère Térésa. Pas très original.

– Je n'ai pas dit qu'ils étaient démoniaques, soupira-t-il en s'efforçant d'aplatir ses cheveux gris indisciplinés. Ce n'est pas la question. Il se peut qu'ils ne ressentent rien car ils ne conçoivent aucune permanence dans le temps. Pour moi, comme pour la plupart des gens, la perte d'un être cher est une épreuve douloureuse parce que la personne a disparu et qu'on ne peut pas revenir à l'époque où elle était en vie. Si j'étais comme eux, la mort ne pèserait peut-être pas autant sur mon existence. Leur capacité à sauter d'époque en époque et à potentiellement réécrire l'histoire est nocive. Et toi aussi, quand tu t'amuses avec tes petites expériences. Mais la pire des menaces n'est pas tant ce qu'ils peuvent faire que le manque d'humanité qui caractérise leurs décisions.

Hmm… Moi, en tout cas, je pourrais retourner voir Courtney autant de fois que je le voudrais, sa mort me ferait toujours le même effet horrible. En pire peut-être. J'étais tellement absorbé dans les explications du docteur Melvin que j'en oubliai le revolver et le fait que je le tenais pratiquement en otage.

– Ils n'avaient pas l'air démoniaques. Ils se sont même excusés de… disons pour quelque chose qui ne s'est pas encore produit. Quelque chose qui ne se produira jamais, affirmai-je d'un ton résolu.

Le docteur Melvin avait retrouvé de son assurance. J'étais l'élève et lui le professeur.

– Voilà pourquoi c'est si difficile à expliquer. Nous vivons dans un monde où il y a des gens comme ça, pas de vrais EDT, mais des gens qui prennent des décisions basées sur des risques calculés en toute logique.

– Je répète : cela n'a pas l'air si terrible.

– Tu crois ça ? fit le docteur Melvin en haussant les sourcils. Pense aux guerres, par exemple. Dans chaque pays, il y a un responsable. Un homme ou une femme qui doit prendre la décision d'envoyer des soldats se battre, des jeunes qui ont des proches qui les aiment, des pères et des mères que leurs enfants attendent à la maison. Quiconque donne l'ordre de mettre ces vies en danger fait un choix calculé. On met en balance les quelques vies qui vont être perdues et les chances d'en sauver beaucoup d'autres. Il faut des gens comme ça en ce bas monde, c'est vrai, mais imagine que nous soyons tous comme ça.

Mes épaules s'affaissaient sous le poids de chacun de ses mots.

– Vous croyez que je vais devenir comme eux ? J'étais normal jusqu'à mes dix-huit ans. Que se passera-t-il si je continue à changer et que je deviens comme eux ?

– Je te connais depuis avant ta naissance, Jackson, dit le docteur Melvin dans un petit sourire. Tu ne pourras jamais être celui qui envoie des gens à la mort, quel que soit le nombre de vies que cela pourrait permettre de sauver. Leurs façons de faire sont mathématiques, les tiennes viennent du cœur, même si elles sont parfois impulsives. Merveilleuse qualité, mais qui est aussi une faiblesse.

– Selon qui ? Eux ou vous ?

– Les deux, répondit-il du tac au tac. Les médecins connaissent bien ce genre de dilemme intérieur. En tant que médecin, on doit parfois savoir mettre sa compassion de côté et se concentrer uniquement sur les faits médicaux pour établir un diagnostic ou un traitement. Dans d'autres cas, le lien émotionnel qu'on peut établir avec un patient a des effets extraordinaires. Mais il est souvent difficile de faire le bon choix au bon moment.

Je remarquai la tristesse qui assombrit son visage.

– Ça a été le cas avec Courtney ? Vous avez tenté de la prolonger plus longtemps que nécessaire ?

– Elle souffrait énormément. J'en étais conscient, et pourtant je ne voulais pas abandonner, avoua-t-il, les yeux embués, mais sans larmes. Je ne sais pas si j'ai eu raison. Je crois que le changement a débuté plus tôt chez elle que chez toi. Sur les clichés, tout allait bien. Un mois plus tard, son cerveau était rempli de tumeurs inopérables, ce qu'il m'avait été impossible de prédire, fit-il en soupirant, les yeux dans le vague. Les meilleurs neurochirurgiens et les meilleurs oncologues du monde étaient sur son cas. Mais la médecine actuelle n'a rien pu pour elle.

– Donc, elle aurait pu devenir comme moi… sans sa maladie ?

– Oui. Mais je ne sais pas si tout ce que je te raconte ne va pas juste te rendre encore plus triste.

– Je voulais savoir, dis-je en secouant la tête. Mais du coup, c'est un peu compliqué de me sentir proche de qui que ce soit, de mon père entre autres, puisque je ne suis que le fruit d'une expérience scientifique.

Les mots étaient sortis malgré moi. Heureusement qu'il n'y avait que Melvin dans la pièce. Mon père m'avait expliqué en 2007 que Courtney et moi n'étions qu'une mission, son travail. Mais moi, je voulais être son fils.

– Je ne sais pas comment te convaincre du contraire, mais en tout cas je peux t'assurer que le bon camp, c'est celui de ton père.

Je me souvins alors d'une chose que Marshall avait dite en 2007, tandis que nous étions penchés sur Harold allongé par terre. *C'est l'un des rejetons du docteur Ludwig.*

– Qui est le docteur Ludwig ?

– Un de mes homologues. Un scientifique qui partage avec moi la fascination pour l'esprit des voyageurs temporels. Sauf que ses produits, qui sont pur-sang, ne sont pas des originaux. Ce sont des copies.

– Vous voulez parler de clonage ?

– Quelque chose de ce genre, oui. De mutation génétique aussi.

Aussitôt apparurent dans mon esprit des rangées entières de Harold, de Cassidy et de tailladés, tous alignés dans des incubateurs géants. Vision d'horreur.

– Attendez une seconde... Je ne suis quand même pas un clone, moi ?

– Non, pas du tout, dit Melvin en secouant vigoureusement la tête. Toi et ta sœur avez été fabriqués de la même manière que beaucoup d'enfants dont la mère a du mal à procréer.

Je poussai un soupir de soulagement. Être l'objet d'une expérience scientifique était déjà assez dur comme ça, alors si j'avais été créé à partir d'une machine ou de je ne sais quoi, ça aurait dépassé ce que je pouvais encaisser sans perdre la raison.

– Et on le trouve où, ce Ludwig ? Est-ce que Tempest a l'intention de le descendre, de l'arrêter ? Il ne devrait pas avoir le droit de s'amuser à fabriquer des gens... Mais, au fait, il n'est pas du côté de la CIA comme vous, au moins ?

– Non, il n'est pas du côté de Tempest, répondit fermement Melvin. Et le docteur Ludwig n'est plus de ce monde.

– Quelqu'un l'a déjà zigouillé ?

– On peut dire ça comme ça, oui.

Il m'avait livré les informations que je souhaitais, et elles remplissaient parfaitement les vides. Pourtant, impossible de savoir s'il me fallait faire confiance à mon père ou aux EDT.

Ils avaient peut-être la rage parce que Melvin avait piqué les ovules d'une bonne femme. Ça pouvait se comprendre.

Fort de mes nouveaux talents pour déchiffrer les visages, je ne doutais pas que le docteur Melvin nous soit très attaché, à ma sœur et moi. Mais c'était le chef Marshall qui menait le jeu, pas lui. Ce qui signifiait que je ne pouvais pas me reposer sur Melvin.

Celui-ci me regardait à cet instant avec une telle intensité que je craignis qu'il ne puisse lire dans mes pensées. J'arrêtai donc de réfléchir. Adam m'avait fourni, un peu plus tôt, la réponse dont j'avais besoin : je pouvais choisir un camp sans perdre mon âme.

– OK, dites-moi la vérité. Le chef Marshall est planqué quelque part à proximité ? J'aimerais lui parler seul à seul.

Le visage du docteur se contracta, mais il fit un signe de tête et sortit son téléphone.

– Je vais voir comment vont mes amis. Il n'aura qu'à venir me chercher quand il sera prêt, dis-je en me dirigeant vers la porte.

En chemin pour la piscine, je reçus un SMS d'Adam : *Tu me remercieras plus tard.* Voilà qui était bien énigmatique…

Dès que je les aperçus assis côte à côte dans des fauteuils du bar, Holly se précipita à ma rencontre et se pendit à mon cou. Elle avait remis sa robe. Rien de surprenant, je me doutais bien qu'ils n'allaient pas piquer une tête et s'amuser pendant que j'avais avec le docteur Melvin une conversation qui allait changer le cours de ma vie.

– Je suis vraiment désolée murmura-t-elle. Adam m'a tout raconté.

Je l'enlaçai. Par-dessus son épaule, j'essayai de parler en silence à Adam. Il leva les sourcils comme pour me dire *Cherche pas à comprendre.*

Qu'avait-il bien pu lui raconter ? Je me remuai les méninges et aboutis à plusieurs hypothèses, la plus probable étant que mon père n'était pas mon père, ce qui cadrait avec les raisons que j'avais données à Holly pour cette escapade. Adam avait pu lui dire que cette information se trouvait sur le disque dur. Un peu tiré par les cheveux, mais elle aurait pu y croire.

– Tu prends cette histoire d'agents secrets plutôt bien, dis-je à Holly, ce qui la fit rire doucement.

Elle reprit sa place à côté d'Adam, et je m'assis en face d'elle.

– Tu promets de ne pas t'énerver si je te dis un truc ?

– Je ne pourrai jamais m'énerver contre toi.

– J'ai un plein cahier d'hypothèses sur toi et la plupart d'entre elles sont beaucoup plus délirantes que « fils d'agent de la CIA ».

– Du genre ? dis-je en même temps qu'Adam, tellement c'était inattendu.

– Eh bien, j'avais pensé à du détournement d'argent. Je croyais qu'Adam t'aidait à entrer dans les ordinateurs de banques étrangères. J'ai aussi envisagé que tu puisses être dans la mafia.

– Ben voyons ! Et Adam, il faisait quoi exactement là-dedans ?

Elle se pencha vers moi et je restai médusé devant son air excité. À l'évidence, sa fascination de petite fille pour l'espionnage ne s'estompait pas avec l'âge.

– Adam aurait pu être ton faussaire. Imaginons que tu veuilles embaucher des clandestins pour ton entreprise de BTP et qu'il te faille des justificatifs. Adam pourrait te fabriquer des papiers d'identité de folie.

Sans compter les fausses cartes du FBI.

– Holly, rappelle-moi juste pourquoi tu sors avec Jackson ? demanda Adam.

– Si tu savais combien de fois je me suis posé la question !

– Ce n'est pas moi qui te jetterai la pierre, dis-je en l'embrassant sur la bouche.

– Ce scénario de mafia est une très bonne idée, déclara Adam. On pourrait parfaitement le réaliser.

– Qu'Adam travaille pour la CIA me surprend moins que toi dans le rôle d'agent secret… me taquina Holly. Tout le monde au lycée est persuadé qu'il deviendra un inventeur de logiciels génialissime ou un hacker pour les services secrets. Moi, je pensais qu'il bossait déjà pour quelqu'un, jouant l'élève studieux le jour, et la nuit…

Adam laissa échapper un ricanement diabolique pour ponctuer l'histoire de Holly.

– Eh bien moi, j'aimerais vraiment pouvoir tout péter comme Jackson ! avoua-t-il. C'était trop top.

– Je te montrerai comment faire un de ces jours.

– Et à moi aussi, sinon je révèle tes secrets à tout le monde, dit Holly en se levant et en prenant son sac. Je vais nous chercher de quoi grignoter.

J'attendis qu'elle eut atteint le bar, où mon père et Freeman s'étaient installés pour nous surveiller, avant d'adresser la parole à Adam.

– Qu'est-ce que tu lui as raconté ?

– À part l'histoire de notre recrutement par la CIA ? Juste le truc sur ton père qui n'est pas ton père. Je me suis dit que ça serait crédible, surtout si je le faisais passer pour un sale con.

– Et tu as pu étudier le projet Axelle ?

Il baissa les yeux et acquiesça.

– Ça fout la trouille, hein ? fis-je.

– Ouais, soupira-t-il.

– Je suis désolé de t'avoir entraîné là-dedans. Qu'est-ce qu'ils t'ont fait pour t'obliger à parler ?

– Un cocktail de menaces sur ma famille, sur toi et sur Holly, dit-il en pâlissant. Et puis ton père a pris l'interrogatoire en main en disant qu'il m'emmenait avec lui pour s'assurer que rien ne vous arriverait à tous les deux. Il n'y a pas franchement mis les formes, mais au moins il ne m'a pas menacé comme les autres bouffons.

Holly revint avec de quoi manger. C'est alors que je vis le chef Marshall se diriger vers mon père.

– Gardez-moi des nachos. J'ai… une autre réunion.

Je sentis le regard de Holly derrière moi tandis que je m'approchais de l'homme qui avait voulu m'étrangler, la dernière fois que nous nous étions croisés. La rencontre s'annonçait prometteuse.

Je m'arrêtai juste devant lui, l'air imperturbable, tendant le cou quelque peu pour que mes yeux rencontrent les siens.

– On peut causer ?

– Bien sûr, répondit-il en conservant une expression froide et distante.

Mon père voulut nous suivre, mais je l'en empêchai d'un mouvement du bras.

– C'est entre le chef Marshall et moi.

Il sembla vouloir s'y opposer, mais rendit vite les armes, ce qui ne fit qu'aviver mes soupçons.

– Ni oreillette ni micro, ordonnai-je à Marshall.

Il hésita puis retira le petit morceau de plastique de son oreille, le lâcha par terre et l'écrasa d'un coup de talon. Ensuite, il ôta sa montre et la tendit à mon père.

Je le menai jusqu'à l'arrière de l'hôtel, plutôt que dans ma chambre, où des micros avaient sans doute été placés par mon père ou Freeman. Puis je pris une profonde inspiration et me concentrai pour avoir l'air aussi décidé que possible.

– Je veux devenir un de vos agents.

Comme je l'escomptais, Marshall n'eut aucune réaction.

– Pourquoi ? Pour achever de convaincre ta copine ? Je crois qu'Adam Silverman pourra lui montrer des papiers assez authentiques pour ça.

– Non, je parle de suivre un véritable entraînement d'agent, précisai-je en serrant les dents pour ne pas laisser paraître ma colère – cet homme n'était pas franchement ma personne préférée au monde. Je suis au courant pour Jenni Stewart. Vous l'avez recrutée quand elle avait dix-neuf ans.

– Je ne crois pas que ton père apprécierait beaucoup que je te prenne sous mon aile.

– Et d'une, ce n'est pas mon père, et de deux, pourquoi vous croyez que je l'ai exclu de cette conversation ? ripostai-je avant de me passer la main dans les cheveux, le temps de chercher un argument plus convaincant. Je sais que l'agent Stewart n'en a plus que pour quelques mois de formation. Faites-moi entrer dans son groupe.

– En tant que voyageur temporel ? C'est ça, ta valeur ajoutée ? dit-il avec la même expression carnassière qu'en 2007. Tu as quelques autres atouts en poche, puisque tu as voyagé jusqu'en octobre de cette année. Tu dois connaître certaines choses sur les mois à venir.

On avait dû lui faire un rapport complet, car il semblait au fait de tous les derniers détails.

– Pas question de vous laisser m'utiliser de cette façon, fis-je en secouant la tête. Personne ne doit être au courant. Je suis certain que mon ascendance familiale suffira pour emporter le morceau.

Il croisa les bras. Je voyais les pensées et les hypothèses qui valsaient dans sa tête.

– Je n'accepterai qu'à condition de savoir ce qui te motive.

– J'ai envie de dézinguer des EDT, ça vous va ? lançai-je dans un rire sarcastique.

– Pas si c'est un mensonge.

Je poussai un soupir exaspéré.

– D'accord. La raison est simple : il faut que je choisisse un camp. Pour l'instant, c'est ma seule motivation.

Il acquiesça d'un signe de tête et me tendit une main que je serrai prudemment.

– C'est exactement ce que je voulais entendre. Je vais parler à ton père. Mais il faut que tu comprennes que ta vie va complètement changer, c'est clair ?

– Parce que ce n'est pas déjà le cas ? rétorquai-je en haussant les épaules.

Je partis retrouver Holly et Adam en évitant volontairement le regard de mon père.

– Je suis vanné, dit Adam un peu plus tard, alors que le soleil avait commencé à décliner. Ton père m'a réservé une chambre, je crois que je vais aller me pieuter.

– À plus, Adam, répondis-je.

D'un signe de tête, Holly indiqua le bar de la piscine, où mon père et Freeman étaient toujours assis.

– Tu lui en veux toujours ?

– C'est compliqué.

– Alors explique, dit-elle en plissant le front. C'est bien lui qui t'a élevé ? Ça doit compter, non ?

Elle attendit patiemment. Je sentais que c'était le genre de chose qu'elle désirait que je lui confie, bien plus que des secrets de la CIA.

– Oui, ça compte… mais je ne suis toujours pas sûr de pouvoir lui faire confiance.

– Ça finira par revenir… qui sait ? Vous n'aurez plus autant de secrets l'un pour l'autre désormais.

– Je l'espère.

Je posai les mains sur son visage et plongeai mes yeux dans les siens. Il y avait tellement de choses dont j'avais envie à cet instant. Certaines pour la première fois. Mais la principale, c'était que je ne voulais jamais oublier ce moment. Et qu'elle non plus ne l'oublie jamais.

– On remonte ?

– Oh que oui ! dit-elle en souriant.

J'avais à peine verrouillé la porte de notre chambre que Holly était déjà en train de déboutonner ma chemise.

– J'en connais une qui n'est pas très patiente aujourd'hui, dis-je d'un ton moqueur.

Malgré la pénombre, je vis ses joues s'empourprer. C'était agréable de pouvoir encore la faire rougir.

Mes doigts trouvèrent la fermeture Éclair dans le dos de sa robe et je la fis lentement descendre. J'écartai les bretelles le long de ses épaules et la robe tomba par terre près de ma chemise.

– Il faut que je te dise… Il y a longtemps que je n'ai pas fait ça.

Je la soulevai et ses jambes s'enroulèrent autour de moi. Elle eut un rire sonore quand je la lâchai sur le lit.

– Longtemps ? Mais tu vis sur quelle planète ? Ça ne fait que… Bon, on va faire comme si ça faisait… plusieurs semaines, dis-je en posant mon index sur ses lèvres.

– Comme si tu revenais après t'être perdu en mer ?

– Exactement.

***

Vers minuit, la sonnerie de mon téléphone me réveilla en sursaut. Holly était pelotonnée contre moi, mais réagit à peine lorsque je passai la main sous l'oreiller pour attraper l'appareil.

– Papa ?

– Désolé de te réveiller. Tu peux venir me retrouver au bar ?

Fini les cachotteries. Si je n'y allais pas, ils viendraient me chercher ici pour me mettre un chiffon sous le nez.

– Donne-moi cinq minutes.

– Prends ton temps.

Je secouai doucement Holly.

– Holly, eh, Holly ?

– S'qu'y a… ? dit-elle en ouvrant difficilement les yeux.

– Mon père me demande de descendre au bar. Je crois qu'il veut qu'on discute.

– D'accord, fit-elle avant de se retourner et de remonter la couverture sous son menton.

– Je n'en ai pas pour longtemps, précisai-je avant d'écarter les cheveux de son visage pour lui déposer un baiser sur la joue. Je t'aime.

– Moi aussi, répondit-elle avec un sourire.

J'enfilai rapidement mes vêtements et pensai à prendre le revolver de Freeman.

À mon arrivée, le bar était vide, à l'exception de Papa et du barman, qui riait d'une plaisanterie que venait de faire mon père.

– Tu es seul ?

– On va aller s'installer dans un des box, si c'est possible, demanda mon père au barman.

– Bien sûr, répondit celui-ci.

Une fois installé dans un box, mon père fit glisser une bière devant moi. À voir sa tête, je savais qu'il en avait déjà descendu quelques-unes de son côté. Plutôt inhabituel pour un agent en mission.

– Je suis seul. Freeman et Melvin ont été… retenus.

– D'accord, articulai-je lentement.

– Melvin m'a raconté votre conversation. Écoute, Jackson, ça fait des heures que j'y réfléchis. Tu ne devrais pas te contraindre à embrasser cette existence uniquement parce que tu ne vois pas d'autre solution.

– Je te rappelle que tu étais prêt à m'enseigner des choses en 2007.

– Je ne sais pas, fit-il après avoir éclusé sa bière. Je me disais peut-être que tu serais en sécurité sous notre garde ou que tu avais vraiment besoin d'être formé.

– Ce n'est plus le cas ?

– Je ne suis pas sûr que tu te rendes bien compte des sacrifices que cela implique de consacrer sa vie à une chose dont on ne peut parler à personne, pas même à ses propres enfants.

J'en restai coi. Cette intensité dans le regard. J'avais envie de le croire, de lui dire que je l'aimais, mais je ne pouvais être parfaitement certain qu'il ne cherchait pas encore à me manipuler.

– Je ne peux pas aider des gens en qui je n'ai pas confiance, affirmai-je. Je refuse de me faire mystifier ou flouer.

Il inspira profondément et se recula contre le dossier de la banquette.

– Tout ce que nous voulons, c'est te protéger. C'est difficile de tout accepter d'un seul coup.

– Ça, je le conçois bien. Mais j'en suis rendu à un point où il vaudrait mieux que tu me dises toute la vérité. Et tant pis si c'est dur à entendre, s'il y a eu des meurtres ou que sais-je... Comment peux-tu faire ça ? demandai-je au souvenir atroce du chef Marshall lui ordonnant d'abattre Harold. Tuer des gens et continuer à vivre sans aucune culpabilité ? Tout est du cinéma pour toi ? Même ton rôle de père ? Parce que c'était bien ta mission, n'est-ce pas ?

Je m'attendais à ce qu'il se mette en colère, comme je l'étais moi-même. Mais il se contenta de hocher la tête en regardant ses mains. Puis il leva les yeux et me dévisagea.

– Il faut que je te montre quelque chose. Quelque chose du passé. Il n'y a pas d'embrouille, tu n'auras qu'à regarder et tu auras les réponses à beaucoup de tes questions. Fais juste un demi-saut, parce que ça n'affecte pas les événements.

– Je devine que c'est Adam qui t'a parlé de ces demi-sauts ?

– Oui.

– Alors je vais où ? Quelle date ?

– 2 octobre 1992. Vers 15 heures.

– Je ne suis jamais remonté aussi loin. Je vais être malade. Physiquement malade. Et je ne sais pas combien de temps je vais pouvoir y rester.

– Je sais. C'est à toi de décider.

Je ne voyais sur son visage que chagrin et épuisement. Il n'avait plus cette énergie vigoureuse qui l'habitait en 2007, comme Marshall et Melvin, lorsque je leur avais révélé certaines choses du passé et de l'avenir. Il sortit un stylo de sa poche et dessina un plan de Central Park, sur lequel il entoura une ancienne aire de jeux. Puis il me tendit un appareil qui ressemblait à un lecteur MP3, mais qui permettait d'amplifier les sons à distance. Je le savais car Jenni Stewart m'avait montré le sien, le jour où je lui avais écrit son devoir d'espagnol en échange de certains secrets.

Alors je fermai les yeux et la chaleur du bar s'évapora.

CHAPITRE TRENTE-DEUX

Je me tenais au milieu du terrain de base-ball, près de l'arbre dont j'allais tomber, quatre ans plus tard, en me cassant le bras. Au loin, je distinguais l'une des aires de jeux où je me souvenais d'avoir passé beaucoup de temps, quand j'étais petit, avec Papa ou la nounou que nous avions à l'époque.

En m'approchant, je vis un homme de la taille de mon père qui poussait sur une balançoire une fillette vêtue d'un pull fuchsia. Un petit garçon brun tentait de grimper à rebours sur le toboggan et une femme aux cheveux châtains l'aidait à se hisser en le soutenant par les fesses chaque fois qu'il glissait.

À cette date, Courtney et moi devions avoir deux ans... C'était forcément nous. Je m'assis à une table de pique-nique, allumai l'engin fourni par mon père et plaçai les écouteurs dans mes oreilles.

L'homme qui poussait ma sœur était bien Papa, mais il avait l'air si jeune... Vingt-quatre ou vingt-cinq ans, peut-être. Le plan qu'il m'avait donné était plié dans la poche arrière de mon pantalon. Je l'étalai devant moi pour donner l'impression que j'étais en train d'étudier quelque chose.

Mon père descendit la petite rouquine de la balançoire et la porta jusqu'au bac à sable, tandis que la femme emmenait mon avatar les rejoindre. C'était trop bizarre de me regarder avec des couches, le pas mal assuré, en train d'essayer de grimper tel Spiderman sur le toboggan abrupt.

Mon père s'assit sur le rebord du bac à sable, derrière Courtney, que j'entendais chantonner. Les paroles étaient incompréhensibles, jusqu'à ce que je me rende compte qu'elle chantait en français tout en mâchouillant une pelle en plastique couverte de sable.

Une voix féminine se joignit à elle et tout cela me sembla familier. Ou si agréable que cela me semblait familier. C'était sans doute une nounou ou une baby-sitter. Elle avait presque une allure d'étudiante, vu son âge. Peut-être travaillait-elle pour mon père afin de financer ses études.

Elle s'assit sur un banc tout proche. Mon mini-moi sauta dans le sable et continua de faire des bonds en traversant le bac.

– Tu veux un seau ? demanda mon père à Courtney.

Sans s'arrêter de chanter, elle hocha la tête, faisant voleter ses deux couettes. Mon père déposa le seau bleu devant elle, puis regarda la jeune femme en souriant. Pas le genre de regard qu'on jette à une baby-sitter, ni même à une collègue des services secrets.

C'était plus que cela.

Le mini-moi se glissa derrière Courtney, attrapa une poignée de sable et la lui jeta sur la tête.

– Il pleut, il pleut…

– Non ! cria-t-elle en s'essuyant le visage de ses petites mains potelées.

L'espace d'un instant, je fus fasciné par la capacité de mon moi de deux ans à produire le regard le plus innocent mais aussi le plus sournois qui soit. Comme si ma seule raison de vivre à l'époque était de faire hurler ma sœur de la sorte.

– Non, Jackson, intervint mon père.

Courtney se retourna et plaqua ses mains sur mon visage en disant : « Arrê-teu ! » Elle poussa le mini-moi si fort qu'il tomba sur les fesses, mais il se releva aussitôt et s'empara d'un camion qu'il se mit à faire rouler sur les collines de sable.

– Et si on faisait un château pour la princesse Courtney ? suggéra mon père.

J'ouvris de grands yeux. *C'est de là que ça vient, alors !* Pendant toute mon enfance, j'avais entendu ce refrain : « Je suis la princesse, alors c'est moi qui décide. C'est Papa qui l'a dit. »

Mon père remplit un seau de sable à l'aide de la pelle en plastique, mais je le voyais scruter au-delà des arbres en lisière du parc, l'air aux aguets. Il était en service. Courtney prit des poignées de sable qu'elle jeta dans le seau, puis elle en tapota la surface et dit en désignant mon père du doigt : « Kevin », ou plutôt « Kebin ». En tout cas, elle ne l'appelait pas Papa. Je n'eus pas l'occasion de méditer sur ce point, car la jeune femme se leva du banc et alla s'asseoir dans le sable.

– Jackson, tu peux me décorer, moi, ça ne me dérange pas, dit-elle avec un accent écossais.

Le mini-moi prit alors du sable et en saupoudra les cheveux de la jeune femme, qui se mit à rire, penchant la tête en arrière, les yeux fermés. Je distinguais nettement son visage à présent. Elle était magnifique, radieuse, mais en même temps quelconque. Peut-être heureuse, tout simplement. Heureuse qu'un petit garçon lui jette du sable dans les cheveux.

Elle s'empara du mini-moi et se mit à lui embrasser le visage, ce qui déclencha un fou rire sonore amplifié par mes écouteurs.

– On va faire des anges de sable, proposa-t-elle.

Fasciné, je la vis s'allonger dans le sable près du petit moi et se mettre à battre des bras comme si elle cherchait à s'envoler. Courtney cessa de s'activer sur son château pour la regarder en gloussant, puis elle s'approcha de moi à quatre pattes pour faire son propre ange.

– Il va te falloir des jours pour enlever le sable de leurs cheveux, dit mon père à la jeune femme, tout en démoulant le seau de Courtney. Rappelle-toi la peinture au doigt qui n'est jamais arrivée jusqu'au papier, ajouta-t-il d'une voix pleine d'affection et dénuée de reproche.

– Oui, mais dans dix ans, tout ce dont ils se souviendront, c'est de ça, et pas du sable qu'on devra retirer de leurs lits pendant une semaine, rétorqua-t-elle.

Elle se rassit soudainement et agrippa la chemise de mon père pour l'attirer à côté d'elle.

– Viens un peu par ici.

Mon père se mit à rire bruyamment.

– Arrête, Eileen !

Eileen. C'était le prénom indiqué sur mon acte de naissance. Celui que je croyais inventé.

Il tendit le bras et lui attrapa la main pour la passer sous sa propre jambe, dissimulant leurs doigts désormais entrelacés.

De qui se cachait-il ? Certainement pas des deux enfants innocents de deux ans qui prenaient un bain de sable. Cela aurait fait une belle photo, ces quatre personnes allongées là comme sur un immense lit à eau.

– Tu as l'air tellement différent quand tu ris, dit à mon père la femme qui se prénommait Eileen.

Elle tourna juste assez la tête pour que son front entre en contact avec sa joue à lui. Je vis ses lèvres effleurer son visage et il sourit.

– Jackson, dit mon père. Tu veux bien raconter à ta mère la blague que je t'ai apprise ?

– Toc, toc, toc, dit le mini-moi.

– Qui est là ? demanda-t-elle.

– Toc, toc, toc, répéta le mini-moi.

– On n'a pas réussi à aller plus loin, dit mon père, ce qui les fit rire aux éclats tous les deux.

Tout à coup j'entendis un autre type de bruit que ceux émanant du bac à sable : des feuilles mortes écrasées au loin. Mon père devait être plus sur le qui-vive que moi, car il se releva d'un bond et se mit à observer les arbres. Courtney se rassit, tandis que le mini-moi se remettait debout et commençait à piétiner l'ange de sa sœur.

Je reconnus le déclic familier d'une gâchette avant même de distinguer l'homme caché derrière un arbre. La détonation fut assourdissante. Tout ce que je vis, ce fut mon père plongeant sur Eileen, tout en attrapant le mini-moi d'un bras et en faisant passer Courtney sous lui de l'autre. Le mini-moi s'écrasa au sol sur le dos et se mit aussitôt à pleurer.

Mon père appela quelqu'un, mais je ne voyais aucun autre agent, personne hormis l'homme embusqué. Puis Papa sortit une arme glissée à l'arrière de sa ceinture et tira dans la direction de l'assaillant. Il couvrait les deux enfants, ce qui l'empêchait de viser correctement. L'inconnu se précipita vers un autre arbre. C'est alors que je vis son visage et ses cheveux roux.

Le tailladé !

Je ne sais ce qui m'incita à agir comme je le fis. On eût dit que mon cerveau reptilien prenait le dessus. Mon cœur cessa de battre la chamade pour retrouver une fréquence normale. Les images défilaient à toute vitesse dans mon esprit : l'espace, la distance qui me séparait du tireur. Tout m'apparaissait très clairement. Alors, je sortis le revolver de l'agent Freeman et j'ouvris le feu. C'était la première fois que je me servais d'une arme, mais je savais que la balle allait le toucher en pleine poitrine.

Pourtant, 90 % de mon cerveau auraient préféré rater la cible.

Il tomba au sol et je me précipitai vers lui, puis ralentis en approchant. Il gisait sur le dos, les yeux grands ouverts, fixés sur le faîte des arbres, mais sa poitrine ne bougeait pas. Je m'agenouillai et fis pression sur le sang qui imprégnait son pull. Suffoquant, je lâchai mon arme sur son torse et ne pus me résoudre à la reprendre.

Depuis l'endroit où je me trouvais, je pouvais voir mon père. Il serrait le mini-moi fort dans ses bras en murmurant : « Tout va bien. »

Deux personnes accoururent, un homme et une femme. Des agents, sans doute, car mon père fit un signe de tête à la femme, qui s'empara de Courtney, puis il me plaça dans les bras de l'homme. Ils disparurent. Mon père retomba alors sur le dos dans le sable. Eileen se pencha sur lui en se couvrant la bouche de la main.

– Mon Dieu, Kevin, tu es blessé !

Le corps de mon père fut alors secoué d'un éclat de rire. Il tendit les bras pour qu'elle se penche vers lui jusqu'à ce que leurs visages soient tout proches.

– C'est juste l'épaule, ce n'est rien.

Elle posa la tête sur sa poitrine et je l'entendis sangloter sans avoir besoin de mon équipement sophistiqué.

– Ils auraient pu te tuer.

– Ne t'inquiète pas, ce n'est pas la première fois que je suis touché comme ça.

– Et les enfants ? Où sont-ils ?

– Calme-toi. Ils sont déjà dans la voiture blindée et tu devrais les y rejoindre. Ce con de Freeman m'a foutu la trouille, je crois que je vais le tuer. Il était où ?

Eileen releva la tête, puis prit le visage de mon père entre ses mains et l'embrassa, comme si elle profitait de son incapacité à utiliser une de ses mains. Il passa sa main valide dans les cheveux d'Eileen, puis la repoussa tout doucement.

– Marshall arrive, murmura-t-il.

Elle lui fit un signe de tête, mais l'embrassa quand même une dernière fois sur la joue et dit : « Je t'aime. »

– On ne bouge plus ! fit la voix puissante du chef Marshall dans mon dos.

Je fermai les yeux et sautai avant qu'il n'ait le temps de remettre ses pattes sur moi.

CHAPITRE TRENTE-TROIS

– Jackson !

Je m'étais écroulé, le front posé sur la table en bois de notre box.

– Quoi ?

De tous mes retours de sauts temporels, celui-ci était le pire de très, très loin. Comme si j'avais 41 °C de fièvre.

– Il faut sortir d'ici, dit mon père.

Il m'aida à me relever et passa un de mes bras par-dessus son épaule, puis il me fit traverser le hall de l'hôtel, monter dans l'ascenseur et entrer tant bien que mal dans sa chambre. Je tombai à la renverse sur le canapé, les yeux clos, incapable du moindre geste.

– Merde, c'est pas bon, marmonna-t-il. Tu as besoin de quelque chose ? À manger, à boire ?

– Non, fis-je en gémissant. Je risque de tout vomir.

Il alluma une lampe.

– Que se passe-t-il ? Pourquoi tu regardes tes mains comme ça ?

Je ne m'en étais même pas rendu compte avant qu'il ne me le fasse remarquer. Mes mains étaient parfaitement propres, mais j'avais l'impression de sentir le sang poisseux entre mes doigts.

– J'ai touché la blessure. L'homme saignait... Je n'en reviens pas d'avoir fait ça.

– L'homme ? Quel homme ?

– Celui sur lequel j'ai tiré. Il est mort. Enfin, non, il n'est pas vraiment mort, mais j'ai bien tiré.

– Tu as vu ce qui s'est passé ? Avec... elle ? s'étrangla-t-il.

– Quoi, « ce qui s'est passé » ? Quand je n'étais pas là ?

Alors, je compris. Je ne conservais aucun souvenir d'Eileen et mon père venait de me demander si j'avais vu ce qui s'était passé pour elle.

– Elle a été tuée, dans le vrai 1992 ?

Mon père hocha lentement la tête, me lâcha les mains et s'assit par terre.

Donc, quand cet événement s'était effectivement produit alors que je n'étais pas là, il n'y avait eu personne pour empêcher le rouquin de la tuer.

– Papa, c'est le type... c'est un des types qui était dans la chambre de Holly quand elle s'est fait tirer dessus.

Impossible de quitter mes mains des yeux... Le sang de l'inconnu s'était volatilisé. C'était irréel, pourtant cela me semblait bien réel.

– Je suis désolé. Je ne pouvais pas le laisser faire sans...

– Intervenir ? termina-t-il.

Il se releva pour venir s'asseoir dans le fauteuil en face de moi.

– C'était idiot, cela n'aura rien changé, dis-je, avant de chasser cette pensée par une nouvelle question. Qui était-ce, cette Eileen ?

Il lui fallut un moment pour se ressaisir.

– C'était une chercheuse brillantissime. Elle travaillait avec le docteur Melvin. C'est aussi la femme qui vous a portés, toi et ta sœur. Même si vous n'êtes pas génétiquement liés. Elle disait être votre mère.

– J'ai entendu ça. Mais nous n'étions qu'un projet de recherche pour elle ? Une mission ? Le docteur Melvin m'a parlé du rôle de la mère porteuse dans l'expérience.

– Au début peut-être, mais dès qu'elle a senti vos coups de pied dans son ventre… et puis après, quand elle vous a serrés dans ses bras… vous étiez ses enfants. Deux bébés exceptionnels qui allaient changer le monde grâce à leurs esprits géniaux. Voilà ce qu'elle cherchait dans cette expérience.

– Et ta mission à toi, là-dedans ? Tu devais la protéger ?

– Ma fonction était de vous protéger, toi et ta sœur. La protection d'Eileen avait été confiée à l'agent Freeman, pas celui que tu as rétamé aujourd'hui, son père. J'ai rejoint le projet quand vous avez commencé à marcher. Vous deviez avoir onze mois.

– Quand j'ai tiré sur l'homme, tu t'es mis en rage contre Freeman. Tu te demandais où il pouvait bien être.

Mon père pâlit.

– Je ne voulais pas que tu t'interposes, juste que tu assistes à la scène, que tu saches pourquoi j'agis comme je le fais.

– Tu n'as pas besoin de te justifier, dis-je en montrant mes mains, même si le sang avait disparu. Tu l'aimais, n'est-ce pas ?

– Oui, fit-il d'une voix brisée, avant de détourner les yeux vers la télévision. Si je pouvais changer une seule chose, ce serait cette journée-là. Il m'aurait fallu quinze secondes pour la couvrir.

– Tu as presque réussi, mais tu nous as protégés, Courtney et moi, au lieu d'elle, murmurai-je.

– Je sais ce que tu penses, Jackson, mais les choses ne sont pas ce que tu crois. Les gens parlent tout le temps de la rancœur comme d'une chose très banale. Mais si j'avais décidé de la sauver, elle, et qu'il vous était arrivé quelque chose, à toi et à ta sœur, elle ne me l'aurait jamais pardonné. Jamais, répéta-t-il avec un faible sourire, ou, plutôt, une grimace de chagrin. Elle m'a laissé quelque chose qu'elle aimait. Deux petites choses. Une partie d'elle-même que je pouvais garder. Je voulais devenir votre père avant sa mort, l'épouser et fonder une famille. C'était mal vu, évidemment, mais j'étais prêt à franchir le pas, une fois que j'aurais eu trouvé les bons arguments pour convaincre ma hiérarchie.

– Je suis vraiment désolé, Papa, dis-je avec un profond soupir. Je me demandais par qui j'avais été élevé avant que tu entres dans ma vie. À présent, je sais.

– Et moi, je sais que tu ne veux plus me faire confiance. Mais j'ai déjà perdu ma fille et la seule femme que j'aie jamais aimée, alors je ne veux pas te perdre, toi.

– Et tu as aussi perdu ton coéquipier.

– Oui, l'agent Freeman, le père, était mon mentor. Très fort. Il est mort le même jour qu'Eileen. Ensuite, avoir son fils parmi nous en sachant que son propre père était mort en faisant le même boulot… ça n'a pas été facile. Mais si les agents de Tempest sont aussi jeunes, c'est qu'il y a une raison… la plupart ne durent pas longtemps.

– Ils démissionnent ?

– Non, personne ne démissionne jamais, dit-il, avant de changer de sujet. Écoute-moi bien, Jackson. Il est possible de garder une marge de manœuvre dans ce système quand on est doué, et il se trouve que je suis très doué. J'ai réussi à cacher certaines choses à Marshall et à Tempest afin de vous protéger, Courtney et toi. Tu n'es pas obligé de sacrifier ton existence.

J'étais toujours en train d'essayer de comprendre mon dernier saut temporel.

– Pourquoi son prénom figure-t-il sur mon acte de naissance ? Avec ton nom de famille ?

– Elle était ce qui s'approchait le plus d'une mère pour toi. Mon nom de famille, c'était pour me permettre de justifier auprès de toi et Courtney l'histoire de la mort de votre mère en couches.

– Quel était le nom de famille d'Eileen ?

– Covington. Elle venait d'une famille très riche. Des Écossais, comme tu as dû le deviner à son accent. C'est de là que vient notre argent. Elle a laissé un fidéicommis à votre nom. Nous habitons dans son appartement. Je t'ai donné l'existence qu'elle aurait voulue pour toi. Rien à voir avec ce que j'ai connu moi.

– C'est-à-dire ?

– Je te raconterai ça une autre fois, répondit mon père en me tapotant l'épaule. Rappelle-toi ce que je t'ai dit : Marshall sait ce dont je suis capable et il est constamment sur ses gardes. Il est peu probable que j'aie mon mot à dire dans ta formation.

– Pourquoi ?

– Il sait très bien qui je cherche avant tout à protéger, dit-il en souriant. Sans compter qu'ils veulent que tu deviennes bon, mais pas suffisamment pour agir en solo.

– Ou contre eux.

Un puissant carillon retentit dans la radio posée sur le lavabo de la salle de bains. Mon père tourna vivement la tête dans sa direction.

– Merde !

– Quoi ?

– Les détecteurs que j'ai posés dans ta chambre, dit-il avant de composer la combinaison du petit coffre-fort pour en sortir un revolver. Quelqu'un s'y est peut-être introduit.

Quelques instants plus tôt j'étais presque incapable de bouger, et pourtant je bondis du canapé et arrivai avant mon père à la porte. Je traversai le couloir, puis montai l'escalier de secours à toute allure. Au détour d'un mur, je percutai Holly, qui se tenait devant la porte de notre chambre.

Elle vacilla, mais parvint à rester debout. Pour ma part, j'étais trop affaibli pour en faire autant et je m'écroulai sur la moquette. Il lui fallut sans doute un instant pour se rendre compte que c'était moi qui lui avais foncé dedans. Toutes ces histoires de CIA devaient la mettre à cran.

– Merde, Jackson, tu m'as fait une de ces peurs ! s'écria-t-elle. Je venais te chercher. Qu'est-ce qui se passe ?

Mon père me tendit une main et m'aida à me relever.

– Il ne se sent pas très bien, expliqua-t-il. C'est peut-être une intoxication alimentaire.

– Tu es tout pâle, constata Holly en passant un de mes bras par-dessus son épaule.

Elle ouvrit la porte et me traîna jusqu'au lit, où je m'affalai.

– Je vais te chercher de l'eau, dit mon père.

Holly défit mes lacets et me retira mes chaussures, puis s'assit près de moi en s'adossant contre la tête de lit.

– Si tu t'approches un peu, on pourra partager la couverture, dit-elle.

Je bougeai juste assez pour poser ma tête sur ses genoux. Elle tira la couverture sur moi et me caressa les cheveux.

– Merci, Hol.

– Il te faut autre chose ?

Je secouai la tête et m'endormis aussitôt.

***

– Je sais. La première fois que j'ai dit à mes petits de CP que je rentrais chez moi par le train de banlieue, l'un d'eux s'est mis à pleurer, dit Holly en riant.

– La criminalité dans ces trains et dans les transports publics en général est beaucoup moins élevée qu'on ne croit, remarqua mon père.

– C'est la faute à Hollywood. Il y a trop de films avec des bus qui explosent et des méchants qui se font poursuivre dans le métro.

– Ça ne t'a pas fait drôle de t'occuper de gamins qui ont des domestiques et qui n'ont jamais connu un autre mode de vie ?

– Au début, peut-être, fit Holly toujours en riant. Quand j'enseignais la gym, j'avais l'habitude de convaincre les enfants d'essayer un nouvel exercice en leur donnant quelques piécettes. J'ai su dès le premier jour au centre aéré que ça ne servirait à rien avec ceux-là. Mais bon, tous les enfants sont protégés de quelque chose, je pense.

– Oui, sans doute, répondit mon père.

Je finis par ouvrir les yeux. Papa était assis dans un fauteuil face au lit. Je me tournai pour regarder Holly.

– J'ai dormi longtemps ?

– Environ deux heures, dit-elle, avant de poser la main sur ma joue. Comment te sens-tu ?

– Mieux, dis-je en me hissant lentement pour m'adosser près d'elle. Pourquoi tu es resté, Papa ?

Il se leva et me tendit une bouteille d'eau.

– Je voulais juste m'assurer que tout allait bien. En plus, Holly est d'une compagnie très agréable. Je n'ai pas vu le temps passer.

– Merveilleusement agréable, dis-je en l'enlaçant pour l'attirer vers moi. Je ne sais pas ce qu'il t'a dit, mais c'est faux.

Holly éclata de rire et secoua la tête.

– On va voir : tu n'es quand même pas sorti avec une des filles de la comédie musicale *La Revanche d'une blonde* ? me demanda-t-elle.

– Si, mais ça n'a duré que quinze jours.

– Je n'ai jamais rencontré une fille aussi odieuse, intervint mon père.

– Tout à fait d'accord, renchéris-je.

– Je vais aller dormir un peu, et puis on décidera de la marche à suivre pour la journée, annonça-t-il en se dirigeant vers la porte.

– Papa ?

– Oui ?

Je jetai un œil en coin à Holly, puis regardai mon père.

– Je persiste : je suis résolu à bosser dans l'entreprise familiale.

Le visage de mon père se décomposa. Il montra la porte d'un signe de tête, m'indiquant qu'il voulait me parler seul à seul. Holly repéra son mouvement et m'incita à me lever en me poussant du coude. Une fois dehors, mon père scruta le couloir avant de se mettre à parler tout bas.

– On en rediscutera demain, mais pas ici. La sécurité pose un vrai problème dans un bâtiment de cette taille. Il m'est impossible d'en surveiller tous les coins et recoins.

– Et ?

– Si on allait faire de la voile ? Freeman surveillera tes amis.

– Pas question. D'accord pour la voile, mais Adam et Holly viennent avec nous. Et puis, attention : je tiens vraiment à ce que tu me racontes tout, mais je me suis déjà engagé vis-à-vis de Marshall et je n'ai pas l'intention de revenir là-dessus.

– Tu es bien sûr de toi ? soupira-t-il.

– Oui, je refuse de laisser l'histoire se répéter.

– Je te comprends. Mais ça ne nous empêche pas d'en reparler avant que quelqu'un te présente un tableau idyllique de ce travail et te monte la tête avec de grandes idées.

Avec un soupir, mon père s'éloigna vers l'escalier. À cet instant même, lui seul savait de combien de manières différentes on pouvait interpréter cette affirmation. Le 30 octobre 2009 était peut-être le futur dans cette ligne temporelle, mais pour moi, c'était du passé. Et Holly ne subirait pas le même sort qu'Eileen, j'étais résolu à tout faire pour m'en assurer.

En retournant me coucher, la réalité me frappa : j'appartenais officiellement à la CIA. Ce n'était pas juste une histoire inventée. Je fis glisser Holly près de moi, puis me penchai vers elle et l'embrassai.

– Tu es trop jolie… Tu veux entendre un secret ?

– J'adore les secrets, surtout les tiens.

– J'ai eu envie de t'embrasser la première fois que je t'ai vue.

– C'est vrai ? dit-elle en me déposant un baiser sur le nez. Un autre !

– J'ai promis à ma sœur que je t'épouserais.

– C'est encore une de ces hallucinations causées par le projet scientifique d'Adam ? dit-elle en riant.

Je baissai la tête et l'embrassai juste sous la clavicule.

– Tu as tout compris. Ah, au fait, nous aurons six enfants.

– Six ?

– Eh oui. Alors, conserve précieusement la culotte géante, elle pourra servir.

Holly fut prise d'un fou rire qui l'amena au bord des larmes, jusqu'à ce que son sourire disparaisse. Elle me dévisagea un long moment d'un air entendu et pénétrant.

– C'est à ça que tu faisais allusion quand tu as dit… ?

Je savais où elle voulait en venir.

– … qu'il est difficile d'en être sûr tant que les choses vont bien ? complétai-je.

– Que s'est-il passé ? demanda-t-elle en tendant les mains vers mon visage.

– Un cauchemar horrible, c'est tout.

– Tu peux me raconter.

– Tu as déjà vu quelqu'un mourir ?

Je posai ma tête sur l'oreiller, et la sienne vint m'y rejoindre aussitôt.

– Non, jamais.

Le récit de ma visite à Courtney dans sa chambre d'hôpital se déroula tout seul, sauf que je dis à Holly qu'il s'agissait d'un rêve ou d'une hallucination.

– J'ai longtemps cru que mon père m'en voulait d'être en bonne santé… d'être vivant.

– Je ne crois pas que ce soit le cas, dit Holly.

Elle avait à peine fini sa phrase que des larmes tombèrent sur l'oreiller. Elle les essuya d'un geste rapide.

– Pardon, je n'aurais pas dû me décharger de tout ça sur toi.

– Non, non, ça va. Tu peux tout me dire, vraiment, affirmat-elle avant de prendre ma main pour la porter à ses lèvres. J'aurais juste voulu voir à quoi elle ressemblait.

– Mais tu as vu…

Je m'interrompis en me rappelant que Holly 009 n'avait vu qu'une chambre vide et quelques photos de moi dans l'appartement.

– Euh, enfin, tu veux voir une photo ? J'en ai une.

Je tendis le bras pour attraper mon portefeuille et en sortis la carte que je n'avais jamais donnée à Courtney, ainsi qu'une photo de nous deux à Central Park, la veille de Noël, un ou deux mois avant que sa maladie se déclare. Les yeux de Holly passèrent de la photo aux mots inscrits sur la carte. Je la laissai lire, car Holly 007 en avait fait autant et cela me semblait la moindre des choses. Elle balaya ses larmes et me rendit la carte, l'air résolue à prendre sur elle.

– Moi non plus, je n'aurais pas pu voir mourir quelqu'un que j'aime. J'aurais eu trop peur.

– Je suis sûr du contraire, Holly, dis-je en lui caressant la joue.

– Aujourd'hui peut-être, mais à quatorze ans… sûrement pas.

– Allez, ça suffit les trucs tristes, dis-je avec un sourire à la vue de son visage encore humide de larmes. C'est une vraie torture que je t'inflige.

– On ne parle plus non plus des six enfants que je suis censée avoir. Rien que l'idée me donne envie de garder les jambes croisées jusqu'à la fin de mes jours.

C'était exactement ce dont j'avais besoin pour me sortir de ma torpeur.

– Je trouve absolument génial que tu sois capable de me balancer des conneries pareilles. Bon, à ton tour de me dire un secret. Enfin, plutôt de répondre à une question.

– On va voir…

– Comment t'es-tu retrouvée avec un type comme David Newman ?

– David ? Qu'est-ce qu'il a, David ?

– Rien, mais qu'est-ce qui t'a attirée vers lui ? Comment ça a commencé ?

– Tu veux vraiment savoir ?

– Simple curiosité.

– On s'est soûlés un soir et on a commencé à se bécoter devant plein de gens, alors comme on était déjà copains, tout le monde en a conclu que… c'était le moment décisif. David était tellement bourré qu'il ne se souvenait de rien. Et pas plus maintenant qu'à l'époque.

– Quoi, c'est tout ?

– Je crois que, quand j'étais plus jeune, je pensais que le mec parfait existait quelque part, alors j'ai décidé de…

– De te poser ?

– Oui, dit-elle avec un sourire penaud. Mais ce n'était pas conscient. C'est juste que je n'avais pas idée que ça puisse se passer autrement.

– Je comprends, dis-je en me rapprochant d'elle pour l'enlacer.

– Pendant un moment, tu m'as énervée parce que tu m'as fait douter de ma décision. Avec David, je ne me sentais pas... il ne me...

– Faisait pas grimper aux rideaux ? complétai-je en souriant.

– Voilà.

Elle m'embrassa et se coucha sur moi, tout en continuant à me caresser les cheveux, puis elle s'écarta pour bâiller.

– Désolée.

Je ramenai de la main sa tête sur ma poitrine.

– Dors. Tu as l'air complètement vannée.

– Tu veux que je me décale ? demanda-t-elle avec un petit rire.

– Non, fis-je en resserrant mes bras autour d'elle. Tu ne bouges pas d'ici. Il fait bien chaud.

– Tu as toujours été doué pour ça, dit-elle en relevant la tête.

– Pour quoi ?

– Tu me prends toujours la main au bon moment, et quand tu m'embrasses, c'est pareil. Comme si c'était ta manière d'exprimer ce que tu ne parviens pas à dire avec des mots. Même si je savais que les mots finiraient par arriver.

– Pardon d'avoir douté de ta patience.

Le sommeil me fuit pendant le reste de la nuit. Tout en m'emplissant de la chaleur du corps de Holly, je repensai à mon père et à tout ce qu'il avait perdu. Jamais il ne me trahirait. Même si son boulot devait être de protéger quelqu'un d'autre. J'en étais désormais convaincu.

J'avais déjà vu sur son épaule la cicatrice causée par la balle qu'il avait prise à ma place dix-sept ans plus tôt, mais je n'en connaissais pas l'origine. Comment avais-je pu pleurnicher sur mon sort en 2007 parce que je devais fréquenter une Holly plus jeune qui ne me connaissait pas, alors que mon père, lui, ne reverrait plus jamais Eileen en vie ?

Je voulais en apprendre beaucoup plus sur elle, maintenant que je savais qu'elle avait été comme une mère pour nous. Je voulais tout savoir. Si seulement il ne fallait pas remonter si loin dans le temps... Je vis le soleil percer les rideaux et compris que les choses ne seraient pas toujours aussi simples qu'elles l'étaient à cet instant précis. Mais je refusai de réfléchir à autre chose. Pour le moment, en tout cas.

CHAPITRE TRENTE-QUATRE

– Eh ben dites donc ! s'exclama Holly en découvrant l'immense voilier blanc. On a un capitaine pour faire voguer ce monstre ?

– Oui, moi ! lança mon père.

– Euh, vous savez, je crois que… je vais passer mon tour et que je vais aller me poser sur la plage, déclara Adam avec un regard envieux pour les vacanciers allongés sur le sable.

– Pas question, dit mon père en lui assenant une claque un peu trop appuyée dans le dos. Tu viens avec nous. On ne peut pas te laisser à terre avec toute cette technologie qui traîne partout. Pas tant que je suis de garde.

Je me doutais que mon père se moquait de lui, mais Adam parut gagné par la peur.

– C'est une technique de mafieux, chuchota-t-il en se penchant vers moi. On emmène les suspects au large, on les flingue, on balance les cadavres par-dessus bord et on finit par les retrouver sur une plage à l'autre bout du monde ou dans les Caraïbes. Comme ça, plus de preuves.

– Ah oui ? fit Holly, qui avait tout entendu. Il y a des moyens beaucoup plus efficaces d'effacer des preuves, tu sais.

Mon père aida Holly à monter à bord et j'en profitai pour murmurer à Adam :

– Qu'est-il arrivé à la véritable Holly Flynn ?

– Elle n'est pas si différente de toi, répondit-il en souriant. Elle aussi a toujours voulu sortir des sentiers battus.

Il avait raison. On ne peut pas dire que Holly n'avait pas été elle-même avec moi, c'est juste qu'elle ne se lâchait pas vraiment parce qu'elle ne pensait pas que je pourrais assumer. Les projets, la passion… l'engagement, autant de choses qui m'auraient mis en fuite. Je donnai un coup d'épaule à Adam pour le pousser à embarquer.

– Je te couvre. De toute façon, la plupart des meurtres mafieux ont lieu sur des bateaux à moteur.

Mon père s'était mis au travail et déroulait les voiles. Je grimpai à bord pour l'aider, sous le regard de Holly et Adam, assis à la proue.

– Ça fait partie de la formation d'un agent ? demanda Holly. Vous donnez vraiment l'impression de savoir ce que vous faites.

– Rien à voir, répondis-je en lançant un sourire à mon père. C'est juste qu'on a souvent fait du bateau pendant les vacances. C'est totalement banal pour nous.

– Et on ne peut pas en dire autant de beaucoup d'autres choses, n'est-ce pas ? enchaîna mon père.

Quelques instants plus tard, nous avions largué les amarres, direction les flots bleus. Je ressentis aussitôt une impression de soulagement d'avoir quitté un hôtel plein de monde. Je comprenais pourquoi mon père voulait prendre le large.

– Bon, quand est-ce qu'on parle de trucs secrets ?

– Quand on sera encore un peu plus loin, dit-il calmement. Tu te rappelles comment on recherche des micros ?

– Oui, tu me l'as montré.

Je me mis en chasse en commençant par le niveau inférieur, puis j'inspectai minutieusement le pont supérieur. Mon père discutait tout bas avec Adam, et je ne pus m'empêcher d'écouter.

– Il y a un service dans lequel j'ai commencé, voilà des années, quand j'avais à peu près ton âge. Bref, il est situé dans les sous-sols de la bibliothèque municipale de New York, et cette activité ne comporte presque aucun risque. Il s'agit surtout de consulter des livres, des programmes informatiques, des sites Internet et de rechercher des codes secrets. Je pourrais t'y faire entrer.

– Génial, fit Adam.

Ils s'engagèrent alors dans une conversation de spécialistes et j'allai m'asseoir à l'autre bout du bateau. Le sentiment d'urgence qui habitait mon père hier soir semblait s'être dissipé. Il voulait peut-être juste passer un peu de temps avec moi, puisque nous n'avions désormais plus de secrets l'un pour l'autre.

Holly remonta du pont inférieur avec un verre pour moi et s'assit entre mes jambes.

– C'est la première fois que je monte sur un voilier, dit-elle.

– La voile, c'était ce que je préférais pendant les vacances.

Le soleil dardait sur nos têtes, mais avec les embruns qui venaient nous rafraîchir de temps en temps, c'était parfait. Je l'enlaçai par la taille et posai le menton sur sa tête. Il n'y eut que le silence pendant un moment, jusqu'à ce que je sente le regard de Holly sur moi, un regard plein d'intensité.

– Qu'est-ce qu'il y a ?

– Rien. C'est juste que…

– Dis-moi ce qui se passe, Hol, insistai-je.

Ses lèvres effleurèrent mon cou, puis elle me murmura tout bas à l'oreille :

– Je t'aime. Je t'aime vraiment. Pas comme quand je l'ai dit à David. Ça va bien au-delà.

Je la serrai encore plus fort et ressentis une grande chaleur. Je ne sais pas pourquoi je dis la phrase qui suivit. C'était peut-être l'intensité de son regard, ou la culpabilité d'avoir refusé si longtemps de m'engager. À moins que je n'aie eu envie de la prononcer parce que mon père, lui, n'avait pu le faire.

L'œil rivé sur lui, je chuchotai à l'oreille de Holly :

– Épouse-moi.

J'entendis sa respiration se bloquer, mais je ne la regardai pas. Inutile. Tout ce que je voulais, c'était lui poser la question. Le reste importait peu… pour l'instant.

– Un jour, c'est promis, répondit-elle en prenant mon visage entre ses mains pour me faire face.

– Pas besoin de promesse. J'avais juste envie de demander.

– C'est promis, répéta-t-elle en souriant.

J'aurais tant voulu m'abandonner à la perfection de cet instant, mais il s'était passé trop de choses pour que je me relâche complètement. On était le 15 août. La vie de Holly serait-elle de nouveau en danger le 30 octobre ? Ou avant ?

Devant le visage préoccupé de mon père, je fus instantanément sur le qui-vive.

412

– Il y a un problème ? demandai-je.

Il était en train de virer de bord. Il pointa le doigt par-dessus mon épaule, vers de gros nuages noirs roulant sur nous à pleine vitesse, alors que le reste du ciel était parfaitement dégagé.

– Merde ! s'exclama Adam.

– On fait demi-tour, alors. Ce n'est pas un problème, n'est-ce pas ? dis-je en rejoignant mon père à la barre. Ça ne durera pas longtemps de toute façon.

– En effet, confirma mon père.

Je m'activai avec lui pour assurer les voiles et repérer notre position exacte, au cas où nous n'aurions plus de visibilité. Dix minutes plus tard, le ciel était entièrement noir de nuages épais prêts à éclater. Un éclair zébra le ciel et tout devint rose, l'espace d'un instant. Puis la pluie se mit à tomber à seaux.

– Gilets de sauvetage ! cria mon père pour couvrir le roulement du tonnerre. Et quittez le pont !

J'aidai Holly à soulever le couvercle du banc sur lequel nous étions assis pour nous emparer des gilets. J'en jetai un à Adam avant d'en passer un autour du cou de Holly et de l'attacher solidement. La pluie tombait si fort que je pouvais tout juste distinguer son visage, mais j'entendis parfaitement le hurlement qu'elle laissa échapper en regardant derrière moi. Je fis volte-face.

Un homme brun vêtu d'un long imperméable noir se tenait à l'avant du voilier. *Oh non, pas maintenant !* D'instinct, je voulus crier à Holly d'aller se réfugier sur le pont inférieur, mais si quelqu'un avait pu surgir ici…

– Comment est-il arrivé ici, lui ? demanda Holly.

Et qui est-il venu chercher ?

Mon cœur faisait plus de bruit que la pluie. L'homme mit son bras autour du cou d'Adam, mais le voilier prit de la gîte. Holly fut projetée contre le bastingage et l'assaillant perdit un peu l'équilibre. J'en profitai pour lui assener un violent coup de coude sur la tempe, l'obligeant à lâcher Adam, qui chuta vers l'avant, puis bondit pour rattraper Holly et l'entraîner à l'autre bout du bateau.

L'instant d'après, je me retrouvai par terre, sur le dos. Alors que je tentais de me relever, l'homme me sauta à la gorge et me poussa contre le mât. Son visage, qui m'était inconnu, exprimait toute sa rage. Je lui agrippai les poignets pour les écarter de mon cou, mais l'air me manquait. Des taches noires apparurent devant mes yeux.

– Tu l'as tuée ! cracha-t-il.

Tué qui ?

– Holly ! entendis-je Adam crier.

Je voulus décocher des coups de pied, mais j'avais les jambes en coton. Des pas se faisaient entendre tout autour de moi, mais c'était peut-être le sang qui me montait à la tête. Une silhouette vague se dessina derrière mon agresseur, puis il y eut un énorme craquement. La prise se relâcha et l'homme s'affala. Je retrouvai ma respiration et les taches noires disparurent. Holly se tenait debout devant moi, un extincteur dans les mains.

Elle eut un mouvement de recul lorsque l'homme se releva et commença à tituber sur le bateau qui tanguait, comme s'il était devenu aveugle. Ses mains cherchaient quelque chose. Puis il monta sur le banc. Un deuxième éclair stria les cieux, révélant son visage troublé. Puis il y eut deux détonations, et il bascula par-dessus le garde-corps, dans l'océan.

Je portai les mains à ma poitrine et me retournai. Mon père, pistolet en main, se tenait à l'autre bout du voilier. Tir parfait. En plein dans le mille. Il accourut et prit mon visage dans ses mains.

– Ça va ? me demanda-t-il, obtenant pour toute réponse des halètements et un signe de tête. Désolé, j'avais laissé toutes les armes au pont inférieur.

Il m'en déposa une dans la main, que je contemplai un instant, avant de la coincer dans ma ceinture, même si l'idée même d'avoir à m'en servir me révulsait.

– Il va falloir m'expliquer tout ça. Et maintenant ! exigea Holly en montrant du doigt le cadavre qui flottait.

Le tonnerre était si assourdissant qu'il couvrait nos voix. Finalement je parvins tout de même à crier à mon père :

– C'était quoi ce bordel ? Tu étais au courant ? C'est la suite de la Liste de Marshall, n'est-ce pas ? Pourquoi tu nous as entraînés ici, si tu savais qu'on risquait de se faire attaquer ?

– Si j'avais été au courant, tu crois vraiment que je me serais séparé de mon arme ? Je n'ai jamais vu cet homme de ma vie, et pourtant je crois les connaître à peu près tous.

Le voilier s'inclina encore plus et nous projeta contre le bastingage. Je saisis Holly par la taille et lui protégeai la tête de mon bras pour amortir le choc. Mon père se releva tant bien que mal et hurla des ordres à Adam, qui avait pris la barre.

– Jackson, dis-moi ce qui se passe ! m'implora Holly tandis que nous tentions de retrouver notre équilibre. D'où il sortait, ce type ? Il est apparu comme ça.

J'ignorai sa question, préférant consulter mon père.

– On descend au pont inférieur ?

Mon père se laissa glisser jusqu'à nous.

– Pas la peine. Freeman vient nous chercher. Il sera là d'ici deux minutes.

Je rangeai l'arme et me mis à scruter l'océan, en quête d'un autre bateau.

– Jackson ? répéta Holly.

Je sentis à sa voix qu'elle était vexée. Comme la fois au zoo où elle avait compris que quelque chose n'allait pas et que j'avais refusé de lui en parler. Du regard, j'interrogeai mon père. Il me répondit d'un signe de tête affirmatif avant de rejoindre Adam.

Holly était de nouveau en train de déraper. J'agrippai son gilet de sauvetage et nos visages se retrouvèrent tout près l'un de l'autre.

– Dis-moi ce qui se passe, insista-t-elle.

– Il voyage dans le temps, annonçai-je en écartant les cheveux mouillés qui lui collaient au visage.

– Quoi ?

– Il voyage dans le temps.

– Mais, mais... comment a-t-il fait pour apparaître comme ça ?

Le vent était tel qu'il aurait pu facilement emporter Holly par-dessus bord, alors je la serrai contre moi tout en empoignant le bastingage.

– Oublie tout ce que tu as pu entendre sur les voyages dans le temps, sinon tu ne comprendras rien.

– Merci, ça m'aide vachement, dit-elle.

Cette pointe de sarcasme, alors que nous étions cramponnés à un bateau sur le point de sombrer, me donna la force de lui raconter la suite.

– Moi aussi, je peux.

– Tu peux quoi ?

– Voyager dans le temps.

Comme elle ne réagissait pas, je poursuivis :

– Quand tu m'as vu jeudi avec des vêtements différents, j'étais parti depuis plusieurs semaines.

Les éclairs déchirèrent le ciel, suffisamment puissants pour me permettre de contempler son visage bouleversé.

– Quoi ? Tu ne m'as pas vue pendant des semaines ?

Je lui dis ou non ?

– Si, je t'ai vue, mais plus jeune.

– C'est impossible... Je m'en souviendrais, non ?

Le moteur de la vedette de Freeman se fit entendre, et bientôt un projecteur gigantesque placé à sa proue nous éclaira.

– Qu'est-ce que je viens de te dire, Holly ? Oublie tout ce que tu as jamais pu entendre sur ce sujet.

– Allons-y ! nous hurla mon père en asseyant Holly sur la rambarde. Je passe le premier et puis je t'aiderai à descendre.

Le projecteur éclairait le visage de Holly, où se mêlaient la vexation et la douleur. Mais il y avait autre chose... comme une réelle envie de me croire.

L'embarcation de secours se rangea parallèlement à la nôtre, mais il restait un espace entre les deux coques. D'un signe de tête, Holly refusa l'offre de mon père et, sans que personne puisse intervenir, elle sauta. Elle fit un roulé-boulé pour amortir sa chute, puis effectua un rétablissement parfait.

– Silverman, à toi ! cria mon père.

Adam monta sur le garde-corps et sauta comme Holly, sauf qu'il atterrit brutalement sur les genoux. La douleur attendrait quelques heures avant de se manifester, je le savais. Les vagues déferlaient de partout et l'eau s'engouffrait dans la vedette. En même temps que mon père, je grimpai sur le bastingage, bondis et atterris sur mes pieds.

– C'était qui ? hurla Freeman à mon père.

– Jamais vu.

– Il m'a dit que j'avais tué quelqu'un, une femme, criai-je avant de faire asseoir Holly sur un siège à côté de moi.

– Ça n'est peut-être pas encore arrivé, supposa Freeman.

– Évidemment, sinon je le saurais.

Je n'avais tué personne, hormis le tailladé. Et comme je l'avais fait au cours d'un demi-saut, il n'était pas vraiment mort.

– Si tu peux voyager dans le temps, alors pourquoi ne peux-tu pas remonter de quelques heures dans le passé pour nous empêcher de monter sur le bateau ? demanda Holly.

– Tu lui as dit ? intervint Adam, qui était assis en face de nous.

– Ça ne marche pas comme ça, Hol, dis-je en pressant sa main. Parfois, j'aimerais que ça soit aussi simple.

Soudain, Holly sursauta et agrippa l'épaule de Freeman.

– Regardez ! Il y a quelqu'un là-bas !

Je me précipitai à l'avant, suivi d'Adam et de mon père, essayant de distinguer quelque chose à travers les rideaux de pluie. Effectivement, une petite silhouette se tenait sur un ponton à quelques encablures du rivage.

– On dirait un enfant, dit Freeman en faisant virer la vedette.

Nous hésitions, y compris mon père. Il était employé par l'État pour combattre des méchants qui voyageaient dans le temps, pas pour secourir des gamins pris dans une tempête. Pourtant, aucun d'entre nous n'avait envie de faire demi-tour. Je scrutai la plage : il n'y avait pas de parents affolés en train d'appeler leur petit. Sans doute étaient-ils partis demander de l'aide.

– C'est à l'opposé de la marina, cria Freeman alors même qu'il prenait la direction du ponton.

Une vague gigantesque déferla sur l'un des côtés de la vedette et s'abattit sur Holly, Adam et moi. Un grincement sourd s'éleva du moteur. Comme Adam, je tournai les yeux dans cette direction, m'attendant à voir apparaître de la fumée.

– Cette saleté refuse de virer de bord ! dit Freeman.

– J'y vais à la nage, hurlai-je suffisamment fort pour que tous puissent m'entendre. Partez sans moi.

Avant qu'ils aient pu dire quoi que ce soit, j'avais sauté à l'eau. Les vagues s'écrasaient sur mon crâne tandis que je nageais. Parvenu au ponton, je découvris une petite fille de neuf ou dix ans, les bras enroulés autour du poteau central. Mais pourquoi portait-elle un jean, un sweat-shirt et des tennis ?

Je me hissai sur le ponton et m'approchai d'elle. La lumière provenant de la vedette au loin éclaira son visage. Et ses longs cheveux roux.

– On se connaît ?

Elle secoua la tête et s'accrocha plus fort au poteau.

– Tu vas bien ?

– Oui, répondit-elle. Tu veux bien venir avec moi ?

Je m'agenouillai devant elle.

– Où ça ? Sur la plage ?

Elle secoua la tête une nouvelle fois. Alors, un étrange sentiment m'envahit. À peine étais-je en train de me rappeler où je l'avais déjà vue qu'elle lâcha le poteau et me prit la main. Je ressentis instantanément la sensation d'écartèlement : nous étions en train de sauter. Ensemble. Certes, ce n'était qu'un demi-saut, mais pour où ?

CHAPITRE TRENTE-CINQ

La première chose que je remarquai fut le silence. Ni pluie, ni tonnerre. J'ouvris les yeux et regardai autour de moi.

– On est dans… une station de métro ? demandai-je.

– Oui, il n'y a personne, répondit la fillette de ce ton formel, adulte, qu'adoptent parfois les enfants.

Je m'agenouillai devant elle de nouveau et l'observai. Elle était mince, frêle, mais ressemblait énormément à Courtney. Elle tourna la tête et me dévisagea. Elle avait les yeux bleus… pas verts.

– Attends un peu… je t'ai déjà vue, non ? Au zoo ?

– Oui, dit-elle en essuyant une goutte d'eau qui coulait à la pointe de son nez.

– Qui es-tu ?

– Je suis comme toi.

– Comment t'appelles-tu ?

– Emily.

– Et tu es comme moi ?

– Presque, mais pas exactement.

– Alors, tu es comme les autres ?

Je m'écartai d'elle insensiblement, car je me souvenais de la fillette, âgée de deux ans de moins, que j'avais vue errer dans l'hôtel, l'autre soir, et qui s'était volatilisée.

– Presque, mais pas exactement, répéta-t-elle avec un petit sourire.

– Je me suis endormi, c'est ça ? dis-je d'un ton incrédule. Ou je me suis cogné la tête ? Tu ressembles à ma sœur comme deux gouttes d'eau.

– On se ressemble tous. Enfin, presque tous. On a le même ADN, non ?

– Je ne sais pas… sans doute, oui.

– Viens avec moi, m'invita Emily en me tendant sa petite main.

Je la saisis malgré mes doutes.

– Pourquoi ?

– Il faut que je te montre quelque chose.

Elle m'emmena vers un escalier qui devait rejoindre la rue. De ma main libre, je dégainai.

– Qu'est-ce que tu sais au juste ?

– Je ne vais pas te faire de mal.

– Oh, ce n'est pas toi qui m'inquiètes, c'est la personne qui t'a demandé de venir me chercher.

– Personne ne m'a rien demandé, dit-elle avant de se tourner vers moi en souriant. En fait, si : toi, tu me l'as demandé.

Je m'arrêtai au pied de l'escalier un instant, puis je m'accroupis pour que nos yeux se retrouvent au même niveau. J'oubliai ma question en plongeant dans le lac de son regard bleu.

– Tu as les mêmes yeux que moi…

– Oui, dit-elle, le sourire toujours accroché à ses lèvres.

– Pourquoi ? Comment ?

Elle fronça les sourcils.

– Ça, je n'ai pas le droit de te le dire. S'il te plaît, laisse-moi te montrer.

Mais avant de monter la première marche, elle me fit de nouveau face.

– Au fait, j'allais oublier.

Elle fouilla dans sa poche et fit tomber un objet minuscule dans ma main.

– Il faut que je te donne ça.

Sur ma paume, l'éclat d'un diamant accrocha les lumières vacillantes qui tombaient du plafond. Je fis tourner la bague entre mes doigts. Elle devait avoir une importance qui allait au-delà de ma demande à Holly, plus tôt dans la journée. Quoi qu'il en soit, mon avatar avait un très mauvais sens du timing. Je ne voyais pas l'intérêt de m'attirer dans une station de métro à une autre époque pour me remettre une bague en plein milieu d'une tempête qui avait failli nous tuer.

Je suivis Emily dans l'escalier et aperçus de la lumière qui perçait tout en haut. Il faisait jour.

– On est à New York ?

– Oui.

En émergeant à l'extérieur, je m'attendais à entendre les bruits familiers de la ville, les klaxons, les moteurs qui vrombissent, les gens qui parlent dans leur téléphone portable. Or il n'y avait rien que le silence. Je regardai autour de moi et restai bouche bée.

C'était bien New York, mais la ville ne ressemblait aucune-ment à celle que je connaissais. Seuls quelques buildings se dressaient encore, couverts d'une poussière ocre provenant sans doute des autres bâtiments qui s'étaient écroulés tout autour.

Mes jambes manquèrent de se dérober. C'était chez moi, ici. L'endroit où j'avais grandi. Mais il n'y avait pas âme qui vive. Rien. Je pivotai lentement sur moi-même. Il y avait tellement de gravats que la chaussée n'était plus visible.

Je revins soudain à la réalité en entendant Emily tousser à côté de moi. D'ailleurs, j'en faisais autant. Alentour tout était recouvert de ces décombres ocre. Pas étonnant que nous soyons en train d'étouffer.

– Emily, nous sommes dans le futur ? demandai-je.

Cela ne pouvait être le passé. En tout cas, pas celui que j'avais étudié en histoire-géo.

– Oui, parvint-elle à répondre entre deux quintes.

– Qu'est-il arrivé ? En quelle année sommes-nous ?

– Je n'ai pas le droit de te le dire.

– Mais qu'est-ce qui s'est passé ? Une guerre ? Quoi ?

– Tout ce que je peux te dire c'est que... il y a des gens qui se battent pour éviter que cela ne se produise et d'autres... pour le contraire.

Je la fixai intensément et lus la vérité dans ses yeux. Ce n'était pas juste une guerre des gangs. Ce lieu et cette année étaient maudits. Il fallait que quelqu'un empêche cette catastrophe.

– Je... je n'avais jamais sauté à l'extérieur des limites de ma propre existence, avouai-je.

– C'est parce que tu es avec moi, crachota-t-elle.

– Tu n'es pas comme moi, j'ai bien compris, mais en quoi es-tu différente d'eux ?

– Je possède tout ce qu'ils désirent, dit-elle en essuyant la poussière de son visage avec ses mains.

Tout ceci ne semblait pas franchement l'amuser.

J'entendis alors des aboiements au loin. C'était le premier son que je percevais depuis notre arrivée. Quelques secondes plus tard, une meute de chiens marron déboula au coin de la rue en faisant claquer leurs mâchoires. Je me plaquai contre le building avec Emily, qui me prit la main. Je pensais que nous allions resauter, mais elle était paralysée.

– Emily, allons-y !

Elle ferma les yeux un instant et se concentra, mais rien ne se produisit.

– Oh non, j'ai dû faire une bêtise. Ils ne devraient pas être ici.

Elle avait les yeux exorbités. Soudain, les chiens tournèrent la tête et filèrent dans la direction opposée. Mais je ne pus souffler que durant une demi-seconde : trois hommes apparurent au coin de la rue d'où les chiens avaient surgi.

Enfin, je pense que c'étaient des hommes. Chauves, les traits indistincts, ils avaient les yeux presque entièrement blancs et une peau diaphane sous laquelle affleuraient nettement leurs veines bleues et roses, comme s'ils manquaient d'épaisseur.

– Il avait raison ! C'est incroyable ! exulta l'un d'eux.

La colère et l'agressivité qui émanaient d'eux étaient quasi palpables, et j'avais bien compris qu'ils ne venaient pas pour parler de la pluie et du beau temps.

Emily ne bougeait toujours pas et, sans que je sache vraiment pourquoi, ma première réaction fut de m'enfuir en courant. Je la tirai par la main et la fis passer devant moi alors que nous longions les ruines du bâtiment. C'était la panique la plus totale, et il y avait peu de chances que mon père apparaisse pour me sauver la mise comme sur le voilier.

Le rythme de mes pas s'était calé sur les battements de mon cœur. Les cheveux d'Emily flottaient derrière elle. La poussière qui s'élevait du sol venait se loger dans mes yeux et ma bouche.

– Jackson, ça ne sert à rien de courir, dit-elle en me jetant un regard désespéré. Il faut que...

Au même instant, les trois hommes se matérialisèrent juste devant nous, comme par magie, nous obligeant à nous arrêter net.

– Vous voulez vous enfuir à pied ? se moqua l'un d'eux. Pourquoi courir alors que vous pourriez sauter ?

Emily se colla à mes jambes et je me plaçai devant elle, la plaquant contre le bâtiment. Sa respiration saccadée révélait sa terreur. C'est sans doute pour cela qu'elle ne réussissait pas à nous faire partir.

Les schémas de Jenni Stewart défilaient en boucle dans ma tête et ce fut comme si, brusquement, mon corps avait su exactement quoi faire, sans même que j'aie besoin d'y penser.

L'un des assaillants plongea vers Emily. À l'instant où il allait poser les mains sur elle, je le cueillis d'un coup de pied puissant en plein ventre qui l'envoya se fracasser le crâne contre le trottoir. Le deuxième, qui s'était approché de l'autre côté, prit mon coude en plein visage et recula en titubant. Emily glissa lentement le long du mur comme si ses jambes avaient cédé.

– Est-ce que je peux le faire ? lui demandai-je avec véhémence. Est-ce que je peux nous faire sauter vers le passé si nous sommes dans l'avenir ?

Ses yeux affolés cherchaient les miens. Elle ouvrit la bouche pour répondre, mais c'est un cri qui en jaillit.

– Jackson, attention !

Le troisième homme, arrivé dans mon dos, avait passé les bras autour de mon cou. Je le fis basculer par-dessus moi en me penchant et il s'écrasa au sol avec un hurlement de douleur. Je soulevai rapidement Emily dans mes bras. Elle me serra fort et enfouit son visage dans ma chemise. Elle essayait de s'isoler du monde extérieur pour nous permettre de nous échapper. Jamais la sensation de déchirement du demi-saut qui suivit n'avait été si plaisante.

CHAPITRE TRENTE-SIX

L'orage avait redoublé de violence, ce que j'aurais cru impossible. La pluie me fouettait le visage. Emily s'accrochait à moi de toutes ses forces, le visage toujours caché, le corps secoué de tremblements. Moi aussi, je tremblais. Je tentai de la reposer par terre, mais elle ne voulait pas me lâcher. Ses tremblements laissèrent place à des sanglots. Alors, je lui rendis son étreinte en me disant que, dans l'avenir, elle me faisait confiance, quelle que soit l'année d'où elle venait. Elle finit par s'écarter de moi et prit une profonde inspiration.

– Je ne savais pas que ce serait... comme ça.

– Tu vas bien ? demandai-je.

Elle fit oui de la tête, puis s'agrippa de nouveau au poteau central.

– J'ai un peu mal visé, hein ?

– Tu cherchais à atterrir sur un ponton en pleine tempête ?

– Non, mais les choses changent... Ce n'est pas toujours facile de bien réussir.

Le vent s'intensifia et fit tanguer la plate-forme. Pris de nausées, j'agrippai le poteau au-dessus de sa main et essayai de repérer la vedette au loin.

Je désignai la plage à Emily.

– Il faut que j'y retourne à la nage.

– Moi aussi, dit-elle avant de se recroqueviller au bruit d'un nouveau coup de tonnerre.

– Tu ne pourrais pas juste faire un saut, pour atterrir un autre jour ?

– Non, fit-elle en secouant la tête, ce qui projeta des gouttes autour d'elle. Tes amis doivent nous voir nager ensemble jusqu'à la plage. Ensuite je sauterai. Mais interdiction de parler de moi et de ce que je suis capable de faire. Je ne suis qu'une enfant que tu as secourue pendant l'orage, d'accord ?

Voilà pourquoi elle n'avait fait qu'un demi-saut. C'était pour que tout le monde nous voie sur le ponton, même si je doutais que la visibilité ait été suffisante pour cela depuis le port.

– Que va-t-il se passer maintenant ?

– Il faut que tu me laisses partir, quoi qu'il arrive, promis ?

Des éclairs bleu et rose éclairèrent son visage, révélant qu'elle doutait déjà de ma capacité à accepter les ordres d'une petite fille.

– Tu m'as emmené dans le futur. Est-ce que cela signifie que... est-ce que tu es déjà née ?

– Je n'ai pas le droit de te le dire.

Je m'agenouillai devant elle pour la regarder droit dans les yeux.

– Quel âge as-tu ?

– Onze ans.

– Tu connais le docteur Melvin ?

– J'en ai entendu parler, dit-elle sans flancher dans cette partie improvisée de « je te tiens, tu me tiens par la barbichette ».

– Alors ce n'est pas grâce à lui que tu existes ?

Vaincue, elle recula d'un pas.

– Il faut qu'on y aille !

– Pas tout de suite, fis-je en retenant sa main.

– Tu m'as dit que je ne devais pas répondre aux questions. Enfin, à peu d'entre elles, hurla-t-elle pour couvrir un nouveau roulement de tonnerre.

– C'était l'autre moi. Il est très vieux, pas vrai ? Personne ne l'écoute.

– Ah bon ? Alors tu ne fais même pas confiance à ton futur toi, même s'il est évident qu'il en sait plus que toi aujourd'hui ?

Je savais bien qu'elle avait raison. C'était irresponsable de ma part de vouloir lui arracher des réponses.

– Pardonne-moi. C'est juste que… il y a un événement qui risque de se produire et je dois faire en sorte que ce ne soit pas le cas. J'ai du mal à penser à autre chose.

– Je sais que tu as l'impression de devoir tout changer ou tout réparer, mais arrête de trop penser. Fais confiance à tes choix. Ce n'est pas si compliqué que ça en a l'air. Il faut vraiment qu'on y aille, répéta-t-elle en montrant le rivage.

Alors je me jetai à l'eau avec Emily, que j'aidai à progresser. Les vagues nous submergeaient, mais enfin, ce fut la terre ferme et je l'entraînai jusqu'en haut de la plage. Je fis un signe de tête en direction de l'hôtel.

– File par là, je leur dirai que tu savais par où rentrer, d'accord ?

Elle s'apprêta à partir, puis hésita. Les yeux rivés au sol, elle m'enlaça par la taille et me fit un câlin.

– Salut, Jackson. Bonne chance !

Elle s'éloigna en courant vers l'une des portes latérales et je ressentis alors un poids considérable sur mes épaules. Il ne s'agissait pas juste de sauver Holly. Il y avait autre chose en jeu de bien plus important. Pas étonnant que mon père veuille me tenir à l'écart.

Mais il était trop tard maintenant.

Je tournai les talons et partis à petites foulées vers le port. Adam, Holly et Freeman venaient déjà à ma rencontre.

– L'enfant, ça va ? s'enquit Adam.

– Oui, elle est rentrée, dis-je avec un geste désinvolte destiné à annihiler toute velléité de question. Où est mon père ? demandai-je à Freeman pour changer de sujet.

– Il nous attend devant l'hôtel.

Holly se jeta à mon cou et je l'étreignis rapidement avant de montrer l'hôtel du doigt.

– On rentre ?

La fraîcheur de l'air conditionné s'abattit sur nous dans le hall. Nous étions dégoulinants, nos chaussures couinaient sur le sol en marbre, alors qu'autour de nous tout le monde était si calme. Il me fallut un sang-froid infini pour me retenir d'annoncer l'apocalypse à tout l'hôtel. Je ne pouvais même pas raconter à Tempest ce que j'avais vu sans révéler ma rencontre avec Emily.

Mon père nous fit prendre le couloir sur notre gauche. Il dégaina son arme, tout comme Freeman, et je retins mon souffle.

– Que se passe-t-il ? s'inquiéta Holly.

– Ils sont ici, répondit Freeman.

– Ils veulent quoi ? demanda Adam, l'air désespéré.

– Jackson, dit mon père. Enfin, c'est ce que pense Melvin. Ils veulent peut-être copier notre expérience. Ça fait plusieurs mois qu'on les tient à l'écart. Je les avais laissés s'approcher il y a deux ans, contre les ordres de Marshall, afin qu'ils puissent se rendre compte que tu n'avais aucun pouvoir.

– Et qu'est-ce qui les empêcherait de me tuer malgré tout ?

– Ils ne tuent pas pour rien, uniquement pour le pouvoir, expliqua Freeman en passant la tête dans le couloir avant de nous indiquer de le suivre.

– Le pouvoir ? Mais pour quoi faire ? s'enquit Holly.

– Ils pensent que le monde serait merveilleux si nous étions tous comme eux, dit mon père. Mais à Tempest, nous croyons qu'une migration temporelle de masse se finirait dans le chaos.

– C'est même une certitude, confirma Adam.

– Et le docteur Ludwig est avec eux, avec son clonage et tout le bazar, ajoutai-je.

– Ils sont convaincus que Melvin est en train de constituer une armée, dit mon père en se tournant vers moi. Pas d'initiative stupide, Jackson. Reste près de nous et garde tes distances avec eux. Freeman et moi, on a fait ça très souvent. On s'en occupe.

Freeman s'arrêta net au milieu du couloir. À une vingtaine de chambres de nous, une femme blonde et le dénommé Raymond venaient de se matérialiser.

L'homme qui avait tué Eileen. Je n'arrivais même pas à imaginer ce que mon père devait ressentir, obligé qu'il était de le voir et de le revoir constamment.

– Merde, c'est zarbi, murmura Holly. Je n'y croyais pas trop, à tes histoires de voyages dans le temps. Mais maintenant, j'y crois à fond.

Mon père me fit immédiatement passer derrière lui et j'en fis autant avec Holly.

– Putain, mais qu'est-ce qu'on peut faire s'ils passent leur temps à apparaître et à disparaître n'importe où ? demanda Adam d'une voix qui trahissait sa peur croissante.

– Ils ne peuvent pas s'amuser à ça trop souvent, rassure-toi, répondit mon père.

– Thomas, si, marmonna Freeman.

Encore ce Thomas. Décidément, son nom revenait toujours aux moments les plus chauds.

Freeman ouvrit le feu sur nos adversaires et Holly hurla. Ils ripostèrent et je la couvris encore mieux. S'ils pouvaient effectivement se pointer comme ça où ils voulaient, pas question qu'elle s'éloigne de moi.

Puis ce fut au tour d'Adam de crier, car un autre homme venait de surgir pile derrière nous.

Les deux premiers EDT s'enfuirent en courant et j'entraînai Holly à leur poursuite afin d'échapper à l'autre homme. Freeman les pourchassa dans une très grande salle de restaurant où se trouvait une foule réunie pour un mariage. Notre entrée fracassante et la vision de nos armes déclenchèrent des hurlements, et tout le monde se rua vers la sortie.

Le lieu était rempli d'innocents. Il fallait qu'ils sortent.
Vite. En parcourant les murs du regard, j'avisai un objet qui
allait être bien utile.

– Déclenche l'alarme incendie ! criai-je à Holly.

Elle courut jusqu'au boîtier et brisa la glace du coude.
L'alarme s'enclencha et l'eau se mit à tomber des gicleurs
au plafond. Les hurlements redoublèrent. La salle se vida en
trente secondes. Il y avait des verres en cristal sur les tables et
un gigantesque piano à queue au milieu de la piste de danse.
Ce n'était pas le meilleur endroit pour une bataille rangée.

Raymond le tailladé sauta sur le piano et mit Freeman en
joue. Celui-ci lâcha son arme à trois mètres de nous et leva
les mains en l'air. La reddition ne dura que deux secondes, le
temps que mon père monte à son tour sur le piano et assène
à Raymond un violent coup de pied par-derrière qui l'envoya
valser sur une table, puis glisser sur le dos dans un fracas
d'assiettes et de couverts projetés en tous sens.

L'autre homme, qui se trouvait à dix mètres derrière moi,
se retrouva d'un coup dans mon dos. Je m'écartai et m'emparai d'une chaise que je lui jetai dans les jambes. Mais il fit
une roulade en sautant par-dessus pour l'éviter et se releva
aussitôt.

La blonde était en train de tirer au plafond, et Holly se mit
à crier en voyant voler en éclats l'énorme lustre de cristal. Elle
plongea sous une table dans une pluie de morceaux de verre.
Je la rejoignis et me collai contre elle. Je sentais son cœur
battre encore plus fort que le mien.

– Tu ne me quittes pas, OK ? Ne cherche pas à t'enfuir,
lui dis-je.

Elle acquiesça.

Je vis les chaussures de mon père passer devant mes yeux, suivies par celles de la blonde. Je visai sa jambe, mais mon père était très proche et je risquais de le toucher. Alors, Holly tendit le bras et attrapa la cheville de la femme, qui s'étala de tout son long. Parcouru par une décharge d'adrénaline, je sortis de sous la table en roulant, me remis debout et posai mon pied sur le dos de notre assaillante, revolver pointé sur sa tête.

– Non, Jackson ! Ne la touche pas ! cria Papa sans que je comprenne pourquoi.

La dernière chose que je vis, c'était mon père plaquant Adam au sol pour éviter une balle qui fusait au-dessus de leurs têtes.

La salle se volatilisa et je n'avais aucune idée de ma destination.

CHAPITRE TRENTE-SEPT

Un saut complet. Nous venions d'effectuer un saut complet. Voilà pourquoi il ne fallait pas la toucher, gros malin !

Malgré cette situation extrême et le fait que cette EDT blonde et moi étions tous les deux armés, ma première pensée fut pour Holly. *Elle vient de me voir disparaître sous ses yeux, bordel !* Si après ça elle ne me croyait pas capable de voyager dans le temps...

J'entendis des réactions de surprise et je tournai la tête, pour découvrir un groupe de cinq ou six adolescentes, vêtues de jupes écossaises étranges et de chaussettes montant jusqu'au genou, façon Jackie Kennedy. C'est alors que je compris ce qu'elles étaient en train de regarder : moi, le pied posé sur le dos d'une femme, revolver braqué sur sa tête, tous deux complètement trempés, alors qu'il faisait grand soleil.

Je coinçai prestement l'arme dans ma ceinture et jetai un coup d'œil circulaire. Des Cadillac vintage étaient garées sur la Cinquième Avenue, mais elles étaient tout sauf vieilles. La plupart avaient même l'air flambant neuves. Il y avait des camionnettes hippies extravagantes le long du trottoir et je m'attendais à voir débarquer sur la chaussée toute la troupe de *Hairspray* en train de chanter *Welcome to the Sixties* !

L'EDT se libéra de mon emprise et je fus projeté sur les pieds d'une des six bégueules, qui se mirent à hurler toutes ensemble à pleins poumons. Alors je bondis et me lançai à la poursuite de la blonde.

Si elle sautait de nouveau, serais-je en mesure de repartir ? Étions-nous sur la même ligne temporelle qu'à notre départ, mais dans le passé ? Je supposai que non, sachant à quel point il était difficile de sauter sans quitter sa ligne temporelle. Je vis sa tête dodeliner devant moi et jouai des coudes dans la foule pour me rapprocher d'elle.

Pendant que je la poursuivais, mon sens de l'observation nouvellement acquis ne se relâcha pas et je m'imprégnai de tout ce que je remarquais, le hippie qui chantait du Bob Dylan devant un magasin ou les buildings qui n'avaient pas encore été construits.

Je finis par la rattraper et l'agrippai par le dos de son chemisier. Je l'enserrai de toutes mes forces entre mes bras.

– Vous avez intérêt à nous ramener d'où nous sommes partis. Au même endroit.

Elle me décocha un coup de coude, mais je nous sentis repartir. Vers où ? Apparemment, il n'était pas nécessaire de repasser par la *home base* pour les sauts complets.

CHAPITRE TRENTE-HUIT

Mon pied dérapa et je me sentis glisser sur une surface incli-née. Pluie. Tonnerre. Encore. J'ouvris les yeux et manquai de hurler en constatant que je me trouvais sur le toit de l'hôtel. Je me mis à plat ventre et m'agrippai aux bardeaux. La blonde lâcha un rire démoniaque. Elle n'avait eu aucune peine à se dégager et à s'éloigner de moi en rampant sur un mètre au moins. Malgré mon envie de lui mettre mon poing dans la figure, j'avais trop peur de lâcher prise.

– Quel dommage ! Trop tard de quelques minutes. Ils ont peut-être réussi à tuer ton père entre-temps, fit-elle, narquoise. Il est très fort comme empêcheur de tourner en rond.

Une rage intense s'empara de moi, qui me donna le courage de lâcher une main pour tenter de m'emparer de mon arme. La blonde était toujours en train d'essayer de se relever. Elle ne verrait rien venir... Mais je n'y arrivai pas.

Alors que je me raccrochais de nouveau à un bardeau après avoir seulement effleuré mon pistolet, une énorme détonation se produisit en contrebas et il s'en fallut de peu que je ne fasse la culbute. Un éclair traversa le ciel en même temps qu'une balle traversait la poitrine de l'EDT. *Qui a tiré ?*

Horrifié, incapable du moindre geste, je vis la femme tomber à plat ventre, puis dégringoler du toit et s'écraser lourdement au sol. J'entendis des cris provenant d'en bas et des sirènes se déclencher un peu partout. Je commençai ma progression. Je visualisai les plans de l'hôtel. Il y avait une porte d'accès, plus haut, à l'endroit où le toit était plat.

Une fois au sommet, je me relevai et commis l'erreur de regarder dans le vide. Mon estomac se retourna et je fus pris de vertige. Aussitôt, je me rallongeai, haletant et essayant de chasser la peur. J'étais à peu près certain que la CIA ne prenait pas les acrophobes.

J'entendis une porte s'ouvrir brutalement et des voix.

– Expliquez-moi juste ce qui lui est arrivé, disait Holly. Est-ce qu'il peut revenir après avoir... disparu ?

Je poussai un soupir de soulagement. Elle allait bien. Mais à qui s'adressait-elle ? Pas question de révéler ma présence tant que je n'étais pas certain qu'il n'y avait aucun danger.

– J'ai l'impression que nous n'allons pas tarder à le savoir, maintenant que tu es ici, répondit une autre voix.

Une voix très familière, une voix que j'avais entendue lors de la pire journée de mon existence. Il fallait que je l'aperçoive... Le deuxième homme dans la chambre de Holly.

Je me mis debout lentement et m'obligeai à regarder en l'air et non en bas. L'homme avait coincé Holly contre un poteau. C'était lui qui avait tiré sur elle, le 30 octobre 2009. *Cela ne s'est donc pas encore produit*, m'obligeai-je à penser.

– Tiens, Jackson ! Je te cherchais, justement, dit-il. Je crois que nous n'avons pas été présentés officiellement. Je suis Thomas.

– Thomas ! crachai-je.

Bien sûr que c'était lui. L'EDT qui pouvait sauter autant de fois que nécessaire jusqu'à ce que les choses prennent exactement la tournure qu'il souhaitait. Il fallait peut-être que je lui donne tout de suite ce qu'il voulait ; ainsi il ne recommencerait pas à l'infini. Pour cela, je devais juste faire semblant d'être dans son camp.

Fastoche, hein ?

Impossible de regarder Holly, sinon je m'écarterais de mon plan. Je le ferais foirer, quoi. Mais je sentais son regard qui me vrillait le visage.

– C'était Rena que j'ai vue décoller du toit ? demanda Thomas avec désinvolture.

– Pardon, qui ça ? La blonde ?

– Oui, c'était bien elle, dit-il avant de se tourner vers moi. Je n'ai aucune intention de te faire du mal, Jackson, pas plus maintenant qu'avant. Nous serions ravis de laisser ton père tranquille, mais il a tué tellement des nôtres.

Je pris une goulée d'air et tentai de me calmer. *Papa est un survivant. Il s'en sort à chaque fois*, me répétai-je.

– Que voulez-vous de moi, Thomas ?

Il se pencha vers moi sans lâcher Holly. Je fus frappé par une légère ressemblance entre nous. Avec quinze années de plus, certes, mais il me ressemblait.

– Tout ce que je veux, c'est que tu entendes ma version. Tu as été influencé par certaines personnes. Des personnes qui ne sont pas comme toi, qui ne nous comprennent pas. Je veux que tu voies ce que tu pourrais avoir. Une vie parfaite. Nous avons tenté de te récupérer seul, mais il semble que l'unique solution pour t'atteindre soit de menacer cette fille. Rends-toi compte : tu as découvert ce dont tu étais capable quand nous lui avons tiré dessus. Quel progrès extraordinaire !

Je me mis à bouillir en l'entendant rappeler cet épisode. Mais, au fait, l'autre type, Raymond, avait dit que c'était une erreur. Est-ce qu'il était sincère ?

– De quoi il parle ? demanda Holly.

– De l'avenir, ma chère, dit Thomas en se tournant vers elle. Rien d'important pour vous. L'avenir est en perpétuelle évolution.

– Oui et il est déjà en train d'évoluer, dis-je en mettant mon plan en branle sans me laisser distraire. Il s'est passé beaucoup de temps depuis lors, pour moi en tout cas. Plus j'utilise mes capacités, plus je veux apprendre. Tout le reste n'a aucune importance.

– Voilà ce que j'aime entendre ! dit-il, un large sourire s'épanouissant sur son visage.

– Comme Rena, par exemple. Ça ne vous affecte pas qu'elle ait été abattue, puisqu'elle est en vie ailleurs, dans une autre ligne temporelle. C'est bien ça ?

– Ah… on ne t'a pas encore tout dit. Quand une personne telle que toi ou moi meurt, elle cesse d'exister partout et pour toujours. Elle n'est plus dans le passé, elle n'est plus nulle part. En revanche, la jeune demoiselle ici présente et les gens normaux en général se portent très bien quand une nouvelle ligne temporelle se crée. C'est l'une des raisons pour lesquelles nous étions opposés au projet du docteur Melvin.

– Je ne comprends pas, dis-je.

Du coin de l'œil, je voyais la poitrine de Holly se gonfler et se dégonfler au rythme de sa respiration difficile et apeurée.

La pluie devenue bruine tombait d'un ciel toujours aussi noir qu'en pleine nuit. Je gardais les yeux fixés droit devant moi, ignorant la panique qui avait dû s'installer en contrebas.

– Eh bien, la création de lignes temporelles multiples pourrait entraîner la fin du monde, car les voyageurs qui se laissent porter par leurs émotions n'ont de cesse de secourir des êtres aimés. Tu vas te comporter comme un crétin fini, au mépris du pouvoir extraordinaire que tu détiens. Tu ne t'en soucieras pas et puis, un jour, arrivera ce qui doit arriver : la fin du monde.

Était-ce là ce qu'Emily m'avait montré ? En étais-je la cause ? Ou bien était-ce dû à un autre voyageur ?

– Et si je réparais les choses sans créer de nouvelles lignes temporelles ? avançai-je.

– Ce serait parfait pour toi, mais je suis le seul à pouvoir le faire, répondit-il en me servant son sourire condescendant. D'autres s'y sont essayés au point de se cramer le cerveau et d'en mourir. N'oublie pas qu'en changeant un événement, on crée une réaction en chaîne et si on n'a pas étudié soigneusement chaque modification, si on agit avec impulsivité, les résultats peuvent être désastreux. Rares sont ceux qui peuvent gérer cette responsabilité.

– Je comprends. Enfin, maintenant, je comprends. Maintenant que j'ai plus d'expérience, dis-je en copiant Jenni Stewart, qui savait si bien s'imprégner d'un rôle et jouer la comédie. Alors, racontez-moi. Racontez-moi votre version.

Il sourit et relâcha Holly, puis enserra mon bras de ses doigts. Nous sautions. Ensemble.

CHAPITRE TRENTE-NEUF

Je m'arrachai à l'étreinte de Thomas sitôt que le sol se matérialisa sous nos pieds.

– Nous sommes à Times Square, annonça Thomas. Qu'en dis-tu ?

Autour de moi s'élevaient les buildings que je connaissais si bien, mais ils étaient peints de douces nuances de beige qui reflétaient impeccablement les rayons du soleil.

Dans cette variante de New York, il y avait des gens partout. Leurs vêtements étaient assortis aux tons des bâtiments. Une femme nous sourit et nous salua en nous croisant. Tout le sol de la ville était pavé de briques brun-vert. Rien ne marquait la limite entre trottoirs et chaussée.

– Où sont les voitures ?

– Il n'y en a pas. Nous utilisons juste des systèmes de téléportation pour les longues distances. Tu remarqueras que l'air est pur, toujours propre, ni trop chaud, ni trop froid.

Rien à voir avec le New York ravagé où m'avait entraîné Emily. Je n'aurais pas tenu une journée à respirer dans cette atmosphère-là. Que m'avait-elle dit déjà ?

Il y a des gens qui se battent pour éviter que cela ne se produise et d'autres... pour le contraire.

– C'est de cet endroit que vous venez ? demandai-je à Thomas.

– Tu veux plutôt savoir si je viens de cette temporalité, rétorqua-t-il avant d'éclater de rire. C'est ça qui est formidable quand on est comme nous, on se sent chez soi partout, tout le temps. Alors pourquoi ne pas choisir le monde qui paraît le plus adapté ?

Bon, c'est clair, il ne va pas me dire son année de naissance. En même temps, je n'y croyais pas trop.

Derrière moi, des enfants s'amusaient sur une aire de jeux. Enfin, cela ressemblait à une aire de jeux. Ils étaient presque silencieux. Rien à voir avec les mômes de mon centre aéré. Les jeux semblaient bouger tout seul ou électroniquement. Par exemple, une poutre reliait deux poteaux et oscillait de gauche à droite alors que les enfants la traversaient d'un bout à l'autre. Le petit mur d'escalade qui conduisait à la structure principale tournait, ce qui permettait aux enfants de grimper en faisant du sur-place, tels de petits hommes-araignées franchissant d'un bond des buildings gigantesques.

– Tout fonctionne à l'énergie solaire, expliqua Thomas. Ici, dans l'avenir, rien de ce que nous faisons ne nuit à l'environnement.

Pourtant, dans l'avenir, on avait bien nui à la Terre. À New York, en tout cas. Je l'avais vu de mes yeux vu. À moins que cela ne se soit déjà produit et que tout n'ait été remis en ordre entre-temps. Ou encore… qu'il s'agisse d'une autre ligne temporelle.

Thomas se dirigea vers un building de couleur beige. Je le suivis.

– Nous avons amélioré la qualité de la vie humaine au-delà de l'imaginable. Éradication de l'obésité, amélioration des compléments vitaminés, augmentation des capacités cérébrales.

Des vitamines qui donnaient à tous une force surhumaine ? Voilà qui expliquait ces étonnants petits hommes-araignées.

– Tout ceci se passe quand ? questionnai-je.

Et surtout, quel type d'action radicale a-t-il fallu prendre pour en arriver là ?

– Désolé, je ne peux pas te le dire.

Il ne se départait pas de ce ton formel mais posé, tel un guide me proposant une simple visite de l'avenir parfait.

Je me replongeai dans cet environnement absolument magnifique. Aucun déchet nulle part, rien qui détonne, une harmonie de couleurs sublime, ville et campagne mêlées. Une perfection incroyable… ce qui faisait justement que je n'arrivais pas à y croire. Emily m'avait montré l'autre futur, il y avait une raison à cela. Il me fallait des dates. Pour ces deux mondes.

– Allez, on rembarque, dit Thomas en m'agrippant par le bras pour me faire repartir.

CHAPITRE QUARANTE

Thomas était très doué. Nous étions revenus exactement à l'endroit que nous avions quitté. Essoufflé, je me penchai en avant, mains sur les genoux, et tentai de me repérer. À l'évidence, les sauts avaient sur moi des effets différents quand je partais avec un autre voyageur temporel. Le retour en arrière de deux années m'avait beaucoup affaibli et le demi-saut en 1992 m'avait mis complètement à plat. Mais là, je me sentais bien.

– Alors, impressionné ? demanda Thomas.

– Oui, c'était… phénoménal.

Il s'avança vers Holly, qui n'avait dû rester qu'une ou deux secondes toute seule, car elle se tenait toujours au même endroit. Il la prit par le coude et la poussa vers le bord du toit.

– Que faites-vous ? dis-je sans trop savoir si je devais intervenir ou encore attendre.

– Le petit discours que tu m'as servi tout à l'heure sur ce qui n'a aucune importance pour toi était très convaincant, quand on sait tout ce que tu as subi récemment. Hélas pour toi, je suis un peu trop intelligent pour me laisser abuser.

– Vous ne me croyez pas ? demandai-je d'un ton parfaitement égal.

– Là n'est pas le problème. Des faits. Des preuves tangibles. Voilà sur quoi je me base.

Thomas enserra Holly si fort qu'il lui était absolument impossible de s'enfuir. La colère se lisait sur son visage tandis qu'elle se débattait pour se libérer. Je ne me dévoilai pas, attendant de voir où Thomas voulait en venir avec sa petite diversion.

– J'ai beaucoup pensé à toi, Jackson, dit celui-ci posément. J'ai récemment appris l'expression « faire d'une pierre deux coups », complètement inconnue là d'où je viens. Il existe un moyen de savoir à la fois si tu es sincère quand tu dis pouvoir faire fi des attaches sentimentales, et à quel point tu pourrais être utile à mon équipe.

– Lequel ? demandai-je d'une voix où perçait la nervosité.

– C'est un plan très bien conçu et, comme je te l'ai déjà expliqué, c'est très important pour les gens comme nous. Le problème, c'est que si tu démontres effectivement un talent exceptionnel, tu démontreras par la même occasion que tu m'as menti. Que tu n'es pas en mesure d'assumer les responsabilités qui accompagnent ce pouvoir que tu as hérité.

Son regard rencontra le mien et j'y vis presque du remords. Ou de la déception.

– Aucun d'entre nous ne souhaite te faire du mal ou t'empêcher de vivre ta vie, mais il se peut que nous n'ayons pas le choix si tu dois représenter un risque pour nous. Nous pouvons accepter que tu sois dans l'autre camp, mais pas que tu sois inconstant et impulsif. Tempest nous est sans doute opposé, mais nous ne pouvons ignorer l'attention que son chef porte à la question du temps. Tu comprends ce que je te dis ?

Je sentais la sueur dégouliner le long de ma nuque. Mon cœur allait aussi vite qu'un train lancé à pleine vitesse. Thomas me fixait et lisait parfaitement en moi.

– Mais… qu'est-ce que vous racontez ?

Il plaqua les bras de Holly le long de son corps et s'approcha du rebord. Alors, je m'autorisai à contempler le visage de ma copine : ses yeux exprimaient la panique. Elle avait deviné ce que j'avais deviné aussi.

Thomas passa les bras autour de sa taille, la souleva et fit passer son buste au-dessus du rebord du toit. Ma respiration s'arrêta tandis qu'il se penchait lentement vers l'avant.

– Arrêtez ! Non ! criai-je en vain.

Thomas la hissa un peu plus haut encore et, avec une force ahurissante, la projeta dans le vide. Le hurlement de Holly me transperça les oreilles. Mon cerveau se mit en mode mécanique. Je sautai. Non pas dans le temps mais pour de bon. Dans le vide.

À la milliseconde où je sentis un léger contact de mes doigts sur Holly, pendant notre chute, j'obligeai mon esprit à se concentrer. *Pense à l'endroit où tu voudrais être. Un endroit beau, magnifique. Et tangible.*

CHAPITRE QUARANTE ET UN

Une seconde plus tôt, je sentais le poignet de Holly entre mes doigts. À présent, c'était tout son poids sur mon corps. De l'herbe tendre autour de nous. Son cœur battant la chamade contre le mien.

– Holly ? bredouillai-je, les yeux toujours clos.

Nous respirions bruyamment l'un comme l'autre, tandis que la panique s'évacuait peu à peu.

– Mon Dieu, on est morts ? demanda-t-elle.

Dans ses yeux bleu pâle, le soleil se reflétait. Le soleil et non la pluie.

– Non, on n'est pas morts. Mince, mais qu'est-ce que je viens de faire ?

Elle me regarda un instant, puis m'embrassa de toutes ses forces, baignant mon visage de ses larmes. Je l'enlaçai si étroitement que je me demandai comment elle faisait pour respirer. Au bord de l'asphyxie moi-même, je relâchai mon étreinte et laissai mes bras retomber dans l'herbe.

– Holly ?

– Oui ?

– Je viens bien de me jeter d'un toit ?

– Oui.

Elle posa son visage sur ma chemise et se remit à pleurer plus fort encore. Je la fis rouler sur le côté afin de pouvoir mieux la contempler.

– Tout va bien, Hol. Tu vas bien.

Elle finit par lever la tête et essuya ses larmes.

– Tu peux voyager dans le temps avec des gens normaux ?

– Il faut croire. Mais je ne le savais pas. Franchement, je n'avais même jamais pensé que ce soit possible. Je t'ai vue sauter et... l'instinct a pris le dessus. Je n'ai pas réfléchi, avouai-je en posant mon front contre le sien, les yeux fermés. Je n'aurais jamais dû laisser les choses aller aussi loin. Je ne savais pas ce qu'il avait prévu de faire et...

– Ce n'est pas grave... tu cherchais à empêcher... j'aurais fait pareil, dit-elle en prenant mon visage dans ses mains pour m'embrasser de nouveau. On est à Central Park ?

Je regardai autour de moi pour la première fois, sans même me rendre compte que nous venions de nous matérialiser, comme ça. Personne n'avait hurlé ni fait une crise. C'était plutôt bon signe. Je reconnus aussitôt l'endroit précis. Nous étions sur la partie nord-est du Great Lawn, près d'un des terrains de base-ball. Deux filles se doraient au soleil à une vingtaine de mètres de nous, lunettes noires sur le nez, ignorant superbement quiconque pouvait se trouver alentour. Personne d'autre à proximité.

– Oui, c'est bien Central Park, répondis-je avant d'aider Holly à se relever. En général, le problème pour moi n'est pas le lieu, mais la date.

– Tu ne connais pas la date ? dit-elle, l'air interdit.

Je souris.

– Il faut juste trouver une source d'information.

Je la serrai dans mes bras, je ne voulais tellement pas la perdre. J'enfouis mon visage dans ses cheveux et pris une profonde inspiration en tentant de me ressaisir.

– Dès qu'on aura pigé exactement ce qui vient de se passer, il faudra peut-être que je nous fasse retourner un siècle en arrière sur une île déserte.

– Et il faudra peut-être que je te laisse faire, murmura-t-elle.

J'avisai une jeune femme qui lisait un journal, assise sur un banc, pendant qu'un petit garçon tapait dans un ballon de football près d'elle. En passant dans son dos, je jetai un coup d'œil à la date par-dessus son épaule.

12 août 2009.

– On est remontés de trois jours dans le passé, dis-je *in petto*. Mais dans quelle ligne temporelle ?

– Qu'est-ce que tu racontes ?

– Le voilà ! hurla quelqu'un.

Je fis volte-face en même temps que Holly. Raymond et Cassidy, la femme dont l'ADN était en moi, se tenaient à une dizaine de mètres et nous mettaient en joue. Je manquai de défaillir en voyant la personne qui se cachait derrière l'homme.

Holly. Une autre Holly ?

Une Holly d'une autre ligne temporelle ? Est-ce que ma Holly ne serait pas censée la faire disparaître ?

Je n'avais pas le temps de réfléchir à tout ça. Pas tant que ma Holly 009 contemplait une autre version d'elle-même.

– Ah ben merde alors ! dit la Holly près de moi.

Les deux Holly se dévisagèrent, stupéfaites.

– Jackson ? s'étonna l'autre Holly.

– Il faut qu'on reparte, dis-je à celle qui se trouvait près de moi. Tout de suite.

– Non, tu crois ? répondit-elle avant d'enfouir son visage dans ma chemise.

– J'essaie de nous faire revenir sur la terre ferme, cette fois, pas sur le toit, murmurai-je avant de nous faire sauter.

CHAPITRE QUARANTE-DEUX

D'accord, d'accord, ma précision laisse encore à désirer.

– Oh merde ! murmura Holly à mon oreille.

Elle était allongée sur moi et nous étions en train de glisser sur la partie inclinée du toit. Pour changer. D'une main, elle s'accrocha aux bardeaux comme je l'avais fait plus tôt et, de l'autre, elle m'attrapa le poignet. Je me mis sur le ventre et commençai l'ascension.

– Dire que je trouvais ça effrayant de grimper sur un escabeau... mais se balader sur un toit en ardoise... à huit étages de hauteur, ça craint vraiment trop.

Je sentis alors ma poitrine se comprimer et je sus qu'il était tout à fait possible que je me mette à tourner de l'œil.

– Jackson, regarde-moi ! dit Holly en me donnant une petite gifle.

Je levai la tête et posai les yeux sur elle à travers le rideau de pluie.

– Je ne peux pas. Il faut juste que...

– Si, tu peux. Je le sais.

Elle passa son bras sous le mien et me tira vers elle pour m'obliger à continuer l'ascension.

– Excuse-moi de ne pas savoir marcher en haut d'un portique aussi bien que toi. Je ne serais pas capable de faire du cirque, moi ! marmonnai-je, légèrement vexé d'avoir besoin de son aide.

– Attends un peu… Quand est-ce que tu m'as vue sur un portique ?

– Ce n'était pas toi, c'était Holly 007.

– Ah oui, bien sûr. Tout cela est parfaitement logique. Et en 2007, je te trouvais à mon goût ?

– D'abord non, ensuite oui, et puis encore non, et puis encore oui.

– Bref, comme cette année, fit-elle, moqueuse.

– Il est possible que ce soit la Holly en question qu'on vient de voir, peut-être plus âgée, dis-je, toujours incrédule.

– J'essaie d'oublier ce qu'on vient de voir, mais j'ai l'impression que je vais devoir très vite entamer une thérapie.

Holly avait subtilement réussi à me divertir de mon vertige, ce dont je ne me rendis compte qu'une fois arrivé près de la partie plate du toit.

– Tu crois que l'autre dingue est toujours là-haut ? demanda-t-elle.

– On ne va pas tarder à le savoir.

Dans l'immédiat, ma colère l'emportait sur la peur. Tout ce que je voulais, c'était péter la gueule de Thomas.

En franchissant le bord du toit, je constatai qu'il était bel et bien encore là. Il tourna vivement la tête dans notre direction et un sourire mauvais s'épanouit sur son visage.

– On devrait peut-être sauter une deuxième fois dans le vide, suggéra Holly dans mon dos.

Je secouai la tête.

– Il ne te touchera pas. Je te le jure.

– Extraordinaire ! s'exclama-t-il. Tes capacités dépassent celles de 99 % des autres voyageurs temporels.

Sur son visage, nul sarcasme, nulle colère, juste de l'étonnement à l'état pur. *Ce qui ne l'empêche pas forcément de vouloir nous faire la peau.* Je serrai les poings en approchant de lui.

– Je croyais que les gens comme vous ne croyaient pas aux meurtres gratuits. Que se serait-il passé si je n'avais pas été en mesure de sauter ?

– C'est vrai… Pauvre petite. Mais elle est jetable. Elle le sera toujours, déclara Thomas d'un ton neutre.

Les mâchoires contractées, je m'obligeai à me concentrer. Une seule chose m'obsédait : balancer ce tordu par-dessus le toit et voir sa carcasse exploser en mille morceaux.

Je sentis Holly suffoquer alors que Thomas dégainait son arme et nous mettait en joue.

– Je crois que c'est trop risqué pour moi de te laisser partir où que ce soit tout seul. Et si c'étaient les gens comme toi qui constituaient le véritable danger ?

Thomas me regardait comme un enfant regarderait avec curiosité une personne en fauteuil roulant. *Les émotions sont un handicap.* Voilà ce qu'il devait penser.

Avant qu'il ait le temps de réagir, j'envoyai voler son arme, sentant en moi une poussée d'adrénaline quand j'entendis le revolver tomber et glisser hors de sa portée. Du coin de l'œil, j'aperçus Holly qui se réfugiait derrière le poteau contre lequel Thomas l'avait coincée un peu plus tôt.

– Pas question que tu te barres sans moi, dis-je à mon adversaire en l'empoignant par la chemise. Vas-y, essaie pour voir.

Son avant-bras entra en contact avec mon visage et je ressentis la douleur irradier dans tout mon corps. Puis il me décocha un rapide crochet au creux de l'estomac, me coupant le souffle. J'étais plié en deux, et lui de nouveau libre. *Libre de sauter vers l'avenir et de préparer son prochain coup.* Je bondis alors sur lui et le plaquai aux jambes, mais, au lieu de se retrouver à plat ventre par terre, il effectua une pirouette et retomba sur ses pieds.

Mes doigts étaient en train de lâcher son poignet. Tout ce que j'avais à faire, c'était m'accrocher à lui pour qu'il ne puisse aller nulle part sans moi. Je tirai donc sur son bras de toutes mes forces et le maintins sous moi d'une prise suffisamment puissante pour l'empêcher de s'échapper.

Je l'avais bloqué au sol et le fixais droit dans les yeux, mais je ne savais plus quoi faire. Devais-je sortir mon pistolet et le tuer ? Je n'étais pas certain d'y arriver. Mais comme l'image de Holly jetée du toit repassait sans cesse dans mon esprit, mes doigts partirent à la recherche de l'arme.

– Parfait, on va faire ça à ta manière, dit-il avec un sourire cruel. J'espère que tu ne crains pas la douleur que mes sauts peuvent engendrer. Tu auras l'impression que ton crâne est près d'éclater, au point que tu préféreras sans doute être mort.

– Jackson, lâche-le ! supplia Holly.

– Pas question, m'obstinai-je, les yeux rivés sur Thomas, toujours immobilisé sous moi.

Soudain, il m'assena un coup de tête. Ma vision se brouilla et je fermai les yeux. Mes doigts le relâchèrent. Il m'expédia un coup de pied violent en plein ventre et m'envoya me fracasser le crâne contre le poteau métallique. Holly se mit à hurler. Puis Thomas se pencha sur moi et m'agrippa par la chemise.

– Tu l'as bien cherché, dit-il.

Je plissai les yeux, dans l'attente de la douleur qu'il avait décrite de manière si saisissante. Son expression perdit alors toute assurance.

– Mais qu'est-ce que tu es en train de faire ? s'étonna-t-il.

Moi ? Je ne faisais strictement rien, j'attendais juste que la souffrance arrive.

Les doigts toujours crispés sur ma chemise, il ferma les yeux et son visage se creusa. C'est à cet instant qu'une idée me traversa l'esprit : peut-être lui était-il impossible de m'emmener avec lui si moi je ne le voulais pas ? Ou si je préférais demeurer ici, dans cette ligne de temps ?

Mon hésitation ne dura pas : je rassemblai ce qui me restait d'énergie et le propulsai de nouveau sur le sol. Il poussa un cri de douleur, alors que je me contentais de l'immobiliser sur le dos. Je m'assis sur lui tandis que, suffoquant, il se tournait sur le côté. Le canon du pistolet appuyait désormais sur sa tempe.

– Attends ! Ne tire pas ! dit-il d'une voix tendue.

– Donne-moi une seule bonne raison de ne pas le faire, crachai-je, enfonçant un peu plus le canon dans sa peau à mesure que la colère montait en moi.

C'est alors que mon père, hors d'haleine, ouvrit brusquement la porte d'accès au toit.

– Jackson, Dieu merci !

Je tournai la tête l'espace d'une seconde, mais ce fut suffisant pour que Thomas tende le bras et m'arrache une touffe de cheveux. Je me dégageai violemment.

– Mais c'est n'importe quoi ! J'ai un flingue pointé sur ta tronche et toi, tu me tires les cheveux ?

– Ça, c'est le plan B.

Comme je contemplais la mèche de cheveux bruns qu'il tenait dans la main, un sourire étudié s'épanouit lentement sur son visage.

Putain de merde. Mon ADN.

Les pas de mon père qui se rapprochaient ne m'empêchèrent guère de remettre dans l'ordre les indices que j'avais accumulés depuis vingt-quatre heures.

– Jackson, debout. Je m'en occupe, dit-il.

– Ça y est ? Tu as compris ? demanda Thomas, un sourcil levé.

– Jackson ! Debout ! répéta mon père.

Je ne pouvais m'arracher à la vue de mes cheveux, prisonniers du poing de ce salopard. Ce n'était pas moi qu'ils essayaient de fabriquer, mais quelque chose de radicalement différent. D'encore meilleur. Tout ce qu'ils pourraient jamais désirer.

Emily.

La sueur qui perlait dans la paume de ma main s'écoula jusqu'à mon index, qui glissa quelque peu sur la détente. Je ne pouvais pas le tuer. Il ne pouvait pas mourir, sinon elle ne pourrait pas exister. Les paroles d'Emily me revinrent alors à l'esprit.

Fais confiance à tes choix. Ce n'est pas si compliqué que ça en a l'air.

Je sus alors que ma décision avait déjà été prise, puisque cette enfant était venue à moi. Elle existait. Que ce soit bien ou mal, je ne pouvais l'effacer ou empêcher qu'elle vienne au monde.

En me relevant, j'écrasai ma chaussure de toutes mes forces sur le ventre de Thomas, retirant une certaine satisfaction du gémissement qu'il poussa. Mon père me regardait, l'air interrogateur. J'étais devant lui et je gênais son angle de tir.

Mais il n'eut pas le temps de me demander quoi que ce soit. Raymond, le tailladé qui avait tué Eileen, apparut sur le rebord du toit dans son dos et braqua son pistolet sur lui.

– Papa ! Attention ! criai-je.

Et je plongeai sur lui pour le faire tomber à l'instant où le rouquin ouvrit le feu. Je sentis à peine la brûlure de la balle dans mon bras. Je vis l'homme basculer dans le vide, touché par le tir précis de mon père. Quelques secondes plus tard, le bruit sourd de sa chute nous parvint, malgré le roulement de la pluie.

Mon père se retourna immédiatement, cherchant Thomas des yeux. Celui-ci était sur le bord du toit, comme l'autre homme.

– On se reverra, Jackson, dit-il.

Puis, sans autre forme de procès, il fit volte-face et sauta, une fraction de seconde avant que mon père ne tire une deuxième fois. Aucun bruit sourd, cette fois-ci. Je savais qu'il s'était dématérialisé bien avant que son corps ne s'écrase au sol. Il avait échappé à mon emprise et recouvré tous ses pouvoirs.

Mon père lâcha un juron, puis se rua sur moi et m'obligea à m'asseoir.

– Putain, merde, Jackson ! Tu écoutes ce que je te dis, de temps en temps ?

Je souris légèrement, puis posai ma tête contre le mur.

– On en a quand même descendu trois. C'est toujours ça de pris, non ?

Holly sortit de sa cachette et se précipita vers nous.

– Oh non ! On t'a tiré dessus !

Elle s'agenouilla pour déboutonner ma chemise.

– Il s'en remettra, c'est promis, dit mon père.

– Qui a dézingué la blonde depuis en bas ? demandai-je.

– L'agent Freeman.

– Et le sale type, il s'en est sorti, hein ? supposa Holly en retirant mon bras de la manche avec précaution.

J'acquiesçai, puis fermai les yeux, à cause de la douleur lancinante qui me traversait le bras. Je posai ma main valide sur le visage de Holly.

– Pardonne-moi Hol, pardonne-moi, murmurai-je quand nos regards se croisèrent. Je n'aurais jamais dû...

– Tais-toi, dit-elle en plaquant le bout de ses doigts sur mes lèvres. Tu ne vas pas t'excuser de m'avoir sauvé la vie. C'est quand même hallucinant, tout ça. Je n'ai toujours pas compris comment tu avais fait, le saut dans le vide, le saut temporel, tout ça...

L'émotion l'empêcha de terminer sa phrase ironique. Alors elle se pencha et colla sa joue contre la mienne.

– *Amor vincit omnia*, dis-je en l'embrassant dans le cou.

– C'est du latin ? Qu'est-ce que ça veut dire ?

– L'amour triomphe de tout, traduisit mon père, tout en appuyant fort sur la plaie avec un morceau de ma chemise qu'il avait déchiré.

– Ça me va très bien, fit Holly.

Quelques instants plus tard, Adam et Melvin arrivèrent en trombe sur le toit.

Autre soulagement, même si une partie de moi savait bien que mon père n'aurait jamais permis qu'il arrive quoi que ce soit à Adam, pas tant qu'il était de garde. Holly bondit pour aller l'étreindre.

– Je t'ai bien vue tomber du toit, non ? lui dit Adam en la prenant par les épaules. Tu sais que j'ai failli avoir une crise cardiaque !

Elle s'appuya contre lui. Les émotions de la journée l'avaient rattrapée et elle était sur le point de défaillir. Adam la fit s'asseoir et elle se pelotonna contre moi, du côté opposé à ma blessure, frissonnant comme s'il faisait – 5 °C et non 27 °C.

– Tu as sauté avec elle ? dit Melvin en farsi et à toute vitesse.

– Vous avez vu ça ? demandai-je en regardant Melvin puis mon père, qui acquiescèrent. Je n'aurais jamais cru que c'était possible.

Melvin se pencha vers moi avec une expression d'une telle intensité qu'il m'effraya.

– Cela s'appelle un Déplacement. Écoute-moi bien. Oui, il est possible d'emmener quelqu'un avec soi dans un saut temporel, quand on est doué. Mais la partie du cerveau que, toi, tu utilises pour cela ne peut absolument pas être activée par une personne normale. Si tu repartais avec elle tout de suite, elle aurait 80 % de risque de mourir. Et un troisième saut augmenterait cette probabilité à 100 %.

J'eus du mal à avaler ma salive, regrettant de ne pas l'avoir su plus tôt. Cela dit, cela n'aurait rien changé à l'issue de l'histoire. J'aurais quand même tenté de la sauver, quelles qu'auraient pu en être les conséquences.

Le ronronnement d'un hélicoptère en approche se fit entendre. Je fermai les yeux pour les protéger de la poussière que l'appareil faisait voler, me concentrant entièrement sur la petite fille dont les yeux brillaient de larmes quand nous nous étions quittés sur la plage. Où qu'elle soit retournée, ce n'était pas dans un endroit bien agréable et il fallait que je l'aide. Même si je ne savais pas quand nous nous reverrions. Tout ce que je pouvais supposer, c'est que ce serait dans l'avenir.

Mon père prit Holly dans ses bras et attendit que je sois installé avant de la faire monter à son tour. Adam aida mon père à boucler la ceinture de Holly, assise près de moi. J'appuyai la tête contre le dossier de mon siège en essayant de ne pas penser à la douleur. Holly rouvrit alors les yeux et se redressa, inquiète du bruit assourdissant de l'hélicoptère, puis elle glissa une main dans la mienne et posa la tête sur mon épaule valide.

Sitôt après le décollage, je regardai l'hôtel en contrebas, dont une moitié s'était entièrement écroulée pendant que j'avais été occupé à sauter dans le temps et dans le vide. Il y avait des véhicules d'urgence partout. Un secouriste m'installa une intraveineuse dans le poignet en un tournemain, un sacré exploit au vu des virages très secs que prenait l'hélico. Je ne sais pas ce qu'il m'injectait, mais la douleur disparut et mon cerveau s'embruma. Juste avant que je sombre, les paroles de Thomas résonnèrent une dernière fois : *Elle est jetable. Elle le sera toujours.*

Holly ne serait jamais en sécurité. Pas tant qu'elle ferait partie de ma vie. La douleur revint au galop, mais elle était d'un genre différent. La pire qui soit.

***

– Tu as eu beaucoup de chance. Je n'ai jamais vu une blessure par balle aussi propre, dit au moins pour la dixième fois l'interne qui me recousait.

– Je sais.

– Vous lui mettez le bras en écharpe ? s'enquit mon père.

– Oui, sans doute pour quelques jours, répondit le médecin. Mais dans moins d'une heure, vous serez dehors.

– Quelle heure est-il ? demandai-je à mon père.

Nous avions passé toute la nuit à l'hôpital, mais j'avais dormi. Holly et Adam, eux, avaient été ramenés sains et saufs chez eux. Mon père se carra dans son fauteuil et consulta sa montre.

– Il est 8 heures. J'ai promis à Holly que tu l'appellerais dès ton réveil.

Je sentis l'inquiétude et la peur se réveiller. J'attendis que le médecin finisse ses points de suture et me fasse un pansement avant de répondre à mon père.

– Je ne sais pas… si c'est une bonne idée.

Mon père se leva et vérifia derrière le rideau que le médecin s'éloignait dans le couloir. Il s'assit au bout de mon lit et parla tout bas.

– Est-ce que Thomas a menacé de lui faire du mal ?

– Pas exactement, mais je sais qu'il fera tout ce qui lui semblera nécessaire pour m'atteindre.

Je n'avais pas révélé à mon père mon hypothèse sur l'ADN et je n'avais pas l'intention d'en parler à qui que ce soit. Et pas uniquement parce que Emily me l'avait demandé, mais parce que la CIA mettrait un terme à l'expérimentation alors que j'avais déjà sacrifié beaucoup de choses pour qu'elle puisse se faire. J'avais permis à Thomas de s'échapper, sans doute pour toutes les mauvaises raisons du monde. Mais je n'étais pas de l'étoffe du chef Marshall. Je ne pouvais pas me contenter d'observer les choses de haut après en avoir vu les détails.

– Nous pouvons doubler la protection qui est déjà en place… suggéra mon père, qui s'interrompit en me voyant secouer la tête.

– Ça ne suffira pas. Tu le sais bien, ils apparaissent et disparaissent comme bon leur semble. On ne peut rien contre ça. Pas éternellement en tout cas.

– Mais si tu t'éloignes de Holly, ils n'auront plus aucune raison de la tuer ou de la blesser. Souviens-toi de ce que je t'ai dit à propos de leur philosophie : ils ne tuent que pour conquérir le pouvoir. Ils ne comprendront rien au sacrifice que tu ferais en prenant tes distances. Ils considéreront juste qu'elle ne constitue plus un moyen de pression adéquat.

Sa voix était remplie de désespoir. Tel était le choix qu'il souhaitait que je fasse. Le choix qu'il aurait fait pour Eileen. Lui permettre de vivre en sécurité, mais sans partager sa vie. C'était ça, le véritable amour. Mais… si je n'étais pas aussi fort que lui ?

– C'est difficile, la solitude, hein ? dit-il.

– Oui.

– Mais si ça lui permet d'avoir la vie sauve…

– Je sais.

Qu'est-ce que j'allais bien pouvoir dire à Holly ? Que j'avais une maladie incurable ? Non, elle me prendrait la main et me soutiendrait jusqu'à la mort. Ou que je ne l'avais jamais vraiment aimée ? La simple pensée de la voir se décomposer en entendant ces paroles était pire que de prendre une autre balle dans le corps.

Quel choix s'offrait à moi, alors ?

Les médecins me laissèrent sortir peu après et mon père appela un taxi pour rentrer. Une fois devant chez nous, je lui dis que j'avais besoin de marcher. Comme j'avais le bras en écharpe et des médicaments dans les veines, je n'allai pas bien loin et m'assis sur un banc à l'ombre.

– Tu n'as même pas besoin de lui dire quoi que ce soit, lança soudain mon père.

– Quoi ? Disparaître comme ça, sans rien lui dire ?

– Je sais ce que tu penses, m'assura-t-il en s'asseyant à côté de moi. Que tu dois choisir entre la surveiller vingt-quatre heures sur vingt-quatre et la faire mourir de chagrin. Mais je pense qu'il existe un moyen terme.

Je le fixais, dans l'attente désespérée d'une issue possible.

– Lequel ?

Il prit une profonde inspiration.

– Tu ne répéteras ça ni à Melvin, ni à Marshall ni à personne.

Il mit la main dans sa poche et en retira une minuscule carte mémoire que je fis jouer entre mes doigts.

– C'est quoi, ça ?

– Adam Silverman n'est pas le seul à posséder son propre système d'encodage.

– Mais encore ?

Mon père jeta un regard circulaire autour de nous.

– Ça, c'est pour moi. Je veux que mon moi un peu plus jeune puisse être au courant des derniers événements. Rappelle-toi comment fonctionne ta ligne temporelle. Il n'y a pas si longtemps, Holly ne te connaissait même pas. Et si elle ne te connaît pas…

Incapable d'articuler la moindre parole, je pris lentement conscience de son plan avec l'impression qu'une enclume pesait sur ma poitrine.

– Je ne suis même pas certain de pouvoir changer encore de *home base*.

– Tu en as été capable à des moments très importants. C'est à toi de prendre cette décision, mais sache que je comprends ce que c'est… de perdre quelqu'un de proche.

Mon téléphone était sur le banc près de moi. Mon père s'en empara et le posa doucement dans ma main.

– Appelle-la, mais sans lui dire au revoir. Elle ne sentira rien de négatif comme ça.

Il s'éloigna et j'ouvris mon portable. En fond d'écran, il y avait une photo de Holly et moi prise deux jours plus tôt à la plage. Ma gorge se serra tandis que je cherchais son numéro dans le répertoire. Elle répondit après deux sonneries.

– Coucou ! Tu viens toujours me voir ce matin ?

– Oui, je pars tout de suite, répondis-je en tentant de garder un ton calme. Je ne devrais pas tarder.

– Super ! se réjouit-elle.

Ce léger accès d'excitation et l'impatience que j'entendais dans sa voix provoquèrent en moi une véritable souffrance. Il fallut que je m'éclaircisse la voix avant de pouvoir enchaîner. Les arbres devant moi m'incitèrent à penser à la vie. À la vie de Holly que j'espérais longue et heureuse.

– Hol...

– Oui ?

– Je t'aime.

Les larmes me piquaient les yeux. Je l'entendis presque sourire dans l'écouteur.

– Moi aussi, je t'aime. On se voit très vite.

Pas si je peux l'empêcher.

– Salut, Holly.

Je fermai les yeux et tentai un saut complet pour revenir à l'une des journées les plus importantes de ma vie. En sentant le poids de mon corps s'en aller, je sus que mon père avait raison. J'avais la possibilité de choisir.

CHAPITRE QUARANTE-TROIS

Ma nouvelle *home base*. Et j'avais réussi à me poser à l'endroit et à l'instant exacts où je devais être. J'entrai dans le YMCA de la 92ᵉ Rue et me dirigeai vers l'accueil.

– Puis-je laisser un message pour M. Wellborn ?

– Bien sûr, répondit la réceptionniste en me tendant une feuille et un stylo.

J'écrivis un mot pour annoncer ma démission du centre aéré où j'aurais dû commencer à travailler comme moniteur le jour même, puis tournai les talons. J'allai alors me poster près d'un réverbère assez éloigné de l'entrée du bâtiment. Il fallait que je la voie.

Quelques minutes s'écoulèrent. Puis, tout au bout du trottoir, je vis sa queue-de-cheval blonde qui flottait de droite et de gauche, le grand smoothie rose qu'elle tenait dans une main et le livre qui cachait son visage dans l'autre. J'avais cru que l'émotion allait me submerger et que j'allais me précipiter vers elle, mais non, je m'appuyai contre le réverbère et la regardai approcher.

À cet instant, elle était heureuse et en sécurité. Je ne l'avais pas encore abandonnée, je n'avais pas encore brisé son cœur.

Ni causé sa mort. Les paroles qu'elle avait prononcées il y a si longtemps me revinrent en mémoire : *C'est comme si tu avais une vie parallèle dont je serais exclue.*

C'était tout l'inverse à présent.

Je retins mon souffle en voyant Holly approcher des marches sans même lever les yeux de son livre. Mais quand elle monta l'escalier, je restai fermement planté sur mes pieds. C'était à ce moment précis que nos deux existences étaient entrées en collision. Deux chemins qui, désormais, ne se croiseraient sans doute jamais. Un mélange de soulagement et de désespoir s'empara de moi alors qu'elle franchissait les portes sans dommage. L'histoire avait changé pour toujours. Nous ne nous étions jamais rencontrés.

Je mis la main dans ma poche et enserrai la bague qu'Emily m'avait donnée. Elle ne devait certainement rien savoir du choix que j'allais faire. À moins que, peut-être... elle ne l'ait su, justement. Je chassai cette lueur d'espoir de mon esprit et tournai le dos à Holly.

Plus je m'éloignais d'elle, plus la douleur était intense. Une douleur cruelle qui jamais ne s'estomperait.

Sans y penser, je m'arrêtai devant l'aire de jeux où j'avais passé une matinée, couché dans l'herbe, en compagnie de Holly 007. Comme ce jour-là, un sentiment de paix inattendu s'empara de moi. Quelques instant plus tard, j'étais allongé au même endroit, les yeux levés vers les nuages, sa voix résonnant dans mes oreilles comme si elle était près de moi.

– *Jackson ?*

– *Oui ?*

– *Tu es complètement différent de ce que j'imaginais.*

– Toi, tu es exactement comme je me l'imaginais.

Je sus alors, sans le moindre doute, que j'avais fait ce qu'il fallait. C'était certain. La souffrance et le chagrin ne sont rien comparés aux regrets.

Je récupérai mon journal de bord enfoui dans mon sac, que j'avais posé sur l'herbe. Je n'y écrivis que cinq mots. Ils me serviraient de pense-bête les jours où les choses iraient encore plus mal qu'aujourd'hui. Car en vérité, même si je n'ai aucune idée de ce qui m'attend, aujourd'hui, tout du moins…

Je n'ai aucun regret.

REMERCIEMENTS

Ce livre n'aurait jamais vu le jour sans l'aide de nombreuses personnes. Je sais bien que tous les auteurs disent la même chose, mais je comprends désormais qu'ils sont parfaitement sincères. Ce fut tout sauf un effort solitaire et j'aimerais ici rendre un hommage digne de ce nom à chacun de ceux qui m'ont soutenue.

Je souhaite remercier :

Nick, mon mari, dont les avis et les encouragements me sont plus précieux que tous les autres réunis, même si je ne le lui avoue pas toujours, et qui a été l'unique inspiration de l'amour et de la fidélité absolue qui animent mon personnage principal. Il méritera plus de la moitié du succès du livre, car s'il est une chose plus dure que d'être écrivain, c'est de partager l'existence d'un écrivain. Merci de ne m'avoir jamais abandonnée et d'avoir attendu si souvent tard le soir que j'aie fini de travailler afin que nous puissions passer un peu de temps ensemble. Et surtout, merci d'être le genre d'homme qu'on ne saurait résumer correctement en un paragraphe.

Jenni, ma grande sœur, pour son regard sans concession sur les différentes versions de ce livre, son soutien et ses encouragements incessants tout au long de cette entreprise éprouvante. Ses précieux conseils de lectrice avertie ont donné lieu à nombre d'ajouts et de corrections. Elle m'a aussi apporté une aide morale dont seul un membre de la famille proche peut être capable.

Elm, mon grand-père, l'une de mes personnes préférées sur cette Terre. Il est aussi un écrivain merveilleux et fut mon premier supporter une fois que j'eus décidé de me faire publier. Tandis que les lettres de refus s'empilaient, je recevais de sa part les mails les plus magnifiques et enthousiasmants qui soient, dans lesquels il me disait qu'il était fier de constater que je progressais et grandissais en tant qu'auteur. Je n'ai jamais pu me résoudre à les effacer et je n'ai jamais oublié l'impact qu'ils ont eu sur moi.

Coleen, ma maman, parce qu'elle est toujours fière de ce que j'écris, qu'il s'agisse d'un article pour un magazine confidentiel ou d'une trilogie pour un grand éditeur. Jamais elle ne m'a dit que je visais trop haut ou que je n'étais pas au niveau. Bien au contraire.

Tom, mon papa. Outre le don de l'écriture, il m'a transmis la discipline nécessaire pour le faire fructifier et m'a démontré au quotidien que l'amour et l'attention qu'on porte à ses enfants se prolongent au-delà de l'enfance. Joyce, sa compagne, qui m'a toujours considérée comme sa propre fille et dont la générosité est sans pareille.

Marcia, ma belle-mère, qui a soutenu mon projet dès ses premiers instants. Avec Tim, son compagnon, ils m'ont fait voir combien l'amour peut durer longtemps, que le temps soit beau ou gris.

Et bien sûr, Charles, Ella et Maddie, mes petits bouts, qui grandissent bien trop vite. J'espère qu'un jour, quand ils seront en âge de lire ce livre, ils découvriront des morceaux de leur enfance au hasard des pages, comme ces bribes de conversation autour de la table du dîner quand nous discutions de l'intrigue ou des personnages, et que ces souvenirs leur permettront de reconstituer cette histoire qui sera si particulière pour nous tous.

Jamie, ma petite sœur, pour ses encouragements de fan girl, ainsi que Jacob, mon plus jeune frère et Ryan, mon autre petit frère, dont je sais qu'il va composer des chansons géniales pour *Tempest* avec son groupe, The Paramedics. Si ce n'est pas déjà fait au moment où ce livre sortira.

Tracy, Kathy et Dawn, mes tantes favorites, qui sont derrière moi depuis toujours. J'ai mis tout mon cœur dans ce projet pour produire quelque chose dont je savais que chacune d'entre elles pourrait être fière.

Maureen, ma grand-mère, l'âme de notre famille, avec qui je partage depuis toujours l'amour des livres.

Rhiannon, ma cousine, ma presque sœur, pour ses relectures enthousiastes des premiers jets que je lui envoyais et pour nos merveilleuses discussions littéraires.

Je ne saurais oublier tous mes petits cousins, car leurs regards d'adolescents ont influencé mon écriture, notamment Kevin Robbins, qui fut l'un de mes premiers lecteurs, et dont les commentaires ont eu un impact direct sur la version ultime de ce livre. Et le reste de la bande de cousins que j'ai réquisitionnés comme lecteurs bien avant que mes lignes ne soient présentables et encore moins publiables : Lauren Robbins, Kelsey et Kayla Wilson, Grace et Sarah Geehan.

Shannon Slifer, l'une de mes plus anciennes amies et la toute première personne à avoir lu le premier roman que j'avais écrit à l'été 2009. Laurel Jukes, la plus fidèle de mes jeunes lectrices, qui a elle aussi navigué au gré des courants de mes voyages d'écriture, les pires comme les plus beaux. Nos discussions de travail m'ont été d'un précieux secours pendant la traversée. Sarah Thorman, ma fidèle amie depuis si longtemps, qui partage désormais ma passion pour la gymnastique sportive et qui est toujours là pour écouter mes colères et mes enthousiasmes. Amanda Koba, ma plus ancienne amie, qui a conservé précieusement tous ces souvenirs de mon enfance et a su les faire jaillir quand il le fallait. Nous en partageons assez pour remplir les pages d'une vingtaine de livres pour jeunes adultes. Mes amis Justin et Tori Spring, mes anciens voisins, qui ont été, j'en suis presque sûre, les premiers à savoir que je souhaitais devenir écrivain.

Mes collègues du YMCA de Champaign County pour tous leurs mots d'encouragement et surtout pour m'avoir rappelé chaque jour d'où je venais, pour les racines solides que le YMCA plante en ceux qui y travaillent et pour ces leçons que j'espère ne jamais oublier. C'est dans ces murs que cette histoire a vu le jour et mes enfants ont grandi en faisant partie de cette famille.

Roni Loren, l'une de mes premières amies écrivains sur Internet, partenaire de critique et « sœur de sortie ». Quel plaisir de sentir son aide et d'avoir quelqu'un traversant les mêmes affres au même moment que soi !

Suzie Townsend, mon agent, qui partage mon amour absolu de la littérature pour jeunes adultes et qui sait toujours exactement ce que j'ai besoin d'entendre dans les moments de stress ou d'excitation. Elle me maintient les pieds sur terre et la tête froide et affiche une patience à toute épreuve quand je l'assaille de questions et d'idées de rebondissements. Sa passion pour cette histoire en particulier et pour mes personnages est apparue dans la moindre de ses remarques et critiques. J'espère sincèrement poursuivre cette collaboration pendant de très nombreuses années.

Tous les employés de FinePrint Library Management, connus ou inconnus, qui ont forcément participé à un degré ou à un autre à l'élaboration de ce livre ou à ma promotion en tant qu'auteur. Merci pour cet effort collectif de la part d'une équipe de top niveau.

Brendan Deneen, éditeur et ami, à qui j'ai dédié cet ouvrage, qui a eu le courage de parier sur une débutante et de croire non seulement en *Tempest* mais aussi en moi en tant qu'auteur. Grâce à lui, j'ai autant apprécié le processus créatif que son résultat. Il a été comme un entraîneur pour les Jeux Olympiques. Je ne serais pas devenue l'auteur que je suis sans son aide.

Pete Wolverton et Tom Dunne, de Thomas Dunne Books, deux gars géniaux qui ont eux aussi cru suffisamment en une novice et en ce livre pour lui permettre d'écrire deux tomes de plus.

La fabuleuse équipe de St. Martin's Press. Je ne connais pas tous ceux qui y travaillent, mais, qu'ils soient dans les coulisses ou sur le devant de la scène, ils ont contribué à faire de mon rêve une réalité par leur simple travail quotidien. D'ici aux remerciements du tome 2, je crois bien que j'en aurai rencontré beaucoup. Surtout, je n'oublierai jamais, lors de ma première visite à New York, la voix de Matt Baldacci citant une phrase de *mon livre* et avouant avoir laissé échapper quelques larmes en me lisant ce matin-là. Ce fut peut-être l'un des plus beaux moments de ma vie d'écrivain et la preuve, s'il en était besoin, de la passion de cette maison pour les livres qu'elle défend et pour leurs auteurs.

Summit Entertainment pour les efforts constants déployés afin de porter *Tempest* à l'écran. Sophie Cassidy, productrice chez Summit, qui a cru à *Tempest* dès la première version, et son alter ego Sonny Mallhi, qui n'a cessé de se démener pour le livre et de m'encourager. Roy Lee, qui m'a envoyé un merveilleux message pour me dire à quel point il prenait plaisir à me lire. Je sais que le film n'aurait pu être placé en de meilleures mains.

Certains des auteurs qui m'ont inspirée et influencée avant que je ne me lance, puis accompagnée dans les premiers temps de mon aventure : Courtney Summers, J.K. Rowling, Stephen King, Judy Blume, Lois Lowry, Jay Asher, Ally Carter, Stephenie Meyer et Ann M. Martin.

Enfin, comment ne pas remercier tous ceux et celles qui liront cette histoire ? Sans vous qui achetez et lisez des livres, mon inspiration ne servirait à rien.

Composition : Nord Compo
Achevé d'imprimer en France en août 2011
par Normandie Roto Impression s.a.s., Lonrai
N° d'imprimeur : 112980
Dépôt légal : septembre 2011